Les Aventures de Socrate

Note sur l'auteur :

Ancien champion du monde de trampoline, professeur d'université et instructeur en arts martiaux, Dan Millman a inspiré des millions de lecteurs avec ses écrits traduits aujourd'hui en vingt-huit langues. Publié il y a plus de vingt-cinq ans, son grand succès *Le Guerrier pacifique* est devenu un classique de la littérature d'inspiration.

Il mettait en vedette un mystérieux pompiste d'une vieille station-service, un Socrate des temps modernes, qui guidait le jeune narrateur vers la conquête de lui-même.

Avec *Les Aventures de Socrate*, qui constitue un prélude à la trilogie du guerrier pacifique, nous retournons à la source historique du fameux mentor de Dan Millman et de sa quête vers la paix et la réalisation.

Du même auteur :

Le Guerrier pacifique – Éditions Vivez Soleil
Le Voyage sacré du Guerrier pacifique – Éditions Vivez Soleil

Aux Éditions du Roseau

GUIDES PRATIQUES
La Voie sacrée du Guerrier pacifique
Les Cartes-Exercices du Guerrier pacifique
Les Lois de l'Esprit
Votre chemin de vie
L'Athlète intérieur
Accomplir sa mission
Chaque jour l'illumination
Le Journal de Chaque jour l'illumination
Divines interventions

POUR ENFANTS
Le Secret du Guerrier pacifique
La Quête du château de cristal

Pour plus d'information sur les ouvrages de Dan Millman :
www.danmillman.com

DAN MILLMAN

LES AVENTURES DE SOCRATE

Traduit de l'anglais par

Geneviève Boulanger et
Françoise Forest

Catalogage avant publication de Bibliothèque et Archives Canada

Millman, Dan

Les aventures de Socrate

Traduction de : The journeys of Socrates.

ISBN 2-89466-113-4

I. Boulanger, Geneviève. II. Forest, Françoise. III. Titre.

PS3563.I424J6814 2005 813'.54 C2005-941973-3

Les Éditions du Roseau bénéficient du soutien financier des institutions suivantes pour leurs activités d'édition :

- Gouvernement du Canada par l'entremise du Programme d'aide au développement de l'industrie de l'édition (PADIÉ)
- Société de développement des entreprises culturelles du Québec (SODEC)
- Programme de crédit d'impôt pour l'édition de livres du gouvernement du Québec

Illustration de la
page couverture : Terry Lamb

Graphisme : Carl Lemyre

Infographie : Nicole Brassard

Photographie de l'auteur : Russell Photo.com

Titre original : *The Journeys of Socrates*
Publié avec l'accord de Harper San Francisco,
une division de Harper Collins Publishers Inc.

ISBN 2-89466-113-4

Dépôt légal : Bibliothèque nationale du Québec, 2006
Bibliothèque nationale du Canada, 2006

Distribution : Diffusion Raffin
29, rue Royal
Le Gardeur (Québec)
J5Z 4Z3

Courriel : diffusionraffin@qc.aira.com

Site Internet : http ://www.roseau.ca

Imprimé au Canada

Je dédie ce livre à l'homme que j'appelle Socrate
et à vous, amis lecteurs, qui m'avez demandé de vous
raconter son histoire.

Si j'avais pris conscience des épreuves et des
souffrances qu'avait affrontées mon vieux mentor,
je l'aurais mieux écouté, et j'aurais béni encore davantage
les moments passés en sa compagnie. J'espère lui avoir rendu
honneur et justice en partageant avec vous ce périple qui
nous plonge dans la vie d'un sage bienveillant,
dans l'âme d'un guerrier pacifique.

DAN MILLMAN

Chaque voyage comporte une destination secrète
dont le voyageur n'a pas conscience.

Martin Buber

Remerciements

L'union fait la force. De nombreuses personnes, d'une autre époque ou de celle-ci, ont contribué à mettre ce livre au monde. Et une multitude d'auteurs, de philosophes et de mentors m'ont servi de jalons au cours de mon voyage.

Mon agente littéraire Candice Fuhrman, qui a été la première personne à me conseiller d'écrire l'histoire de Socrate, m'a guidé du début à la fin de cette entreprise.

Au cours des premières étapes de ce projet, Sierra Prasada Millman, Joy Millman et Nancy Grimley Carleton m'ont fourni de précieux commentaires sur le manuscrit, et ce, des premières ébauches à la version finale. Les observations de ma fille à propos de ma première version m'ont permis de jeter un regard neuf sur cette histoire et de retravailler la narration afin de pouvoir passer à la prochaine étape de la création littéraire.

L'éditeur Stephen Hanselman a accepté de publier ce livre en faisant preuve de beaucoup de confiance, de générosité et d'audace, ainsi que d'un étonnant jugement. Gideon Weil, mon réviseur compétent, m'a fourni un excellent soutien lors de chacune des étapes de la publication. Avec la collaboration de l'équipe extraordinaire de Harper San Francisco, composée de Jeff Hobbs, Sam Barry, Linda Wollenberger, Claudia Boutote, Margery Buchanan, Terri Leonard, Priscilla Stuckey, Mickey Maudlin, Mark Tauber, Jim Warner, Anne Connolly et JulieRae Mitchell, Gideon a veillé sur le manuscrit jusqu'à sa version finale.

Un merci particulier à Terry Lamb pour la superbe illustration de la page couverture.

John Giduck, fondateur du Centre d'entraînement en arts martiaux russes de Golden, au Colorado, m'a offert généreusement son temps et ses connaissances, me fournissant des notes de recherche détaillées et de précieuses suggestions tant en ce qui concerne la culture russe que les arts martiaux.

Le Russian System Guidebook, rédigé par Vladimir Vasiliev, l'un des plus célèbres professeurs au monde dans le domaine des arts martiaux russes, a été pour moi une précieuse ressource. Et je tiens à remercier chaleureusement Valerie Vasiliev qui, tout en prenant soin de sa famille et en accomplissant d'innombrables autres tâches, a répondu à de nombreuses questions reliées au respect de l'authenticité des traditions russes.

Parmi les autres spécialistes en leur domaine qui m'ont aidé à ne pas trop m'éloigner de la réalité, j'aimerais mentionner Rowan Beach et Elissa Bemporad, Ph.D., David E. Fishman, professeur d'histoire juive au Jewish Theological Seminary of America, Lawrence H. Officer, professeur d'économie à l'Université de l'Illinois à Chicago, le professeur Harlan Stelmach et Mary K. Lespier, du département des humanités de l'université dominicaine de Californie, Four Arrows (Don Trent Jacobs), professeur à la Northern Arizona University et au Fielding Graduate Institute, William Harris, M.D., David Galland, M.D., le Père Vladimir de l'Église orthodoxe russe de la Sainte-Trinité, à Toronto, et enfin Joe Cochrane du Cooperative Library System de North Bay. J'assume évidemment la responsabilité des erreurs qui auraient pu se glisser dans ce livre.

Merci également à Douglas Childers, Linda et Hal Kramer ainsi que Sharon et Charles Root, qui ont lu les premières ébauches de mon manuscrit, pour leurs commentaires éclairés, leur franchise et leurs encouragements.

Chacune de mes filles (par ordre de naissance) — Holly, Sierra et China — a contribué à stimuler mon souffle créatif, tant sur le plan pratique que sur d'autres plans plus subtils, tout en me rappelant les choses importantes de la vie.

Mon épouse et ange gardien, Joy, renouvelle et enrichit ma vie depuis trois décennies grâce à son soutien, son amour et sa sagesse bien ancrée sur terre. Invariablement la première et la dernière personne à me lire, elle me prodigue de sages conseils qui m'aident à améliorer tant mes écrits que ma vie elle-même.

Enfin, je tiens à souligner les sacrifices remplis d'amour et la générosité de mes défunts parents, Herman et Vivian Millman, qui ont permis tout ce qui allait suivre, ainsi que de mes grands-parents, Pauline et Abraham Chudom et Rose et Harry Millman, tous immigrants ukrainiens. Par leur courage, dont leur famille dépendait, et leurs efforts, qui nous ont ouvert la voie, ils ont posé les assises sur lesquelles nous nous appuyons aujourd'hui.

PROLOGUE

J'ai tué Dmitri Zakolyev.

Cette pensée, cette âpre réalité, revenait sans cesse hanter Sergei qui, allongé à califourchon sur un tronc moussu, ramait aussi silencieusement que possible dans les eaux glaciales du lac Krugloye, vingt-cinq kilomètres au nord de Moscou. Il fuyait à la fois l'école militaire Nevskiy et son passé, mais il ne pouvait échapper à l'horreur de la mort de Zakolyev.

Longeant approximativement la rive dans l'obscurité de la nuit, Sergei balaya du regard les collines boisées qui surgissaient puis s'évanouissaient à nouveau, englouties par la brume. La surface noire du lac, éclairée par la lueur blafarde de la lune, miroitait chaque fois qu'il y plongeait le bras. Le mouvement de l'eau et le froid mordant détournèrent son attention quelques instants encore, mais très vite ses pensées le ramenèrent au corps de Zakolyev, étalé dans la boue.

Sergei ne sentait plus ses mains ni ses jambes, et il devait regagner la rive avant que le tronc gorgé d'eau ne s'enfonce sous lui. Juste un peu plus loin, pensa-t-il, un dernier kilomètre encore.

Ce moyen d'évasion était lent et périlleux, mais le lac offrait un grand avantage : l'eau ne garderait aucune trace de son passage.

Enfin, il bifurqua vers la rive. Malgré l'eau qui lui arrivait à la taille, la boue qui engluait ses pieds et les roseaux tranchants, il réussit à rejoindre la grève sablonneuse avant de s'enfoncer dans la sombre forêt qui la bordait.

À quinze ans, Sergei venait de se glisser dans la peau d'un fugitif. Il tremblait, accablé non seulement par le froid mais aussi par le poids de son destin, comme si tous les événements de sa vie l'avaient conduit à cet instant. En se frayant un chemin dans un fourré de pins et de bouleaux, il songea à ce que lui avait confié son grand-père, et à la façon dont tout avait commencé...

En cet automne 1872, des vents frisquets venus de l'est soufflaient sur les étendues couvertes de mousses de la toundra sibérienne, balayant la chaîne de l'Oural et plus au nord la taïga et ses forêts de bouleaux, de pins, d'arbustes et de lichens qui ceignaient la ville de Saint-Pétersbourg, joyau de la Russie.

Autour du Palais d'hiver, les gardes d'Alexandre II, vêtus de pèlerines de laine, marchaient au pas en bordure du fleuve Néva, l'une des quatre-vingt-dix voies navigables qui coulaient sous les huit cents ponts de la ville, puis le long de rangées de petits immeubles résidentiels et de clochers d'églises ornés de la croix de l'Église orthodoxe. Près du fleuve avaient été aménagés des parcs urbains où s'érigeaient des statues de Pierre le Grand, de Catherine 1re et de Pouchkine — respectivement tsar, tsarine et grande figure littéraire du pays —, sentinelles éclairées par des réverbères que l'on allumait à la tombée du jour.

Des bourrasques arrachaient les dernières feuilles jaunies des arbres et gonflaient les jupes de lainage des fillettes habillées pour l'école, ébouriffant au passage les cheveux de deux jeunes garçons qui se chamaillaient dans la cour d'une maison près de Nevskiy Prospekt. À l'étage, le vent fit trembler les rideaux de la fenêtre de la chambre où se tenait Natalia Ivanova. Elle remonta son châle sur ses épaules, referma légèrement la fenêtre et laissa son regard vagabonder dans la cour, où jouait son fils Sasha en compagnie de son ami Anatoly.

Anatoly s'élança vers Sasha comme un taureau à l'attaque. Au dernier moment, Sasha fit un pas de côté et projeta Anatoly par-dessus sa hanche, comme le lui avait enseigné son père. Fier de sa prouesse, Sasha imita le chant du coq. Quel robuste garçon, comme son père, songea Natalia. Elle enviait l'énergie de son fils, surtout en ce moment où elle se sentait si faible, souffrant d'une fatigue presque chronique depuis que son ventre s'était arrondi après la conception de leur deuxième enfant. Toutefois, l'épuisement de Natalia ne la prenait pas par surprise. La sage-femme Yana Vaslakova, qui était aussi sa voisine et son amie, l'avait prévenue : « Une femme d'aussi frêle constitution ne devrait pas porter un autre enfant. » Pourtant, une nouvelle vie s'était lovée en elle, et elle demandait chaque jour dans ses prières la force de mener sa grossesse à terme, bien qu'elle souffrît déjà d'évanouissements et qu'une immense fatigue l'ait pénétrée jusqu'à la moelle.

Natalia croisa les bras sur sa poitrine et frissonna, se demandant comment les gamins pouvaient jouer dehors par un temps pareil. Elle les appela par la fenêtre : « Sasha ! Anatoly ! Il va pleuvoir bientôt. Il est temps de rentrer, les garçons ! » Sa voix lasse couvrait à peine le vent. Et de toute façon, les enfants de six ans n'entendent souvent que ce qui leur plaît.

Poussant un profond soupir, Natalia revint s'asseoir sur le petit canapé où elle discutait avec Yana, et se mit à brosser ses longs cheveux noirs. Sergei rentrerait bientôt, et elle voulait être à son meilleur pour l'accueillir.

« Repose-toi, Natalia », lui conseilla Yana. « En sortant, je ferai rentrer les garçons. » Pendant que son amie descendait l'escalier, Natalia entendit le crépitement de la pluie sur la fenêtre, puis d'autres sons, directement au-dessus de sa tête — de petits pas précipités et des cris espiègles. Ils ont encore grimpé au treillis, pensa-t-elle. Envahie par ce mélange de colère et d'appréhension que connaissent toutes les mères dont les petits garçons s'imaginent invulnérables, Natalia lança en direction du toit : « Descendez du toit tout de suite ! Et soyez prudents ! »

Elle perçut des rires et des bruits de bagarre. Les enfants se chamaillaient sur le toit.

« Descendez immédiatement ou votre père le saura ! »

« D'accord, *mamochka* », répondit gentiment Sasha, cherchant à gagner la faveur de sa mère. « Mais ne dis rien à papa ! » De nouveaux gloussements se firent entendre.

Comme Natalia se retournait pour déposer sa brosse à cheveux, tout bascula. Les rires enfantins se transformèrent en hurlements. Puis, un lourd silence.

Natalia se précipita à la fenêtre d'où elle aperçut, horrifiée, deux corps immobiles sur le sol.

En une fraction de seconde, sembla-t-il, elle était dehors, agenouillée dans la boue. Embrassant le corps inerte de son enfant, noyée de larmes et de pluie, elle le balança au rythme des vagues de souffrance absolue qui marquent l'agonie d'une mère.

Puis, une vive douleur à l'abdomen tira Natalia de l'abîme où elle était plongée, et elle perçut confusément la présence de Yana et d'un homme à ses côtés. Alors que Yana l'aidait à se lever, l'homme tenta de la libérer du fardeau qu'elle portait dans ses bras. Natalia le repoussa, mais le cri aigu d'un garçon la figea sur place. Elle porta brusquement son regard sur son Sasha bien-aimé, mais c'est Anatoly qui hurlait, la jambe fracturée.

Yana aida Natalia à rentrer dans la maison, et celle-ci fut transpercée par une nouvelle douleur au ventre qui la plia en deux. Elle s'effondra dans l'entrée. Où est Sasha ? se demanda-t-elle. Il devrait rentrer. Il fait froid, si froid.

Lorsqu'elle reprit conscience, Natalia était allongée sur le lit, avec la sage-femme à son chevet. La réalité lui sauta à la gorge : le bébé s'en vient, trop tôt… deux mois trop tôt. Ou les mois ont-ils passé à mon insu ? se demanda-t-elle. Où suis-je ? Où est Sergei ? Il saura, lui, que tout cela n'est qu'un rêve. Il sourira, caressera mes cheveux et me dira que Sasha se porte bien… que tout va bien.

Ahh ! Cette douleur, à nouveau ! Qu'est-ce qui ne va pas ? Où est mon petit Sasha ? Où est Sergei ?

❖ ❖ ❖

À son retour à la maison, Sergei Ivanov aperçut les voisins rassemblés dans sa cour sous la pluie. La peine qu'il lut sur leur visage le fit se précipiter à l'intérieur de la maison. Yana Vaslakova lui annonça la mort de Sasha tombé du toit, les contractions déclenchées par ce choc chez Natalia, l'hémorragie incontrôlable à laquelle celle-ci avait succombé… Partis, tous les deux.

Mais leur bébé avait survécu. Un fils né si prématurément qu'il ne survivrait probablement pas. La sage-femme Yana avait assisté à plusieurs naissances, plusieurs morts. La mort est plus facile pour ceux qui partent que pour ceux qui restent, pensa-t-elle. D'un instant à l'autre, un prêtre viendrait dispenser les derniers sacrements à Natalia et à Sasha, et probablement au nouveau-né aussi.

Yana déposa celui-ci, tout menu, dans les bras de Sergei, et expliqua au père dévasté que le bébé était trop faible pour téter, mais qu'un peu de lait de chèvre pressé dans un linge pourrait le nourrir s'il parvenait à survivre jusqu'au lendemain matin.

Sergei regarda le petit visage ratatiné du nouveau-né, emmailloté dans une couverture confectionnée par Natalia. Il entendit à peine ce que lui confiait Yana : « Les derniers mots de Natalia avant qu'elle ne perde conscience… elle a dit qu'elle t'aimait de tout son cœur… et t'a demandé de confier son fils aux soins de ses parents… »

Bien qu'à l'agonie, Natalia avait réussi à entrevoir la meilleure option pour son enfant… et son époux. Elle savait que Sergei, membre des *streltsy*, la garde d'élite du Tsar, ne pourrait s'occuper de son fils. Avait-elle pressenti aussi que chaque fois qu'il poserait les yeux sur son garçon, il revivrait en pensée cette sombre journée ?

Le prêtre fit son entrée et baptisa le nouveau-né pour le repos de son âme, au cas où il ne survivrait pas. Quand il voulut savoir le nom de l'enfant, le père égaré répondit « Sergei », croyant que le prêtre lui demandait son propre nom. C'est ainsi que le garçon reçut le nom de son père.

Yana Vaslakova offrit de prendre soin du nouveau-né tout au long de la nuit.

Sergei acquiesça lentement d'un signe de tête. « S'il est encore vivant demain... confiez-le à ses grands-parents. » Il lui donna leur adresse et leurs noms : Heschel et Esther Rabinowitz. Des Juifs. Cela ne respectait guère les principes de Sergei, mais il savait qu'ils élèveraient l'enfant dans l'amour et en toute sécurité. Il exauça donc le désir de Natalia. Il n'avait jamais rien pu lui refuser, dans la vie comme dans la mort. Cette journée automnale allait marquer le début de la descente aux enfers de Sergei Ivanov, tandis que son minuscule fils se raccrochait à la vie.

Huit ans plus tard, par une sombre nuit d'octobre, Heschel Rabinowitz était assis seul dans le troisième wagon d'un train en direction de Moscou. Il laissait son regard errer par la fenêtre, mi-pensif mi-assoupi à la manière des vieillards, vaguement conscient du défilement des forêts et des hameaux à peine visibles dans les premières lueurs de l'aube. Heschel somnolait et rêvassait, le regard perdu au loin. Des souvenirs affluaient dans son esprit comme les paysages qui se succédaient dans la fenêtre boueuse du wagon : sa fille Natalia en robe rouge, le visage radieux... une photographie de Sasha, le petit-fils qu'il n'avait jamais rencontré... et le beau visage âgé de sa bien-aimée Esther. Maintenant, ils avaient quitté ce monde, tous les trois.

Heschel pressa fortement ses mains contre ses yeux, comme pour chasser le passé de son esprit. Puis, ses traits se détendirent et il sourit en accueillant une autre vision, celle d'un petit garçon de trois ans, aux yeux trop grands par rapport à son corps maigrelet, tendant les bras vers son grand-père...

La voix du conducteur annonçant l'arrivée du train sortit Heschel de sa rêverie. Étouffant un bâillement, il se leva péniblement, étirant ses articulations endolories. Il ramena contre lui son vieux manteau, gratta sa barbe blanche et ajusta ses lunettes à monture d'acier sur son large nez. Des étrangers pressés le bousculèrent, mais il ne s'en offusqua pas. Serrant son cartable contre sa poitrine comme on porte un enfant, il descendit sur le quai et s'avança d'un pas traînant, enveloppé d'un nuage de vapeur qui montait dans l'air frisquet de l'aube. Il observa le ciel : la première neige s'annonçait.

Heschel redressa sa casquette et ramena son esprit vagabond vers le nord. Il devait trouver une place dans la charrette d'un paysan secourable pour accomplir la dernière étape, une demi-journée de route dans les collines.

Ce voyage serait ardu pour Heschel. Son dos, usé par d'innombrables heures passées à son établi, était courbé comme les violons qu'il façonnait à partir d'érable, d'épinette et d'ébène bien secs. Le vieil homme fabriquait également des horloges de fantaisie. Il avait appris ces deux métiers très jeune — l'un de son père, l'autre de son grand-père. Incapable de choisir entre les deux, il fabriquait tour à tour un violon, puis une horloge, appréciant cette diversité. Malgré son âge et ses doigts perclus de rhumatismes, il continuait à travailler avec assiduité, fignolant chaque violon comme s'il s'agissait du premier, chaque horloge comme si elle était la dernière.

Peu après que Heschel se fut initié à ces arts, son père lui avait confié son atelier pour partir vers l'Orient se livrer au commerce des pierres précieuses. Plus tard, la prospérité et la générosité de celui-ci avaient permis à Heschel, qui était juif, de continuer à vivre à Saint-Pétersbourg, où il partageait un logement avec sa femme Esther.

Heschel se remémorait tout cela, serrant toujours son cartable contre lui tandis qu'il quittait la gare lentement, d'un pas hésitant, et se dirigeait vers la principale route qui menait à l'extérieur de la ville.

Quelques heures plus tard, il était assis contre un sac de pommes de terre dans la charrette d'un paysan qui gravissait tant bien que mal une route étroite et boueuse, creusée d'ornières et criblée de traces de sabots de chevaux et de bœufs. Puis, il poursuivit à pied son chemin sur les rives du lac Krugloye, niché au creux des collines qui s'étendaient au nord de Moscou.

En s'enfonçant dans la vallée, Heschel pensa aux nombreuses lettres qu'il avait écrites au cours des cinq années précédentes, et à tous les refus qu'il avait essuyés en retour. Quelques semaines auparavant, il avait envoyé une dernière lettre à l'instructeur en chef Vladimir Ivanov : « Je n'ai pas revu Sergei depuis qu'il a été admis dans votre école. Mon épouse est décédée. Je suis seul au monde. C'est peut-être ma dernière chance de saluer mon petit-fils. »

Dès qu'il avait reçu la réponse d'Ivanov, qui lui autorisait une visite, Heschel s'était mis en route.

Maintenant, pour protéger son cou du vent chargé de neige, il remontait frileusement le col de son manteau de laine. Deux jours, pensa-t-il, si peu de temps pour insuffler ma vie à un gamin de huit ans. Quelques mots du rabbin Hillel lui revinrent en mémoire : « Les enfants ne sont pas des vaisseaux à remplir mais des bougies à allumer. »

« Il ne me reste plus beaucoup de feu », murmura Heschel en se frayant un chemin à travers les bouleaux et les pins dans une pente givrée et rocailleuse, saupoudrée de flocons de neige. Ses articulations douloureuses lui rappelaient les limites de son existence physique — et l'importance de cette dernière quête. Le sifflement du vent s'estompa alors que Heschel se laissait glisser à nouveau dans les fissures de sa mémoire, qui le ramena cinq ans plus tôt, au jour où un jeune soldat avait cogné à leur porte en brandissant une lettre du père de Sergei. Celui-ci demandait que son fils soit conduit à l'école militaire Nevskiy.

Une heure plus tard, Heschel atteignait l'entrée principale de l'école. Il embrassa du regard l'enceinte délimitée par des murs de près de quatre mètres de hauteur, comme s'il s'agissait d'un château fort. En face, il apercevait un ensemble de bâtiments fortifiés à l'allure spartiate. Aucune haie ni ornement n'adoucissait les remparts de pierre à l'intérieur desquels, présuma Heschel, l'efficacité et la fonctionnalité modelaient l'existence des jeunes soldats.

Un cadet le conduisit à travers la grande cour jusqu'au bâtiment principal, puis le long d'un corridor où ils parvinrent à une porte où on lisait le nom de V. I. Ivanov, instructeur en chef.

Heschel retira sa casquette, passa la main dans ses cheveux clairsemés et entra.

PREMIÈRE PARTIE

Entre l'aigre et le doux

J'ai une histoire triste à vous raconter, et une histoire heureuse. En bout de ligne, vous constaterez peut-être qu'elles n'en forment qu'une, car les joies et les peines de l'existence se succèdent comme les saisons, alternant tels le jour et la nuit, même aujourd'hui où j'avance entre chien et loup…

Extrait du journal de Socrate

. 1 .

Sergei était inquiet, en ce matin d'octobre, d'avoir été appelé au bureau de son oncle. Une telle convocation — peu fréquente pour n'importe quel cadet — annonçait généralement de mauvaises nouvelles ou une punition. Par conséquent, peu pressé d'affronter le visage sévère et les sourcils froncés de l'instructeur en chef, Sergei flânait en traversant l'école d'un pas qui n'avait rien de militaire.

On lui avait demandé de considérer Vladimir Ivanov non pas comme son oncle mais simplement comme l'instructeur en chef. Il ne devait pas lui poser de questions personnelles, même si celles-ci se bousculaient dans sa tête — à propos de ses parents et de son passé. L'instructeur en chef ne lui avait pratiquement rien confié à leur sujet, sauf le jour où il avait appris au jeune cadet la mort de son père, quatre ans auparavant.

Chaque recoin de la cour intérieure lui rappelait des souvenirs des années passées : la première fois où il était monté à cheval, rebondissant violemment et s'agrippant désespérément à la bride… l'une des nombreuses bagarres auxquelles son tempérament bouillant l'avait poussé, et qu'il avait perdue en raison de sa frêle constitution.

Il passa devant l'infirmerie et le petit appartement de Galina, la vieille infirmière de l'école qui avait pris soin de lui à son arrivée. Elle l'avait mouché quand il était malade et conduit aux repas jusqu'à ce qu'il puisse se retrouver seul dans l'école. Trop jeune pour vivre dans les casernes, il avait dormi sur un lit de camp près de l'infirmerie jusqu'à l'âge de cinq ans. Il avait beaucoup souffert de solitude, sans coin à lui ni sentiment d'appartenance à un groupe. Les autres cadets le traitaient comme une mascotte ou un animal domestique, le cajolant un jour, le rouant de coups le lendemain.

La plupart des autres garçons avaient un père et une mère à la maison; Sergei, lui, n'avait pour toute famille que son oncle, et il travaillait fort pour plaire à celui-ci. Ses efforts, cependant, ne suscitaient que la colère des cadets plus âgés qui l'appelaient « le garçon d'oncle Vlad ». Ils le faisaient trébucher, le bousculaient ou le frappaient chaque fois qu'ils en avaient l'occasion — un simple moment d'inattention pouvait lui valoir quelques bleus, ou pire encore. Il était pratique courante chez les cadets plus vieux de brutaliser leurs compagnons plus jeunes, et les raclées étaient fréquentes. Les instructeurs le savaient mais ne s'en mêlaient pas, à moins que quelqu'un ne se blesse grièvement. Ils toléraient ces bagarres parce qu'elles forçaient les plus jeunes à s'endurcir et à rester alertes. Après tout, il s'agissait d'une école militaire.

La première fois que Sergei fut abordé par un cadet plus âgé, dans un recoin de l'école, il se défendit comme un forcené, pressentant qu'en s'enfuyant, il s'exposerait à d'interminables ennuis. Il reçut une bonne raclée mais réussit à décocher quelques bons coups, et l'autre ne revint plus jamais l'embêter. Un autre jour, il s'en était pris à deux cadets qui frappaient sans vergogne un nouvel arrivé. Sergei les avait attaqués avec plus de rage que d'habileté, et ils s'étaient retirés en rigolant comme s'il s'était agi d'une bonne plaisanterie. Le nouveau, lui, n'y trouvait rien de drôle. Prénommé Andrei, il était devenu depuis le seul véritable ami de Sergei.

Tout juste après son cinquième anniversaire, Sergei fut assigné à une caserne, au rez-de-chaussée, avec les cadets de sept à dix ans. Les garçons un peu plus vieux dormaient à l'étage, et tous ceux qui avaient plus de seize ans occupaient un autre bâtiment. Évidemment, les plus vieux régnaient en maîtres. Tout cadet redoutait d'être transféré à l'étage, où il deviendrait le plus jeune en proie aux caprices des autres. En attendant, Sergei et Andrei se protégeaient mutuellement.

Des années qui avaient précédé son admission à l'école, Sergei ne gardait que de vagues impressions, comme s'il avait baigné dans un autre monde avant de s'éveiller dans celui-ci.

Mais parfois, lorsqu'il fouillait sa mémoire, il captait quelques images évanescentes d'une femme imposante aux bras aussi moelleux qu'une pâte à pain et d'un homme auréolé de cheveux blancs. Sergei se demandait qui ils étaient; il se posait aussi une foule d'autres questions.

Sergei avait contemplé les cartes de la Russie et d'autres pays épinglées aux murs de la classe, et il avait laissé glisser son doigt sur le globe terrestre posé sur le bureau de son professeur, traçant des lignes imaginaires à travers les océans bleu ciel et les continents orangés, jaunes, violets ou verts. Cependant, ceux-ci restaient pour lui aussi lointains que la lune ou les étoiles.

Son monde — jusqu'à ce jour d'octobre 1880 — était délimité par de hauts murs de pierre et se résumait aux bâtiments fortifiés, aux dortoirs, aux salles de classe et aux terrains d'entraînement de l'école militaire Nevskiy. Le jeune garçon n'avait pas choisi cet endroit, mais il l'acceptait à la manière des enfants. Une grande partie de son enfance avait donc été marquée par une routine rigide partagée entre les travaux scolaires et l'entraînement physique : histoire militaire, stratégie et géographie, équitation, course, natation et gymnastique.

Quand les cadets n'étaient pas assis en classe ou occupés à leurs devoirs, ils s'exerçaient au combat. L'été, Sergei avait dû nager sous les eaux froides du lac Krugloye en respirant à l'aide d'un roseau, pratiquer les rudiments de l'escrime et décocher des flèches avec un arc qu'il arrivait à peine à fléchir. Lorsqu'il serait plus vieux, il apprendrait le tir au pistolet et à la carabine.

À ses yeux, cette vie n'était ni bonne ni mauvaise, car il ne connaissait rien d'autre.

En s'approchant du bâtiment principal, Sergei rentra sa chemise bleu foncé dans ses pantalons assortis et examina ses bottes pour voir si elles étaient propres. Un instant, il se demanda s'il devrait endosser sa veste et ses gants plus officiels, mais il y renonça. L'uniforme seyait bien à la plupart des garçons plus grands, mais sur Sergei tout semblait trop ample. Et quand son premier uniforme était enfin devenu trop petit pour lui, on lui avait donné un autre uniforme usagé.

Perdu dans ses pensées, il traîna le long du corridor qui menait au bureau de son oncle, songeant à la dernière fois où il y avait été convoqué, quatre ans auparavant. Il se rappelait encore le visage maigre et sévère de l'instructeur en chef, qui lui avait demandé de s'asseoir. Sergei avait grimpé sur une chaise, les jambes pendantes, apercevant à peine son oncle au-dessus de son bureau. Les quelques mots qu'avait prononcés celui-ci étaient restés gravés dans sa mémoire : « Ton père, Sergei Borisovich Ivanov, est mort. Il faisait partie autrefois de la garde d'élite du tsar Alexandre. C'était un brave homme, un Cosaque. Tu dois étudier et t'entraîner fort pour grandir à son image. »

Ne sachant pas comment réagir ni quoi répondre, Sergei n'avait fait qu'incliner la tête.

« As-tu des questions ? » avait demandé l'instructeur en chef.

« Comment… comment est-il mort ? »

Un moment de silence, puis un soupir. « Ton père est tombé ivre mort. Une grande perte. » Puis, son oncle avait mis fin à l'entretien. Sergei était attristé par le décès de son père, mais fier d'apprendre qu'un sang de Cosaque coulait dans ses veines. Pour la première fois, il imagina qu'il pourrait un jour devenir fort comme ce père qu'il n'avait jamais rencontré.

Sergei parvint finalement à la porte du bureau de son oncle. S'apprêtant à frapper, il entendit la voix étouffée de celui-ci. « Je vais autoriser cette visite, mais plusieurs autres s'y opposent… Ils n'aiment pas les Juifs, les assassins du Christ. »

« Et je n'aime pas les soldats, qui exterminent les Juifs », répondit un homme plus âgé dont Sergei ne reconnaissait pas la voix.

« Ce ne sont pas tous les soldats qui détestent les Juifs », rétorqua l'instructeur en chef.

« Et vous ? » demanda l'autre voix.

« Je hais simplement la faiblesse. »

« Comme je hais l'ignorance. »

« Je ne suis pas assez ignorant pour être déjoué par votre intellect de Juif », affirma l'oncle de Sergei.

« Et je ne suis pas assez faible pour me laisser intimider par votre bravade de Cosaque », répondit la voix âgée.

Dans le moment de silence qui suivit, Sergei trouva le courage de frapper trois coups contre la lourde porte de chêne.

Quand elle s'ouvrit, il aperçut son oncle en compagnie d'un vieil homme. L'instructeur en chef parla sèchement : « Cadet Ivanov, voici ton grand-père. »

L'homme âgé aux cheveux blancs se leva promptement. Il semblait heureux de voir Sergei. Il s'adressa à lui doucement, chuchotant presque ce qui ressemblait à un nom : *Sokrat*… Socrate.

. 2 .

Heschel tendit les bras pour embrasser son petit-fils ; toutefois, se rendant compte que celui-ci ne le reconnaissait pas, il les rabaissa et lui serra la main. « Bonjour, Sergei... Je suis heureux de te revoir. Je serais venu bien avant, mais bon... me voici, aujourd'hui. »

L'instructeur en chef l'interrompit : « Prépare tes affaires, Cadet Ivanov — tu as droit à une permission de deux nuits. » Se tournant vers Heschel, il ajouta : « Voyez à ce qu'il soit rentré dimanche midi. Je m'attends à ce qu'il soit alors prêt à s'entraîner. Il a beaucoup à apprendre. »

« C'est vrai », répondit Heschel en prenant la main de Sergei. « Comme nous tous. »

L'instructeur en chef les congédia d'un signe de la main, et Sergei se précipita vers le dortoir pour y rassembler quelques effets personnels. Puis il partit en compagnie de son grand-père. Ils traversèrent les sombres couloirs de l'école, sa porte de fer et les champs environnants avant d'emprunter un sentier saupoudré de neige qui s'enfonçait dans les collines boisées.

Heschel, âgé de plus de quatre-vingts ans — il avait arrêté de compter quand Esther avait rendu l'âme —, marchait d'un pas hésitant. Sergei, enivré par cette liberté nouvelle, gambadait devant lui, puis s'arrêtait pour faire tomber la neige d'une branche ou humer l'air frais en attendant que son grand-père le rattrape. Le gamin n'aurait pu expliquer l'indicible sentiment d'allégresse et d'identité neuve qui l'envahissait. Il lui semblait qu'il n'était plus qu'un simple cadet, mais un vrai garçon doté d'un grand-père. Il appartenait enfin à une famille.

Ils progressèrent en contournant les arbres jusqu'à un affleurement rocheux surplombé par un grand rocher. Heschel sortit une carte et la montra à l'enfant : « Tu vois le lac et l'école ? Voici le rocher, indiqué sur la carte, et voilà notre destination », expliqua-t-il en désignant la croix qu'il avait dessinée à l'encre foncée. Sergei savait à peine lire une carte, mais il en connaissait assez pour pouvoir comprendre leur itinéraire et le garder en mémoire.

Après avoir replié la carte qu'il glissa dans son vieux paletot de laine, Heschel scruta du regard le sentier enneigé puis fronça les sourcils en consultant sa montre de poche : « Nous devons nous rendre avant la tombée du jour », dit-il. Puis ils entreprirent de gravir la pente abrupte.

Sergei avait l'habitude d'obéir sans poser de questions. En grimpant, cependant, il ne put résister à sa curiosité : « Allons-nous à votre maison ? » demanda-t-il.

« Ma maison est trop loin », répondit Heschel. « Nous allons passer les deux prochains jours avec Benyomin et Sara Abramovich. Benyomin est un ami de longue date. »

« Ont-ils des enfants ? »

Heschel sourit, ayant anticipé cette question. « Oui, deux enfants. Avrom, qui a douze ans, et la petite Leya, qui en a cinq. »

« Leurs noms me semblent… étranges. »

« Ce sont des noms juifs, et nous célébrerons ce soir le shabbat. »

« Qu'est-ce que le shabbat ? » demanda le garçon.

« C'est un jour sacré réservé au repos et au souvenir. »

« Comme le dimanche ? »

« Oui. Mais le shabbat commence le vendredi soir quand apparaissent les trois premières étoiles dans le ciel. Il faut donc nous hâter. »

Ils poursuivirent leur ascension. Le vieil homme se concentrait sur chaque pas, alors que le garçon agile de huit ans bondissait de pierre en pierre comme une chèvre de montagne.

Sergei entendit la voix essoufflée de son grand-père : « Les pierres sont glissantes. Sois prudent, Socrate. »

Ce nom, à nouveau. « Pourquoi m'appelez-vous Socrate ? »

« C'est un surnom spécial que nous t'avions donné quand tu étais bébé. »

« Pourquoi ? »

Heschel eut un regard lointain tandis que son esprit voguait vers le passé. « Quand ta mère Natalia était enfant, je lui lisais des extraits du Talmud et de la Torah, ainsi que d'autres livres de sagesse, incluant les commentaires des grands philosophes. Son auteur favori était un Grec nommé Socrate, qui a vécu il y a fort longtemps et compte parmi les plus grands sages de l'humanité. » Le regard de Heschel se perdit à nouveau au loin, vers les collines ou le ciel, et il expliqua : « Nous t'appelions "petit Socrate" car... cela nous rapprochait de ta mère — de notre fille. »

« Ma mère aimait-elle Socrate pour sa sagesse ? »

« Oui, mais surtout pour sa vertu et sa force de caractère. »

« Qu'a-t-il fait de spécial ? »

« Socrate a enseigné aux jeunes hommes d'Athènes les valeurs supérieures, la vertu et la paix. Il se prétendait ignorant, mais il posait des questions intelligentes qui révélaient la vérité comme le mensonge. C'était un penseur, mais également un homme d'action. Pendant sa jeunesse, Socrate s'exerçait à la lutte, et c'était un brave soldat jusqu'à ce qu'il renonce à la guerre. Je crois qu'on pourrait le considérer comme un... guerrier pacifique. »

Temporairement satisfait par ces explications, Sergei se retourna pour contempler le paysage enneigé. Le soleil de l'après-midi faisait étinceler les collines blanches, illuminant les arbres et les lichens. Énergisé par l'air vif et par cette aventure inattendue, Sergei reprit allègrement sa marche, puis se força à s'arrêter pour attendre son grand-père. Immobile, il pensa au mot « juif ». Il l'avait déjà entendu à l'école, et tout récemment dans le bureau de son oncle.

« Grand-père », demanda-t-il en se tournant vers le vieil homme qui continuait à gravir le sentier, « êtes-vous juif ? ».

« Oui », haleta Heschel en le rejoignant lentement. « Et toi aussi... ta mère était juive, et ton père... eh bien, ne l'était pas... mais tu as du sang juif. »

Sergei regarda ses mains, rougies par l'air froid. Dans ses veines coulaient donc du sang juif et du sang cosaque. « Grand-père... »

« Tu peux m'appeler grand-papa si tu veux », dit l'aïeul en s'assoyant sur une pierre enneigée pour reprendre son souffle.

« Grand-papa... Peux-tu me parler de ma mère... et de mon père ? »

Heschel balaya la neige qui recouvrait une autre grosse pierre et fit signe à Sergei de s'asseoir près de lui. Après un moment de silence, il lui raconta l'histoire de sa naissance — tout ce qu'il avait appris de la sage-femme Yana Vaslakova, qui était avec Natalia en ce jour fatidique. Puis il ajouta : « Tu as été le seul rayon de soleil en ce jour ténébreux, Socrate. Et tu avais une mère et un père qui t'aimaient... »

Sergei se retourna et vit son grand-père essuyer ses joues baignées de larmes. « Grand-papa ? »

« Donne-moi un petit moment, Socrate — ça ira. Je pensais seulement à ta mère, Natalia. »

« À quoi ressemblait-elle ? » demanda Sergei.

Heschel eut un regard absent, puis il poursuivit d'un ton nostalgique : « Toute fille est merveilleuse aux yeux de son père, mais peu sont aussi douces et sages que l'était ta mère. Elle aurait pu faire la fierté de n'importe quel homme juif digne d'elle — un homme qui n'aurait pas craint la discussion, bien sûr. » Il sourit, mais se rembrunit aussitôt. « Je ne sais pas exactement comment elle a rencontré ton père — au marché, peut-être. Elle l'a invité à la maison pour nous le présenter, et nous avons appris qu'il n'était pas juif. Pire encore, c'était un Cosaque et un garde du tsar Alexandre, ennemi de notre peuple. »

« Mais il aimait ma mère, et il était bon pour elle. Vous avez dit... »

« Oui, oui, mais vois-tu... ta mère ne pouvait épouser ton père sans renoncer à la foi juive et se convertir... à l'Église chrétienne. » Heschel fit une pause pour laisser Sergei prendre conscience de l'énormité de la situation.

« A-t-elle rompu avec vous ? »

« Non. » Heschel fit une nouvelle grimace, incapable de poursuivre.

« Grand-papa... Ça va ? »

Heschel leva la main. « C'est moi qui ai rompu le contact. J'ai traité ma fille comme si elle était morte. » Il se mit à pleurer, ouvertement cette fois, déversant un flot de paroles. « Je ne m'attends pas à ce que tu comprennes comment j'ai pu faire cela, petit Socrate — je n'y arrive pas moi-même. Mais j'ai prononcé des mots cruels. Je lui ai tourné le dos comme j'ai cru qu'elle avait tourné le dos à son peuple. Cela me semblait la seule solution. Ta grand-mère Esther a dû faire de même, bien qu'elle en ait eu le cœur brisé. »

Heschel se força à continuer. « Esther voulait désespérément parler à sa fille, l'embrasser une dernière fois. Savait-elle que j'étais torturé par le même désir ? » murmura-t-il comme pour lui-même, emporté par ses souvenirs.

Il reprit la parole d'une voix lasse : « Quand Natalia nous a écrit pour nous annoncer la naissance de notre premier petit-enfant, ton frère Sasha, une terrible dispute a éclaté entre Esther et moi. Elle m'a supplié de la laisser voir sa fille et son petit-fils. Je m'y suis opposé... Je ne permettais même pas à ma bien-aimée Esther de répondre aux lettres de Natalia.

« Nous n'avons jamais vu le petit Sasha, soupira-t-il. Ce que nous avons su de son enfance, nous l'apprenions par les lettres remplies d'amour de Natalia. J'étais incapable de les lire moi-même... mais ta grand-maman Esther m'en résumait le contenu. Nous n'avons jamais revu ta mère, et nous ne lui avons même pas reparlé. Pas de son vivant. »

Heschel se moucha et essuya ses joues froides et mouillées avec la manche de son manteau.

Une neige légère tombait à nouveau au moment où ils se levèrent et reprirent leur ascension. Heschel saisit la main de Sergei et souffla : « Il y a une autre chose que tu dois savoir, Socrate : selon la sage-femme qui t'a amené à nous, ta mère a pu te serrer dans ses bras un moment avant de mourir. »

Sergei savoura cette pensée, puis demanda : « Pourquoi est-elle morte, grand-papa ? »

« Pourquoi les gens meurent-ils ? Il ne nous est pas donné de le savoir. » Faisant une nouvelle pause, Heschel se pencha laborieusement pour cueillir dans la neige une fleur d'un rouge flamboyant. « Ta mère était fragile et forte à la fois, comme cette fleur d'hiver. Elle est pure et innocente, mais je l'ai arrachée sans peine à la neige. Dieu est venu cueillir Natalia. Son heure était venue. J'espère seulement… »

À nouveau, le grand-père de Sergei sembla flotter dans une autre dimension, et son visage se détendit. « Oui, Esther », dit-il à un fantôme que ne pouvait voir l'enfant. « Je sais… tout ira bien. »

Heschel appuya sa main sur l'épaule de Sergei et, côte à côte, ils marchèrent en silence. Le jeune garçon songeait à ce que lui avait confié son grand-père — au fait que sa mère l'ait serré dans ses bras avant de rendre l'âme. Pendant un moment, une douce chaleur l'envahit.

Il connaissait maintenant l'histoire de sa naissance et des morts qui l'avaient entourée. Il pressentait aussi, même s'il n'avait que huit ans, que son grand-père porterait le fardeau de son chagrin jusqu'à son dernier souffle, où il en serait libéré. Pour l'instant, toutefois, il constata que son grand-père avait cessé de froncer les sourcils, et il s'en réjouit.

Puis Heschel émergea de ses souvenirs et reprit la parole : « Ainsi en est-il, petit Socrate. J'ai perdu ma fille et ma femme ; tu as perdu ta mère et ton père. Nous sommes tous deux seuls maintenant, mais je t'ai, et tu m'as. Je t'ai révélé la vérité. Celle-ci est parfois douloureuse, mais elle procure la liberté… »

. 3 .

Le soleil, à peine visible derrière les nuages, plongea derrière les arbres. Quelque part dans les bois qui s'assombrissaient devant eux, un loup hurla pour annoncer le crépuscule. Ils aperçurent enfin une clairière, puis une maisonnette. De ses fenêtres filtrait une douce lumière, promesse de confort et de chaleur. Les flocons qui tombaient, gris dans la semi-pénombre, étincelaient en un dernier moment de gloire avant de s'amonceler sur le sol.

La cabane semblait bien construite, pourvue d'un toit de bardeaux de bois et d'une cheminée de pierre d'où s'échappaient des volutes de fumée. Heschel gravit les marches, enleva sa casquette et secoua ses bottes pour en faire tomber la neige. Sergei l'imita, tandis que le vieil homme frappait vigoureusement à la grande porte de chêne.

Après un accueil chaleureux et une toilette qui s'imposait, Sergei et Heschel s'attablèrent avec la première véritable famille que rencontrait Sergei, aussi loin qu'il se souvienne. La mère, Sara, une femme menue aux cheveux bruns presque entièrement cachés par une *baboushka*, apporta les plats sur la table. Dans ce coin de pays, les visiteurs étaient rares, et les visages amicaux encore plus. Sergei observait les enfants à la dérobée. Avrom, un garçon grand et mince de douze ans, semblait un peu sérieux mais amical; Leya, une jolie gamine de cinq ans à la tignasse cuivrée, le regardait timidement.

Sergei cherchait à enregistrer les moindres détails de ce décor où régnait un ordre paisible. Il se sentait pauvrement vêtu dans ses vêtements ternes qui contrastaient avec la veste et les pantalons soyeux d'Avrom et la robe sombre de Leya, qui portait comme sa mère une *baboushka* blanche sur la tête.

Le père, Benyomin Abramovich, expliqua à Sergei : « Pendant notre shabbat, nous mettons de côté toutes nos préoccupations de la semaine et nous consacrons à la littérature, la poésie et la musique. Cette journée nous rappelle que nous ne sommes pas des esclaves du travail. Le jour du shabbat, nous sommes libérés du monde. »

Sara alluma deux bougies et prononça une bénédiction. Puis, Benyomin récita une prière pour bénir le vin et demanda à Heschel de faire de même pour deux miches de pain tressé, qu'ils appelaient *challah*. Sergei contempla l'éventail de plats disposés sur la table, pendant que Sara les lui présentait : une consistante soupe à l'orge, des œufs tranchés, une salade de betteraves épicées, des craquelins, des légumes du potager, un plat de pommes de terre, du riz aux pommes et, comme dessert, un gâteau au miel fourré aux pommes.

Tandis que tous savouraient ce festin, Sara s'excusa avec un haussement d'épaules : « Par ce temps, j'aurais aimé ajouter un bouillon de poulet, mais le poulet en a décidé autrement… »

C'est donc à cela que ressemble une mère, se disait Sergei en la regardant. Il enviait ses enfants qui pouvaient la voir tous les jours, et se demandait si sa propre mère ressemblait à Sara Abramovich.

Ce fut le meilleur repas de sa vie, ponctué de rires et de conversations légères. La scène prenait un éclat particulier à la lumière du feu brûlant dans l'âtre et des chandelles disposées un peu partout, et Sergei se sentait accueilli comme un membre de leur famille. Il n'oublierait jamais cette soirée.

Le lendemain fila comme l'éclair. Avrom enseigna à Sergei à jouer aux dames. Pendant qu'ils jouaient, Sergei remarqua une cicatrice au-dessus de l'œil droit d'Avrom. Celui-ci intercepta son regard : « Je suis tombé en grimpant à un arbre — je crois que c'est une branche qui m'a coupé », expliqua-t-il en désignant la ligne rose. « Ma mère dit que j'ai failli perdre l'œil. Maintenant, elle ne veut plus que je grimpe si haut. »

L'après-midi, quand le ciel se fut éclairci, ils firent une balade dans la forêt, où Benyomin leur montra les arbres dont il récoltait le bois pour les violons et les horloges de Heschel.

Quand ils rentrèrent à la maison, Heschel s'endormit au beau milieu d'une phrase. Il se réveilla de sa sieste en grommelant, se demandant où il était. Sara lui apporta une tasse de thé fumant, puis le laissa reprendre tranquillement ses esprits.

Ce soir-là, quand scintillèrent les trois premières étoiles dans le ciel, le shabbat se termina par d'autres bénédictions associées au vin et aux bougies. Pendant que Benyomin allumait un nouveau feu dans l'âtre, Heschel sortit de son havresac quelques présents — des épices et des chandelles pour les parents, des sucreries pour les enfants. Puis, Benyomin tendit à Heschel un violon que le vieillard avait lui-même fabriqué. Celui-ci le saisit et se mit à jouer.

Sergei le regardait, bouche bée. C'était comme si son grand-père venait de renaître sous une forme nouvelle. Plus qu'un simple mortel, il était devenu un musicien. Entre ses mains, l'instrument pleurait tantôt de secrets chagrins, pour les entraîner ensuite dans une joyeuse lancée. Leya dansait et tourbillonnait, tandis que Sergei et Avrom frappaient des mains pour l'accompagner.

Quand Heschel déposa le violon, la maisonnette était tout illuminée. Sergei s'allongea devant l'âtre et s'endormit, baigné par la chaleur de la famille. Il rêva de musique.

Le dimanche, peu après le lever du soleil, Sergei et Heschel firent leurs adieux. Sergei s'imprégna le plus possible de toutes ces nouvelles impressions afin de pouvoir revenir y puiser à son retour à l'école. Il mémorisa le visage et la voix de Sara… le rire de Benyomin… la mine sérieuse d'Avrom, plongé dans un livre… Leya, assise près du feu…

Il se demanda s'il ressemblerait un jour à Benyomin, avec une épouse comme Sara et des enfants.

Avant leur départ, Sara s'agenouilla pour embrasser Sergei. La petite Leya lui fit également une accolade, et Avrom et Benyomin lui serrèrent la main. « Tu es bienvenu ici n'importe quand », lui assura le père.

« J'espère te revoir », renchérit le fils.

Grand-papa Heschel enfila son manteau d'hiver et souleva son havresac, le glissant sur son épaule. Sergei leva les yeux vers lui, se rendant compte que l'aimable vieillard, habitué à avaler ses repas seul dans son appartement vide, avait lui aussi été réconforté par la chaleur de ce foyer. Après un dernier salut de la main, ils se retournèrent pour emprunter le sentier qui s'enfonçait dans la forêt.

Le corps peut effacer certaines sensations physiques. Après avoir souffert du froid pendant des heures ou même des journées entières, une personne qui s'assoit quelques minutes près du feu peut avoir l'impression que le froid n'a jamais existé. Il en est fort autrement des émotions, qui laissent dans la mémoire des traces indélébiles. Au cours des jours et des années difficiles de sa vie, les souvenirs que garderait Sergei de la famille Abramovich — le feu dans l'âtre, l'odeur du pain frais dans le four de pierre, Avrom et Leya, qui n'étaient pas des cadets mais des enfants normaux de son âge — lui seraient d'un précieux secours.

Sergei avait assisté à plusieurs messes dans la chapelle de l'école, où le père Georgiy avait parlé du royaume des cieux. Mais l'enfant n'avait jamais compris ce qu'était le ciel — jusqu'à ces deux jours passés avec une famille dans une cabane perdue dans la forêt.

À part le craquement étouffé des branches ensevelies sous la neige et le crissement régulier de leurs pieds sur le sol glacé, Sergei et Heschel marchaient en silence. Les mots ne feraient que bousculer les pensées et les sentiments qu'ils savouraient chacun pour soi. De plus, ils devaient porter attention à chaque pas, car le sentier était plus périlleux en descendant. Lorsque Sergei tendit le bras pour saisir la main de son grand-père après avoir glissé, Heschel lui dit : « Tu es un bon garçon, Socrate. »

« Et tu es un bon grand-papa », répondit Sergei.

Trop tôt, sembla-t-il, l'école apparut au loin. Sergei observa le visage de son grand-père, dont les traits étaient maintenant las et tirés. Un long voyage attendait le vieillard, qui devrait réintégrer son appartement vide, hanté par ses souvenirs. L'enfant eut l'envie soudaine d'accompagner Heschel à Saint-Pétersbourg, mais il ne trouva pas le courage de l'exprimer. C'était la volonté de son père qu'il soit élevé à l'école militaire. Et d'ailleurs, on ne l'autoriserait pas à partir ainsi.

Ils atteignirent les limites du terrain de l'école, puis l'entrée principale. Ils restèrent un long moment en silence tandis que le soleil d'automne poursuivait sa course au-dessus de leur tête. Enfin, Heschel prit la parole : « Mon petit Socrate, peu importe ce que les prochaines années te réservent, même dans les moments les plus ardus, rappelle-toi que tu n'es pas seul. L'esprit de tes parents — et de ta grand-maman Esther et de ton grand-papa Heschel — seront toujours à tes côtés... »

Fixant ses pieds, Sergei sentit ses épaules s'affaisser sous le poids de ces adieux. Il savait qu'il ne reverrait peut-être jamais son grand-père.

Heschel se pencha pour redresser la chemise et la veste de son petit-fils, et l'approcher de lui. Sergei craignait que son grand-père soit sur le point de le quitter, mais Heschel lui glissa en souriant : « J'ai quelque chose pour toi — un cadeau qui vient de ta mère et de ton père. » Il plongea la main dans son manteau et en ressortit une chaîne d'argent où se balançait un médaillon de forme ovale. Le garçon cligna des yeux devant l'éclat argenté que produisit le bijou au contact d'un rayon de lumière.

« La sage-femme me l'a remis au moment où elle t'a confié à nos soins », expliqua Heschel. « Ce médaillon appartenait à ta mère. C'est ton père qui le lui avait offert. La sage-femme m'a précisé que ta mère désirait qu'il te revienne lorsque tu serais assez vieux. C'est le moment, maintenant. »

Heschel déposa le médaillon et la chaîne dans la paume ouverte de Sergei. Ce bijou avait été en contact avec la peau de sa mère… et voilà qu'il lui appartenait.

« Ouvre-le. »

Sergei regarda son grand-père sans comprendre.

« Viens que je te montre », dit Heschel en ouvrant le fermoir du médaillon. À l'intérieur, Sergei aperçut une petite photographie. On y voyait le visage d'une femme aux cheveux foncés et bouclés et à la peau blanche comme neige, ainsi que celui d'un homme aux pommettes saillantes, au regard pénétrant et à la barbe foncée.

« Mes… parents ? »

Heschel fit un signe de tête affirmatif. « Je crois que c'était l'objet le plus cher aux yeux de ta mère, et maintenant, il est à toi. Je sais que tu en prendras soin. »

« Oui, grand-papa », murmura Sergei. Béat d'admiration, il était incapable de détacher son regard du visage de ses parents.

« Maintenant, Socrate, écoute-moi attentivement ! J'ai pour toi un autre cadeau qu'il m'était impossible d'apporter, et que j'ai caché dans un pré près de Saint-Pétersbourg. » Il fouilla à nouveau ses poches et en sortit une feuille de papier pliée qu'il étala sur sa poitrine de façon à ce que le garçon puisse bien la voir : c'était une carte où avait été marqué un endroit près d'un arbre dans une prairie bordée par la forêt sur trois côtés, à proximité d'un fleuve. La carte contenait également d'autres indications.

« Tu te rappelles ce que je t'ai raconté en route vers la maison des Abramovich — à propos de mon lieu favori dans la forêt, cette prairie près du fleuve Néva où j'ai appris à nager ? La voici, juste au nord de Saint-Pétersbourg », expliqua-t-il en traçant une ligne avec son doigt. « Et voilà la ville... les quais... et le Palais d'hiver. En suivant le fleuve vers la forêt au nord du Palais, t'éloignant d'une dizaine de kilomètres de la ville, tu atteindras une clairière... »

Il retourna la feuille de papier, au verso de laquelle on trouvait un plan plus détaillé de la rive, où une petite croix avait été tracée près d'un arbre. « C'est là qu'est cachée la boîte, sous un arbre face au fleuve... le seul grand cèdre près du milieu du pré. Cet arbre a été planté par mon propre grand-père lorsqu'il était enfant. À cet endroit, dans la boîte que j'ai enterrée entre deux racines, tu trouveras mon cadeau. »

Grand-père Heschel replia la carte et la remit à Sergei. « Les cartes peuvent se perdre ou se faire voler, Socrate. Je veux que tu l'étudies attentivement, en privé. Grave chaque ligne et chaque indication dans ta mémoire. Ensuite, détruis la carte. D'accord ? »

« Oui, grand-papa. »

Ils marchèrent jusqu'à la porte d'entrée. « N'oublie pas l'existence de ce présent. Il a... une grande valeur, et il t'attendra. Quand tu le retrouveras, rappelle-toi combien nous t'aimons — combien nous t'avons tous aimé... »

Sergei hocha la tête, incapable de parler. Heschel regarda le ciel et prit une lente et profonde inspiration — comme il le faisait après avoir terminé un nouveau violon ou une horloge qui lui plaisait. « C'est bien, souffla-t-il. C'est bien. » Puis il baissa les yeux. « Je veux que tu saches, Socrate... partager ce shabbat avec toi a été l'une des plus grandes joies de ma vie. »

Après avoir prononcé ces mots, Heschel Rabinowitz se retourna et s'éloigna en direction des collines, murmurant : « Oui, Esther, oui, tout est bien maintenant... » Sergei le regarda rapetisser au loin jusqu'à ce qu'il disparaisse de sa vue — et de sa vie. Son souvenir resterait à jamais gravé dans sa mémoire.

. 4 .

Après avoir soigneusement dissimulé la carte d'Heschel, Sergei franchit la porte d'entrée.

En retard pour la messe, il courut dans les couloirs vides jusqu'au dortoir et lança son sac à dos dans sa petite malle. Sur le point de repartir, il remarqua un sac de voyage sur la couchette près de la sienne, qui était libre depuis plusieurs semaines. Il devait y avoir un nouveau.

Il glissa prestement le médaillon et la carte dans un trou sous son matelas — la meilleure cachette à laquelle il pouvait penser pour l'instant. Puis il se précipita vers la chapelle. Il ralentit le pas en pensant à Heschel, maintenant courbé au-dessus du sentier qui gravissait les collines vers la route principale.

Sergei se signa et demanda à Dieu de protéger son grand-père et de lui donner la force d'accomplir ce voyage. Pour la première fois, il avait l'impression de prier du fond de son cœur, comme l'enseignait le père Georgiy. Auparavant, il n'avait jamais eu de raison de le faire.

Il espéra que sa prière serait exaucée, même si grand-papa Heschel était juif.

Alors qu'il ouvrait la porte de la chapelle, une pensée lui traversa l'esprit : Qui suis-je? Un juif? Un chrétien? Un Cosaque?

Sergei traversa rapidement l'allée. Plusieurs cadets le regardèrent; certains l'accueillaient d'un sourire amical, tandis que d'autres se réjouissaient à l'idée qu'il serait puni pour son retard. Il leva les yeux vers le père Georgiy, debout dans sa robe noire devant l'autel et les icônes du Christ, d'une Madone, de saint Michel, de saint Gabriel et de saint Georges, protecteur de leur école et saint patron de la Russie. Le soleil projetait des arcs-en-ciel de lumière à travers les vitraux.

Ils venaient d'entonner un hymne; Sergei se coula dans son banc et se joignit à eux, mais son esprit vagabondait. Le père Georgiy et son grand-père Heschel avaient tous deux parlé d'un Dieu invisible. Pour Sergei, Dieu était maintenant une cabane dans la forêt, et le ciel se résumait à la caresse d'une mère.

« Grand-papa », avait-il demandé sur le chemin du retour, « selon les Juifs, quelle est la voie qui mène au ciel ? »

Sa question avait fait sourire Heschel, qui avait répondu : « Je ne parle pas au nom de tous les Juifs, ni ne suis assez sage pour connaître la réponse, Socrate. Mais je crois qu'un jour, tu seras ton propre flambeau… et trouveras ta voie. »

À la fin de la messe, Sergei s'extirpa de sa rêverie et se joignit aux rangs bien ordonnés des garçons qui sortaient de la chapelle. C'est à ce moment qu'il rencontra pour la première fois le nouveau cadet — qui était grand, sans l'ombre d'un sourire et de trois ou quatre ans plus âgé que lui. Le hasard fit qu'ils s'engagèrent en même temps dans l'allée, trop étroite pour deux personnes. Sergei s'apprêtait à reculer d'un pas pour laisser passer le nouveau quand celui-ci le poussa d'un coup d'épaule si rude qu'il en tomba presque sur les bancs.

Ce premier geste de domination allait définir leur relation.

Le sac qu'avait remarqué Sergei sur la couchette adjacente à la sienne appartenait bel et bien au nouvel arrivé, qui se nommait Dmitri Zakolyev. À partir de ce jour, il deviendrait pour Sergei simplement Zakolyev, un nom qu'il apprendrait à craindre et à mépriser.

Selon la rumeur, un homme avait conduit Zakolyev à l'entrée de l'école et remis une enveloppe au cadet qui s'y trouvait en disant : « Voici le paiement. » Puis il était reparti sans un mot de plus ni un seul regard derrière lui.

Âgé de douze ans, Zakolyev aurait normalement dû s'installer dans le dortoir à l'étage où dormaient les cadets de onze à quatorze ans. Cependant, on manquait temporairement de lits à l'étage, car il avait fallu aérer certains matelas infestés de poux. Au cours de sa première semaine à l'école, le nouveau cadet dormit donc au rez-de-chaussée dans le «dortoir des petits», comme il se plaisait à l'appeler. Il se vengea de cet inconvénient en embêtant tout le monde à ses côtés — et plus particulièrement Sergei et Andrei, qui occupaient les couchettes voisines de la sienne.

Pendant les semaines qui suivirent, Zakolyev joua des coudes pour gravir les échelons de la hiérarchie des cadets, ce qui lui valut de la part de ses pairs un certain respect forcé — comme celui que suscite un ours ou un serpent venimeux.

Chez Zakolyev, tout semblait plus grand que nature. Il avait d'énormes mains calleuses, aux jointures striées de cicatrices résultant de coups donnés à des arbres ou des rochers, et de grandes oreilles presque entièrement couvertes par des cheveux couleur de paille qu'il portait aussi longs que possible. Zakolyev détestait tout ce qui était obligatoire, dont les coupes de cheveux réglementaires. Le reste de ses traits, quoique assez réguliers, créaient un effet disparate. Et il avait le teint terreux, comme si le sang n'affluait jamais assez à son visage.

Ce qu'on remarquait d'abord, toutefois, c'était les yeux gris et froids de Zakolyev, bien enfoncés au-dessus d'un nez proéminent — des yeux à vous donner le frisson, au regard tranchant comme un silex. Ce regard ne changeait guère même quand cet étrange garçon souriait, c'est-à-dire quand ses lèvres formaient un rictus révélant des dents de travers, dans des occasions où d'autres auraient froncé les sourcils ou même pleuré. Cependant, quiconque s'attardait à observer les dents de Zakolyev risquait les siennes. Même chose pour la tache de naissance rouge et blanche qu'il portait au cou, juste sous l'oreille gauche — une autre raison pour lui de détester se faire couper les cheveux.

Dans cette école où le pouvoir inspirait le respect, Zakolyev établit rapidement sa domination sur les cadets plus jeunes que lui, ainsi que sur la plupart de ses pairs. Il affichait une assurance qui suscitait l'admiration de certains cadets cherchant à gagner ses faveurs, qu'il accordait au compte-gouttes afin d'accroître leur valeur. Dégoûté par la servilité de ses camarades, Sergei faisait de son mieux pour rester à l'écart de Zakolyev, ce qui n'échappait pas à l'œil aiguisé de la jeune brute.

Zakolyev était craint non seulement pour sa brutalité mais également pour l'imprévisibilité de sa nature. Tantôt plutôt réservé, tantôt cruel, il pouvait en venir aux coups au moindre prétexte, ou même sans raison apparente. Un jour, il offrit son aide à un cadet plus jeune, le défendant contre les attaques de plusieurs adversaires ; le lendemain, il flanqua à l'infortuné garçon une raclée pire que celle qu'il aurait pu recevoir la veille.

Zakolyev semblait percevoir tous les occupants de l'école — cadets et instructeurs — soit comme des admirateurs potentiels, soit comme des obstacles, et il les traitait en fonction de leur catégorie respective. Observateur perspicace de la nature humaine, il se méfiait de tous ceux qui occupaient une position d'autorité en raison de leur âge, leur force physique ou leur pouvoir. Ceux-là, il cherchait à les tromper ou les manipuler ; aux autres, il pouvait imposer sa loi.

Sergei ne sut jamais exactement pourquoi Zakolyev ne l'aimait pas. Peut-être parce qu'il n'était pas dupe des ruses du cadet et refusait de se laisser intimider ? Pourtant, Sergei évitait la confrontation, conscient que le fait de provoquer Zakolyev plongerait celui-ci dans une colère dangereuse. Il y avait d'autres brutes à l'école — probablement un tiers du groupe des plus grands, en fait —, mais aucun cadet n'était aussi menaçant que Zakolyev.

Andrei devint le bouc émissaire de Zakolyev. Il étudiait les expressions du jeune tyran comme un chien regarde son maître pour savoir s'il sera nourri ou battu. Sergei recevait aussi sa part de bleus et d'humiliations. Il faisait de son mieux pour parer les coups furieux de Zakolyev sans jamais riposter, car cela aurait déclenché une réaction hystérique de la part du grand cadet.

Sergei observait la façon dont Zakolyev imposait ses caprices mais refusait de se conformer à toute règle, sauf si un instructeur le regardait directement. Dans ces occasions, il faisait semblant d'obéir avant d'agir à sa guise aussitôt que l'instructeur était hors de sa vue. Il y eut un incident sinistre où, alors que Zakolyev rouait de coups de pieds un cadet effondré sur le sol, il entendit deux instructeurs s'approcher. Il s'agenouilla instantanément, tel un ange de bonté, et les instructeurs ne le virent que toucher doucement et calmement le visage tordu de douleur du cadet. « Je crois qu'il a été pris de convulsions », avait-il dit d'un air préoccupé. Le garçon blessé n'avait pas osé le contredire. Ni à ce moment, ni plus tard. Cette histoire avait circulé parmi les cadets, où Zakolyev régnait de plus en plus en maître.

Il réussissait même à manipuler certains des cadets seniors. Sergei vit comment il s'y prenait : il commençait par leur réclamer de petites faveurs, qu'ils s'habituaient à accepter. Graduellement, celles-ci se transformaient en demandes. Parfois, quand un cadet plus vieux refusait de se laisser intimider, une bagarre éclatait. Zakolyev gagnait généralement pour deux raisons : d'abord, il ne jouait pas franc-jeu ; ensuite, il semblait se moquer des blessures auxquelles il s'exposait. Cela en faisait un adversaire redoutable, qui luttait avec l'instinct d'un loup encerclé.

Parmi les cadets, surtout les plus jeunes, il régnait une atmosphère de crainte qui imprégnait les couloirs et les terrains d'entraînement de l'école. Zakolyev exigeait l'obéissance immédiate à sa moindre « requête », et il était impossible d'échapper à sa foudre lorsqu'il décidait de punir une offense — réelle ou imaginaire. Il avait une mémoire infaillible et n'était guère enclin au pardon : tous ses opposants payaient le prix de leur audace. Il devint plus facile pour eux de se soumettre que de résister.

❖ ❖ ❖

La dernière nuit avant le transfert de Zakolyev à l'étage, Andrei le heurta par inadvertance en tournant un coin. Zakolyev vacilla sous le choc. Furieux, il décocha de toutes ses forces un coup de poing dans le ventre d'Andrei, qui s'effondra en gémissant, le souffle coupé. Zakolyev l'enjamba pour ensuite se diriger vers sa couchette, mine de rien, et s'allonger sur le dos les mains croisées derrière la nuque.

Sergei se précipita vers Andrei, les poings serrés par la rage, et l'aida à regagner sa couchette. Il leva les yeux vers Zakolyev, qui le dévisageait avec un sourire glacial. Sergei le fixa à son tour en un bref geste de défi.

Plus tard, cette nuit-là, alors qu'il sombrait dans le sommeil, il songea avec nostalgie à la cabane dans la forêt et à Sara, Benyomin, Avrom et Leya Abramovich. Comme il aurait aimé se retrouver près d'eux ! Il rêva qu'il se réveillait devant l'âtre de leur demeure un matin de shabbat, aux côtés d'Avrom et de Leya, qu'il faisait partie de leur famille et que l'école militaire n'avait été qu'un simple rêve.

Le matin le ramena brutalement à la décevante réalité.

Au cours des jours et des semaines qui suivirent l'installation de Zakolyev dans l'autre dortoir, en cette fin d'hiver 1881, l'école reprit son rythme habituel où se succédaient travaux scolaires, exercices de combat, repas, messes et nuits de sommeil. Mais un matin, un cadet senior réveilla Sergei et ses compagnons de dortoir à l'aube et mena les douze garçons ensommeillés — vêtus seulement de culottes courtes et serrant leur serviette et leurs vêtements contre leur poitrine — dans un long couloir qui s'enfonçait sous l'école.

Il faisait froid et humide dans la pénombre. Un bruit d'eau qui dégoulinait faisait écho au son produit par douze paires de pieds nus progressant sur le plancher de pierre mouillée. Frissonnants, les jeunes cadets parvinrent à une porte de fer massive qui grinça quand le cadet senior l'ouvrit. Après l'avoir franchie, Sergei se retrouva sur la rive du lac qui étincelait sous les premières lueurs du jour. De minces morceaux de glace et de neige fondante, vestiges de l'hiver, flottaient encore dans l'eau peu profonde. À l'est s'élevait la sombre silhouette des collines environnantes. Tout était paisible, mais le pire était à venir.

« Enlevez vos culottes », ordonna le chef du groupe en retirant ses propres vêtements avant de s'enfoncer dans l'eau glaciale jusqu'au cou. Il s'y immergea complètement pendant quelques secondes, puis refit surface et regagna la rive, les joues rouges et l'épiderme hérissé par le froid. Il saisit sa serviette, frotta vigoureusement sa peau rosie et lança le signal : « Tous à l'eau ! » Sergei remarqua que le cadet réprimait un sourire, anticipant leurs souffrances.

Comme les autres, Sergei se glissa dans l'eau, haletant et poussant des cris stridents suivis par des spasmes de rires mêlés de frissons. Le froid lui mordit la peau lorsqu'il plongea dans l'eau, dont il ressortit prestement pour se sécher. Les garçons riaient en désignant le visage, la poitrine et les bras rouges et couverts de marbrures de leurs compagnons. Sergei sentit une bouffée de chaleur et d'euphorie l'envahir — même s'il ne souhaitait pas répéter cette expérience de sitôt.

Pendant qu'il s'habillait en compagnie des autres garçons, le cadet senior annonça : « À partir de maintenant, vous plongerez dans l'eau du lac tous les matins ! Vous n'y prendrez jamais plaisir, pas plus que vous ne vous y habituerez, mais cet exercice renforcera votre corps et votre esprit. Une telle discipline fera de vous des soldats capables de défendre le Tsar et notre mère patrie des envahisseurs. Et les meilleurs d'entre vous seront choisis pour faire partie de la garde d'élite du Tsar. »

La garde d'élite… suivrai-je les traces de mon père ? se demanda Sergei.

. 5 .

Quelques semaines plus tard, alors que le groupe de Sergei se préparait pour une séance d'équitation, le lieutenant Danilov appela le jeune garçon : « Sergei Ivanov, suivez-moi. » Sergei supposa que l'instructeur en chef désirait le voir. La première fois qu'il avait été convoqué au bureau de celui-ci, plusieurs années auparavant, il y avait appris le décès de son père ; la deuxième fois, son grand-père l'y avait accueilli. Cette fois-ci, par conséquent, il ignorait s'il devait se réjouir ou s'alarmer.

La réponse ne tarda pas à venir. « Je viens d'apprendre la mort de ton grand-père », annonça l'instructeur en chef. Il fit une pause pour permettre à Sergei d'encaisser le choc, puis ajouta : « Il avait sans doute pris des arrangements pour que tu en sois informé. Si tu le désires, tu peux aller à la chapelle prier pour le repos de son âme. C'est tout ce que j'avais à te dire », conclut-il.

Sergei ne se rendit pas à la chapelle. Il regagna le dortoir désert et, après s'être assuré qu'il était vraiment seul, il sortit le médaillon de sa mère de sa cachette et contempla longuement la photographie de ses parents. Maintenant, grand-papa Heschel les avait rejoints, et il avait retrouvé grand-maman Esther. Ce médaillon serait porteur de leur mémoire à tous.

Il glissa la chaîne d'argent autour de son cou, déterminé à la porter quand cela ne serait pas trop risqué.

Puis, il sortit la carte et en mémorisa le moindre détail, jusqu'à ce qu'il puisse fermer les yeux et la reproduire dans les airs avec son doigt. Quand il fut sûr de lui, il la déchira en petits morceaux qu'il dispersa en plusieurs endroits.

❖ ❖ ❖

Un lundi après-midi, au cours du mois de mars 1881, l'école fut ébranlée par une nouvelle qui éclipsa les préoccupations personnelles de Sergei et lui rappela qu'il faisait partie d'un monde plus vaste — un monde de conflits et de chambardements. En cette journée venteuse, Sergei et une quinzaine d'autres cadets s'entraînaient à l'extérieur avec des sabres de bois quand un Cosaque barbu franchit à cheval l'entrée principale de l'école. Ils s'interrompirent tous pour voir passer ce fier cavalier.

Quand les cadets furent tous rassemblés dans la chapelle, on leur présenta le Cosaque. Il s'appelait Alexei Orlov, et il avait déjà fait partie du même régiment que l'oncle de Sergei. À titre d'instructeur en chef, celui-ci annonça l'assassinat du tsar Alexandre II, qu'on appelait « Petit Père ».

Le soir venu, ils retournèrent tous à la chapelle pour assister à une messe spéciale où instructeurs et cadets pourraient prier pour l'âme du Tsar. Comme les autres garçons, Sergei avait enfilé pour l'occasion son plus bel uniforme — bleu foncé avec une veste décorée de boutons brillants et de l'écusson de leur école, où était représenté un aigle à deux têtes tenant une rose et un sabre entre ses serres.

Alexei Orlov se tenait debout, grand et droit, son beau visage assombri par le chagrin. « Les Cosaques sont des gens libres, loyaux envers le Tsar et notre mère l'Église », dit-il. Inclinant la tête devant le père Georgiy en signe de respect, il poursuivit : « Je faisais partie de la garde royale du Tsar. Malgré tous les efforts que nous avons déployés pour protéger notre Petit Père, il a péri sous la bombe d'un assassin. Ce grand libérateur, qui a affranchi des millions de serfs, réformé le système juridique et donné à son peuple une liberté inégalée, était néanmoins détesté par des révolutionnaires insatisfaits de leur sort. Conscient de la menace qui pesait sur sa vie, il tentait de varier ses itinéraires sous notre surveillance. Je n'étais pas en fonction au moment de son assassinat, mais un de mes hommes m'a rapporté ce qui s'est passé. »

Orlov fit une pause, puis reprit la parole : « La voiture du Tsar atteignait la section supérieure d'un des canaux de la ville quand un homme a surgi et lancé entre les chevaux ce qui ressemblait à une boule de neige. La bombe a explosé, mais le Tsar n'a été que légèrement blessé. Son Altesse impériale a alors insisté pour sortir de la voiture, préoccupé par le sort d'un Cosaque et d'un jeune coursier plus grièvement atteints. Comme il retournait vers sa voiture, un autre homme a bondi vers lui. Il y a eu une seconde explosion; moins d'une heure plus tard, l'assassin et le Tsar mouraient tous deux de leurs blessures. On a pu tirer quelques renseignements de l'homme qui a lancé la première bombe. Nous savons qu'au moins l'un des conspirateurs était une jeune femme nommée Gelfman — une révolutionnaire juive. »

En quittant la chapelle, Sergei se retrouva aux côtés de son oncle. Baissant les yeux, l'instructeur en chef murmura : « Si ton père avait été en vie, cela ne se serait pas produit… pas sous sa garde. »

Peu après, Sergei apprit le couronnement du tsar Alexandre III, et il entendit des bribes de conversation à propos d'une vague de violents pogroms qui balayait la Russie et l'Ukraine, tandis que courait la rumeur qu'un groupe de Juifs avait assassiné son prédécesseur. Cette rumeur s'avéra fausse : Gelfman, une jeune fille de seize ans, enceinte, qui allait plus tard rendre l'âme en prison, était la seule Juive ayant participé au complot; elle était la compagne naïve mais idéaliste d'un autre révolutionnaire. Quoi qu'il en soit, les pogroms se poursuivaient.

Le ressentiment à l'égard des révolutionnaires et des Juifs continua de se manifester au sein de l'école militaire, particulièrement parmi les cadets qui fréquentaient Zakolyev. Ces propos rendirent Sergei plus conscient du sang juif qui coulait dans ses veines. Au fil des semaines, son inquiétude à propos de la famille Abramovich s'accrut. En ces temps hostiles, leur isolement dans le sanctuaire des collines boisées pourrait jouer en leur faveur — ou au contraire leur nuire. Que se passerait-il si une bande de brigands, ou même de Cosaques, tombait sur une famille juive en plein cœur de la forêt?

Sergei résolut d'aller les avertir.

La nuit venue, il se faufila à l'insu de plusieurs cadets qui étaient de garde et emprunta le long tunnel sous l'école qui menait à la porte arrière près du lac. Il avait traversé ce couloir si souvent qu'il aurait pu le faire les yeux bandés. En fait, cela n'aurait pas changé grand-chose : la nuit, il y faisait noir comme dans un four.

Sous l'impulsion de Sergei, la lourde porte d'acier s'ouvrit avec un grincement qui lui fit serrer les dents. Il enfonça une petite branche entre le montant et la porte pour empêcher celle-ci de se refermer complètement, puis franchit rapidement les limites du terrain de l'école. Après avoir longé un champ, il retrouva le rocher qui marquait le début du sentier. Maintenant, il ne pouvait plus compter que sur sa mémoire et son instinct. Heureusement, la nuit était claire, et un croissant de lune éclairait suffisamment son chemin.

Malgré la pénombre, il lui fallait avancer beaucoup plus vite que la dernière fois. Après avoir réussi à quitter l'école à la dérobée, il s'exposait maintenant à d'autres dangers : les loups affamés errant dans les bois et le risque de se perdre. S'il s'égarait, il pourrait retrouver l'école dans la clarté du matin, mais son absence aurait déjà été remarquée. Une telle escapade sans permission constituait une grave infraction; il serait sévèrement puni.

Deux ans auparavant, plusieurs cadets plus âgés s'étaient fait surprendre après s'être échappés une nuit. On les avait forcés à défiler entre deux longues rangées de cadets, qui les frappaient avec de lourds roseaux. À la fin de la rangée, ils étaient fouettés par les instructeurs. Puis, couverts d'ecchymoses et de coupures, ils avaient été enfermés dans des cellules isolées sans eau ni nourriture pendant trois jours.

Après cette pénible leçon, personne n'avait osé répéter l'expérience — du moins jusqu'à ce jour.

En gravissant le sentier éclairé par la lune, Sergei élaborait son plan : après avoir retrouvé la cabane, il informerait Benyomin de l'assassinat du Tsar, des pogroms et de la mort de son grand-père. Il accepterait une seule tasse de thé que Sara insisterait sans doute pour lui offrir, puis une dernière accolade avant de reprendre le chemin du retour pour parvenir à l'école avant l'aube.

Haletant, Sergei réussissait néanmoins à maintenir son rythme en escaladant le sentier abrupt. Sa légèreté et l'endurance que lui avait procurée son entraînement lui étaient d'un précieux secours. Emporté par le fougueux optimisme de la jeunesse, il eut une pensée audacieuse : il pourrait être en train de quitter l'école pour de bon. Après tout, qu'est-ce qui l'y retenait ? Évidemment, Andrei lui manquerait — et peut-être même aussi son oncle Vladimir. Il ne quitterait pas sans une certaine nostalgie les terrains d'entraînement de l'école. Cependant, il ne s'ennuierait certainement pas de sa routine quotidienne — et il serait fort heureux d'oublier Dmitri Zakolyev à jamais.

Le médaillon de Sergei pendait à son cou ; c'était le seul objet de valeur qu'il possédait. Si seulement il pouvait trouver le courage d'exprimer son désir secret ! Pourrait-il demander à Avrom et Leya de le considérer comme un frère, et à Sara et Benyomin de l'accepter comme un fils ? Était-ce possible ? Oui, trancha-t-il. Il les aiderait autant qu'il pourrait ; il ne serait pas un fardeau. Il les rendrait fiers de lui. Exalté par cette possibilité, Sergei pressa le pas. La lune était presque au zénith. Il devait être près du but.

Mais soudainement d'épais nuages obscurcirent la lune, plongeant la forêt dans les ténèbres. Sergei pouvait à peine voir ses mains devant son visage. Il leva les yeux, apercevant des étoiles à sa gauche et à sa droite dans le ciel. Seule la lune était assombrie. Il continua à avancer péniblement, à tâtons, pressentant qu'il était presque arrivé.

Brusquement, il fit un constat qui lui glaça le sang : la lune n'était pas obscurcie par des nuages mais par de la fumée. Et cette fumée ne provenait pas d'une cheminée.

Sergei se rua vers la maison des Abramovich ; il se faufila entre les rochers et traversa en vacillant la petite clairière avant de s'arrêter net, bouche bée. À l'endroit où s'élevait auparavant leur cabane, il ne restait plus que des décombres carbonisés. Quelques poutres brûlaient encore, jetant des lueurs tremblotantes sur cette scène cauchemardesque.

Trébuchant entre les débris tel un homme ivre, il n'y trouva aucune trace de vie. Il pria pour que la famille Abramovich surgisse de la forêt pour l'accueillir. Ensemble, ils pourraient tout reconstruire...

Non, se raisonna-t-il, il devait affronter la réalité : leur vie, ainsi que ses rêves et ses espoirs, venaient d'être réduits en cendres. Toussant et essuyant son visage noirci par la fumée, il fouilla les décombres fumants où il trouva la preuve accablante qui confirmait ses craintes : les os noircis d'un avant-bras et d'une main qui émergeait des poutres enchevêtrées.

Étouffé par la chaleur et l'air fétide qui l'assaillaient, Sergei arracha quelques morceaux de bois, révélant le squelette d'un homme où des lambeaux de chair pendaient encore des os. La puanteur qui s'en échappait et l'horreur de cette vision lui donnèrent la nausée, et il vomit sur la terre couverte de cendres. Le corps était certainement celui de Benyomin Abramovich. Se forçant à poursuivre ses recherches, le jeune garçon trouva les restes d'un petit soulier de fillette et d'une poupée de bois. Il devait se rendre à l'évidence : le reste de la famille était enterré quelque part dans ce cauchemar fumant qui avait été une maison.

Aveuglé par l'air âcre, Sergei courut en chancelant vers la forêt et se mit à dévaler le sentier. À un moment, il se précipita tout habillé dans un ruisseau glacial pour se débarrasser de l'odeur de mort qui imprégnait ses cheveux et ses vêtements.

Toutefois, l'eau ne pouvait apaiser son esprit, où se bousculaient de pénibles questions : Pourquoi n'était-il pas venu plus tôt ? Il aurait pu les sauver ! Seulement un jour plus tôt…

Sa tête le faisait souffrir, et il respirait avec peine.

Une heure avant l'aube, n'ayant nul autre endroit où aller, Sergei revint à l'école et franchit la porte d'acier, encore entrouverte. Sans précaution, il se traîna jusqu'au dortoir et s'effondra sur sa couchette, tombant dans un sommeil agité qui l'entraîna dans un paysage désolé puant la mort.

Lorsqu'il ouvrit les yeux dans la lumière blafarde du matin, Sergei espéra, l'espace d'un instant, n'avoir fait qu'un simple cauchemar, jusqu'à ce qu'il aperçoive ses mains encore souillées de suie.

Il ne pouvait confier à personne, pas même à Andrei, ce qu'il avait vu.

DEUXIÈME PARTIE

La survie du plus fort

Pour émettre de la lumière, il faut savoir en endurer la brûlure.

VIKTOR FRANKL

. 6 .

Au cours de la dixième, onzième et douzième années de Sergei, les jours se succédèrent comme de bons soldats marchant au pas, bien ordonnés, tous semblables. La routine de l'école plongeait Sergei dans une sorte de transe ; il obéissait aux ordres et voyait s'accroître sa force, sa taille et ses capacités. Il accomplissait chaque tâche qui lui était imposée, mais sans vraiment lui prêter un sens. À l'occasion, il pensait à son grand-père et à la famille Abramovich, mais chaque fois, leur souvenir était assombri par le spectre des décombres fumants qui revenait le hanter.

Parmi les cadets, les choses ne changeaient guère. Pouvoir et autorité étaient toujours répartis selon une rigide hiérarchie. Zakolyev, qui avait atteint seize ans et dormait dorénavant dans le dortoir des cadets les plus âgés, avait presque tué un autre cadet lors d'une bagarre. Sergei avait entendu deux cadets du groupe de Zakolyev maugréer que celui-ci s'était battu « comme un dément », frappant leur ami avec une chaise. Les blessures du cadet furent attribuées à un accident.

Quelques jours après cette bagarre, six compagnons du cadet blessé vengèrent leur ami en flanquant une raclée à Zakolyev. Celui-ci en tira une leçon : s'il pouvait vaincre un seul adversaire, il n'avait pas le dessus contre plusieurs. Après cet incident, il sembla plus tranquille, moins dominateur. Cependant, au cours des mois qui suivirent, chacun des six garçons en cause subit un douloureux « incident ». L'un d'eux trébucha sur une pierre ; un autre fut blessé par un objet qui lui tomba dessus ; un troisième heurta un obstacle non identifié en tournant un coin ; un quatrième fit une chute dans les escaliers. Ils furent tous avares de détails à propos de leur accident, craignant une vengeance fatale de la part de Zakolyev.

Quelques mois avant le treizième anniversaire de Sergei en 1885, par une chaude journée d'été, Alexei Orlov le Cosaque revint à l'école. Non sans satisfaction, l'instructeur en chef Ivanov annonça que grâce à ses négociations avec ses supérieurs, il avait réussi à obtenir la mutation d'Orlov à leur école.

« Comme vous ne tarderez pas à le constater, expliqua-t-il, Alexei Igorovich Orlov excelle dans le dépistage, les techniques de survie, l'équitation et le combat. Je l'ai déjà vu sauter d'un cheval au galop au-dessus d'une branche d'arbre, puis retomber agilement sur le dos de sa monture. Même notre instructeur Brodinov trouverait en lui un adversaire redoutable lors d'un combat corps à corps. » Sergei leva les yeux vers l'instructeur Brodinov, qui gratta ses cheveux clairsemés et hocha la tête.

Les louanges de l'oncle de Sergei s'avérèrent parfaitement fondées. Dans les semaines qui suivirent, Alexei le Cosaque, comme l'appelaient les cadets, eut l'occasion de démontrer ses multiples talents. Sergei l'observait comme il avait autrefois observé son oncle. Il admirait la démarche assurée et pourtant détendue du Cosaque, ainsi que son attitude amicale — comme s'il ne ressentait aucun besoin de fanfaronner, de poser ou d'intimider son entourage parce qu'il maîtrisait des techniques mortelles.

Sergei avait l'impression de se réveiller d'un long sommeil. Soudainement, il voulait tout apprendre d'Alexei Orlov ; il voulait *devenir lui*. Il lui semblait maintenant viril et romanesque de se transformer en guerrier — comme son père.

Le jeune garçon avait entendu des cadets plus vieux parler des femmes et échanger des plaisanteries à propos de ce que faisaient les hommes et les femmes pour avoir des bébés. Ce sujet, qu'il avait toujours ignoré, commençait à le fasciner. En général, les garçons s'entendaient pour dire que pour gagner les faveurs d'une dame, un homme devait être capable de la défendre contre d'autres hommes et de les supplanter; il devait pouvoir écraser les brigands et protéger les faibles. Bref, il devait ressembler à Alexei, robuste Cosaque à la chevelure brune bouclée et à la barbe soigneusement taillée, dont le visage s'illuminait parfois d'un sourire.

La seule imperfection physique d'Orlov — une cicatrice laissée par la lame d'un sabre sur son cou — ne faisait qu'ajouter à son panache. Il expliqua aux cadets que cette marque lui rappelait l'importance de l'entraînement, qui avait occupé une place prépondérante dans sa vie depuis cet incident. Il n'avait jamais été blessé à nouveau.

Contrairement aux autres instructeurs, Alexei le Cosaque traitait Sergei et les autres avec courtoisie et respect. Il s'attendait à ce que même l'élève le plus lent le surpasse un jour, ce qui permettait aux cadets de croire que tout était possible. « Dans la forêt, précisa-t-il, vous pouvez m'appeler par mon prénom — comme entre collègues ou amis. Mais vous devrez trimer dur pour mériter cette amitié. »

Sergei aurait fait n'importe quoi pour lui.

Alexei, apprit-il, avait grandi dans un village de Cosaques. Son père avait été abattu lors d'une bataille, ce qui l'avait incité à s'entraîner avec une ardeur décuplée. Mu par une conscience accrue de la réalité de la mort, ainsi que par le désir d'être une source de fierté pour son défunt père, il avait finalement été intégré à la garde d'élite du Tsar.

« Vous deviendrez les meilleurs soldats de la Russie », dit-il un jour à ses jeunes élèves, « et le monde portera votre empreinte ». Pour les cadets, chacune de ses paroles était d'or.

« Les véritables guerriers, ajouta-t-il, ne donnent la mort que par nécessité, et ils protègent la vie, dont la leur, le mieux possible. À quoi bon supplanter un ennemi lors d'un combat, pour ensuite succomber à la faim ou au froid ? Napoléon et ses hommes n'ont pas été vaincus uniquement par des soldats russes mais également par l'hiver russe. Mon objectif n'est donc pas de vous apprendre simplement à tuer, mais aussi à vivre — comment survivre avec le strict minimum par vos propres moyens. Et il y a une différence importante entre la théorie et la pratique. Vous ne tarderez d'ailleurs pas à le découvrir. »

Depuis son escapade dans la forêt en compagnie de son grand-père, plusieurs années auparavant, Sergei s'était pris d'un engouement pour la nature qui resurgissait maintenant sous la forme d'une puissante envie de découvrir le monde. Souvent, son regard se perdait vers les montagnes au loin. Il continuait à faire preuve d'une grande application tant en classe que lors des séances de lutte, d'équitation, de natation, d'escrime et de tir, mais les exercices de survie devinrent sa véritable passion.

Les cadets se construisirent à l'aide de branches de pin des abris bien camouflés dans la forêt, et ils furent initiés aux rudiments de la chasse, de la trappe et de la pêche. Alexei leur enseigna à reconnaître les plantes comestibles — qu'il appelait les remèdes de la nature — ou toxiques, et à se protéger contre les autres dangers de la forêt, comme les ours, les serpents et les insectes. « Les hommes des bois ne recherchent pas les privations ni l'adversité, expliqua-t-il. Nous ne prenons pas plaisir à dormir sur la terre froide ou à nous priver de confort, mais employons notre intelligence et nos habiletés à adoucir les arêtes tranchantes de la nature. »

Un matin, avant la séance d'entraînement, Alexei marcha de long en large devant les cadets attentifs avant de leur adresser la parole avec force gestes : « Nous, les Cosaques, sommes un peuple pieux et paisible, mais redoutable lorsqu'il est provoqué. Lors de la lecture de l'Évangile, nous tirons à demi notre sabre de son fourreau pour manifester notre volonté de défendre notre Église et notre pays.

« Il existe d'innombrables légendes à propos des dons presque magiques des Cosaques comme cavaliers et combattants. Nous pouvons imiter le bruit produit par divers animaux; nous pouvons hurler comme le loup et pousser un cri comme le hibou ou le faucon pour communiquer avec nos compagnons. Mais ce n'est pas là de la magie : tout cela est le fruit de l'entraînement. »

Les plus jeunes garçons le supplièrent de leur en faire une démonstration. Il s'exécuta avec un tel brio qu'il dut vite s'interrompre, car les jeunes cadets s'étaient mis eux aussi à hurler et à faire des sons d'animaux. « Arrêtez ! » s'écria Alexei en faisant mine d'être consterné. « On se croirait dans une étable pleine d'animaux en rut. » Évidemment, cette boutade déclencha des éclats de rire hystériques, qu'aucun autre instructeur n'aurait autorisés — ce qui expliquait en partie la popularité d'Alexei auprès des cadets. Cependant, même les garçons les plus jeunes se calmèrent, désireux d'en apprendre davantage.

« Les Cosaques ne s'inclinent devant personne d'autre que le Tsar. Nous combattons ses ennemis, mais pour le reste nous établissons nos propres lois. Par exemple, nous ne permettons pas à des soldats de venir arrêter des serfs fugitifs qui ont été acceptés au sein de nos communautés. Cependant, nous nous efforçons d'éliminer les bandes de maraudeurs et de former une grande muraille comme celle de Chine — un mur vivant capable de se déplacer plus vite que tout ennemi pour protéger les vastes frontières de notre mère patrie. »

« Mais les soldats peuvent-ils vous forcer à leur livrer les serfs ? » demanda un jeune cadet.

« Les soldats ne peuvent pas forcer les Cosaques à agir contre leur gré », répondit Alexei. « Nous avons mis au point des techniques de combat adaptées à tous les types de terrain et les conditions climatiques — des rivières gelées aux forêts enneigées en passant par les plaines tropicales — et à une grande diversité d'adversaires, de méthodes de combat et d'armes. J'enseignerai certaines de ces techniques aux meilleurs d'entre vous. »

Sergei sourit en voyant certains cadets parmi les plus jeunes se redresser, tentant de paraître plus grands et plus disciplinés que leurs compagnons. Puis Alexei les conduisit à nouveau dans la forêt. Quelques cadets y virent un jeu, se lançant des baies plutôt que de porter attention à Alexei. Celui-ci parut ignorer leurs bouffonneries, jusqu'à ce qu'il s'arrête brusquement et dise : « Ceux qui écoutent survivent. »

Les cadets se figèrent sur place, et il ajouta : « Si l'un d'entre vous se perd ou se blesse — ou même trouve la mort lors d'un exercice de survie, ce qui reste possible —, il aura échoué. Mais ce sera un échec pour moi aussi… c'est pourquoi je vous demande d'être vigilants. »

Il n'y eut plus de problème d'indiscipline après cela.

Au contact d'Alexei le Cosaque, Sergei ressentit un regain de fierté par rapport à la lignée de son père. Les forces d'Alexei gagnèrent même l'admiration bourrue de Dmitri Zakolyev. Malgré tous ses défauts, celui-ci s'entraînait plus fort que la plupart des cadets, pour des raisons personnelles. Quand le Cosaque lui accordait un signe d'approbation, Sergei, jaloux, redoublait d'efforts pour mériter le respect d'Alexei.

Au fil des semaines et des mois, Sergei se mit à gagner plus de matchs de lutte qu'il n'en perdait, même contre certains cadets plus vieux. Il apprit également à manier la carabine et le pistolet dans les champs environnants, s'imaginant qu'il était un grand Cosaque. Au cours de cette période, il dut changer d'uniforme à plusieurs reprises, car il grandissait rapidement. Il ne flottait plus dans ses vêtements, et sentait une vigueur nouvelle envahir ses bras, ses jambes et sa poitrine.

❖ ❖ ❖

Par une froide matinée au cours de sa quatorzième année, Sergei surprit une conversation entre le lieutenant Danilov et l'un des cadets seniors. En entendant le mot « juif », il tendit l'oreille et saisit quelques bribes de plus : « ... Konstantin Pobedonostov, le procureur du Tsar, a déclaré... un tiers des Juifs forcés de se convertir... un tiers d'entre eux expulsés... les autres exterminés... pogrom... Cosaques. » La vie s'assombrissait sans cesse pour les Juifs, comme l'avait prédit son grand-père.

Un vendredi après-midi, après un exercice de survie, Sergei réussit à profiter d'un des rares moments de solitude de l'instructeur Orlov pour lui demander s'il pouvait l'accompagner jusqu'à l'entrée principale. Encouragé par le sourire et le hochement de tête d'Alexei, Sergei trouva le courage de lui poser la question qui lui brûlait les lèvres : « Les Cosaques tuent-ils des Juifs ? »

Alexei continuait à marcher en silence, et Sergei craignit qu'il lui demande pourquoi il se préoccupait tant du sort des Juifs. Mais il répondit plutôt : « Ton oncle m'a raconté un peu ton histoire, Sergei. Je comprends ton inquiétude. Mais... si tu tiens à savoir si certains Cosaques ont tué des Juifs... je dois te répondre que oui. »

« Les Cosaques se sentent intimement liés au Tsar et à notre mère l'Église. Les mœurs des Juifs nous semblent étranges. Toutefois, nous sommes un peuple libre et tolérant. Ceux qui harcèlent, pillent et traquent les Juifs comme des animaux ne sont pas des Cosaques mais des nationalistes xénophobes. Les véritables Cosaques ont le sens de l'honneur, Sergei. Nous combattons les ennemis de la Russie ; nous ne saurions massacrer un peuple pieux, malgré ses différences. »

Il fit une pause, puis poursuivit : « Pourtant, même parmi les Cosaques, il existe des hommes de mauvaise foi qui ont violé des femmes après une bataille ou qui se sont mal comportés. Il y a eu sans aucun doute une escalade de la violence envers les Juifs, de la part de paysans furieux, de l'Okhrana — la police secrète — et même de soldats à la solde du Tsar. Et il se peut qu'un petit nombre de Cosaques aient pillé des habitations juives. C'est une honte. »

Peu après sa conversation avec Alexei, Sergei, entre deux cours, était en train de se laver le visage dans les cabinets quand Zakolyev entra. Il le frôla en disant : « Eh bien, voici ce bon Sergei. »

Sergei se sentit pris au dépourvu. Était-ce réellement ce que Zakolyev pensait de lui ? Comment devrait-il réagir ? S'il ignorait cette remarque, faisant mine de ne pas l'avoir entendue, Zakolyev ne manquerait pas de le punir. Il haussa donc les épaules et marmonna : « Pas toujours si bon. » Puis il s'empressa de sortir des cabinets.

Sergei ne ressentait aucune envie de se battre avec Zakolyev, qui était de quatre ans son aîné et s'entraînait lui aussi avec acharnement. Pourtant, il pensa : Alexei le Cosaque ne se laisserait pas dominer par une brute. Lui, Sergei, ne devrait pas l'accepter non plus.

Après cet incident, il se mit à observer Zakolyev lors des combats corps à corps, afin de découvrir ses points faibles. Il ne lui vint jamais à l'esprit que Zakolyev pouvait être en train de le regarder de la même façon.

Quelques jours plus tard, l'instructeur Orlov rassembla les cadets et leur annonça : « À partir de demain matin, au lever du soleil, vous devrez traverser une épreuve de survie de sept jours. Vous travaillerez en équipes de deux, un cadet senior et un junior. » Puis il demanda aux cadets seniors de se choisir un compagnon plus jeune.

Zakolyev choisit Sergei. Cela donnait à l'expression « épreuve de survie » une toute autre signification.

. 7 .

Le lendemain à l'aube, l'instructeur Orlov fournit quelques précisions : « Maintenant que vous comprenez les stratégies de survie, vous devez marcher avec votre compagnon jusqu'à un endroit isolé dans la forêt, loin des autres cadets, qui sera indiqué sur votre carte. Chaque équipe de deux s'entraidera pour survivre. Maintenant, retirez vos vêtements. »

Les cadets n'étaient pas certains d'avoir bien entendu; c'était la fin d'avril 1887, et bien que la neige eût commencé à fondre, il en restait çà et là sur le sol. L'air était encore frisquet, surtout à l'aube. « Vous pouvez garder vos culottes », ajouta Alexei, « mais vous devrez marcher pieds nus pour comprendre l'importance des souliers. Chacun d'entre vous a droit à cet équipement », dit-il en distribuant un couteau et une gaine à chaque cadet et une petite pelle militaire à chaque équipe. « Je m'attends à vous revoir ici dans sept jours à midi — bien reposés, bien nourris, en bonne santé, avec des souliers et des vêtements que vous aurez fabriqués vous-mêmes. Des questions ? »

En se déshabillant, Sergei jeta un regard à Andrei, qui paraissait soucieux à l'idée que son ami passe une semaine en compagnie de Zakolyev.

Sergei dut courir pour rattraper le cadet senior, qui avait déjà saisi la pelle et la carte et s'enfonçait dans les collines boisées.

Quatre heures plus tard, après avoir gravi une pente couverte d'une forêt assez dense en longeant un petit ruisseau, ils parvinrent à l'endroit indiqué sur la carte. En fait, Sergei supposa qu'ils étaient rendus, car Zakolyev ne l'avait pas laissé voir la carte. Le site paraissait convenable — ils se trouvaient dans une petite clairière à une cinquantaine de mètres du ruisseau. Celui-ci risquait de leur fournir du poisson, sans parler des animaux qui venaient s'y abreuver, laissant des traces dans la vase. Un rocher en saillie formait une petite caverne qui leur offrirait un abri partiel; ils pourraient construire le reste.

Sergei examina ses pieds rougis par le froid — déjà engourdis et couverts d'ampoules. Il était sur le point de se mettre à la recherche de matériel pour fabriquer des pièges quand Zakolyev lui lança son premier ordre : « Fais-nous du feu ! » Il ramassa des mousses sèches et des brindilles et tenta en vain de faire jaillir des étincelles en frottant son couteau sur différents types de pierre. Il sculpta donc une baguette de bois qu'il fit tourner. Il ne croyait pas que le processus serait si long, mais grâce à la chaleur obtenue par cette friction, il finit par voir apparaître un peu de fumée. Puis, la mousse s'enflamma alors qu'il soufflait doucement dessus, et il eut bientôt des braises rougeoyantes. Malgré les ampoules sur ses mains, Sergei sentit une exaltation primitive l'envahir quand les brindilles prirent feu. Il avait réussi à faire du feu lors des exercices à l'école, mais cette fois c'était pour vrai. Du feu dépendait leur survie.

Entre-temps, remarqua Sergei, Zakolyev avait ramassé des branches, des pierres et des plantes filamenteuses qu'ils pourraient tresser en cordelettes pour fabriquer leurs pièges. Après avoir alimenté le feu avec quelques branches, puis de grosses bûches qu'il avait réussi à couper d'un arbre mort avec la pelle, Sergei s'approcha de Zakolyev pour l'aider à construire leurs pièges.

« Va chercher ton propre matériel », lui lança celui-ci. « Ça, c'est pour *moi.* »

Ainsi en était-il. Et Sergei était trop avisé pour rétorquer en désignant les branches crépitantes : « Alors ça, c'est *mon* feu. »

Il s'enfonça rapidement dans la forêt pour recueillir le matériel dont il aurait besoin pour ses pièges. Non sans difficulté, en observant les ombres qui s'allongeaient sous le soleil de l'après-midi, il réussit à construire et à installer sept pièges dans des endroits propices en amont et du côté du vent par rapport à leur campement, près de pistes d'animaux. Il fabriqua deux pièges à poissons et quelques autres trappes et fosses, et se servant d'un arbrisseau flexible, il mit au point deux pièges à ressorts près du ruisseau. Il veilla à les camoufler le mieux possible.

Quand il retourna au campement au crépuscule, il soufflait de froides rafales venues du nord. Frissonnant, il se frappa le corps et dansa pour se réchauffer. Il vit que Zakolyev était en train de terminer un abri rudimentaire fait de branches et de feuilles de bouleau, adossé contre la colline près du feu. Il ne contenait qu'une seule place pour dormir.

Le feu, dont il ne restait pratiquement que des braises, avait besoin de nouvelles bûches. Sergei en ramassa quelques-unes et en plaça une sur le feu que Zakolyev s'était approprié. Puis il rassembla d'autres brindilles et bûches et s'aménagea un autre feu.

À la lumière de son propre feu de camp, se servant de branches de pin entremêlées, Sergei réussit à se fabriquer un abri de fortune qu'il installa contre un autre surplomb de granit. Il terminait à peine quand une légère bruine se mit à tomber. Une couverture de nuages isolait la terre, empêchant la nuit de devenir glaciale.

Grelottant et mouillé jusqu'aux os, vêtu uniquement de ses culottes courtes, Sergei se glissa entre plusieurs épaisseurs de branches de pin qu'il avait ramassées, se tournant et se retournant jusqu'à ce qu'il trouve un peu de chaleur. La forme recroquevillée de Zakolyev, à peine visible dans la lueur du feu, indiquait que celui-ci s'était organisé de façon semblable.

Sergei, glacé, mit du temps à s'endormir, écoutant le murmure de la pluie. Malgré le froid et la faim qui le tenaillait, une vague de satisfaction le submergea. Il avait installé des pièges, fait du feu, trouvé un abri. Pour l'instant, il était vivant et bien portant. Au petit matin, il irait vérifier ses pièges et verrait ce que le jour nouveau leur apporterait. Ces pensées cédèrent doucement la place à une profonde fatigue qui le fit basculer dans l'abîme du sommeil.

❖ ❖ ❖

Quand il ouvrit les yeux, Sergei vit que son haleine formait une brume glacée dans l'air frisquet du matin. Il s'extirpa de son lit de branches de pin, espérant entrevoir un rayon de soleil, mais il était encore trop tôt. Laissant Zakolyev dormir, il se dirigea avec précaution — car ses pieds le faisaient souffrir — vers le ruisseau, où il se désaltéra puis aspergea d'eau glaciale son visage, sa poitrine et ses épaules. S'essuyant tant bien que mal, il se donna de grandes claques sur tout le corps et courut sur place pour se réchauffer. Il retourna ensuite au campement, saisit son couteau et entreprit de remonter le ruisseau.

Bien qu'il ait marqué les arbres à la hauteur des yeux près de ses pièges, Sergei ne parvint pas à retrouver le premier. Alexei les avait avertis : « La nature donne de dures leçons et ne tolère guère les erreurs. » Pourquoi n'ai-je pas été plus attentif ? pensa Sergei en se reprochant sa négligence. Revenant sur ses pas, il aperçut enfin sa deuxième trappe. Elle était vide.

Tout près, dans un piège à ressorts qu'il avait installé le long du sentier, il trouva une belette épuisée qui, suspendue dans les airs, se débattait faiblement. Il s'approcha avec prudence. Alors qu'il tendait la main pour l'attraper, elle poussa un grognement sourd et lui donna un soudain coup de griffe qui lui entailla la main. Puis elle tenta de le mordre.

Pris d'un élan primitif, Sergei saisit la nuque de l'animal et lui trancha la gorge si violemment qu'il lui détacha presque la tête du corps et faillit se couper le poignet en même temps. La belette fut secouée par quelques spasmes, et du sang gicla de son cou. Puis elle s'immobilisa, sans vie.

Pantelant, Sergei eut la présence d'esprit, malgré son cœur qui battait à tout rompre, d'ouvrir le piège plutôt que de le couper; il en aurait encore besoin. Il espéra que l'abattage serait plus aisé la prochaine fois. Puis il réfléchit : Pourquoi devrait-il devenir plus facile pour moi de tuer ? Ai-je réellement le droit d'enlever la vie à un animal ? Non, décida-t-il, ce pouvoir n'est pas un droit. Il avait fait ce qui s'imposait dans les circonstances actuelles. Il ne ressentait aucune animosité envers cette belette, qui n'avait que tenté de se défendre. Et il l'avait tuée pour survivre. Il remercia l'animal pour sa vie, qui l'aiderait à préserver la sienne. Il ne gaspillerait pas cette offrande.

En tuant cette belette, il avait laissé une grande partie de son enfance derrière lui, prenant conscience de la fragilité de la vie. La mort n'était pas une question de justice, mais de hasard. En faisant preuve de vigilance — et en mettant à profit ses connaissances et ses habiletés — il pourrait accroître ses chances de survie. C'était là la première grande leçon que lui prodiguait la nature. Marchant à pas de loup vers la trappe suivante, Sergei se demanda quelles sortes de pièges il aurait lui-même à affronter dans l'avenir.

Le troisième piège était vide et paraissait intact, tout comme le quatrième et le cinquième. Dans le sixième, il trouva un écureuil qu'il tua aussi prestement et respectueusement que possible en le frappant avec une grosse pierre. Les autres pièges étaient vides, sauf le dernier où s'était pris un gros lièvre. Ce dernier pourrait les rassasier pendant plusieurs jours, en plus de leur permettre de se fabriquer des souliers.

La coupure infligée à la main de Sergei par la belette commençait à élancer. Il balança rapidement son bras de gauche à droite pour éliminer le sang souillé. Puis il nettoya et frotta l'entaille avec du sable avant de la rincer à grande eau dans le ruisseau. Enfin, il urina dessus, se rappelant les conseils d'Alexei qui affirmait que l'urine fraîche contrait l'infection.

Après avoir attaché ses prises ensemble à l'aide de plusieurs tiges flexibles, il réinstalla le dernier piège et reprit la direction du campement. Il ne s'attendait pas à d'autres captures avant le lendemain matin, mais il prévoyait revenir vérifier ses pièges vers la fin de l'après-midi, à tout hasard.

Cette chasse avait réveillé les instincts de Sergei et aiguisé tous ses sens. En chemin, il écouta les gouttes d'eau qui dégoulinaient des branches bourgeonnantes et les chants d'oiseaux au loin. Il s'émerveilla des mille nuances de couleurs et de textures qu'offrait la forêt. Au campement, il retrouva un Zakolyev morose qui dépouillait son unique prise — un écureuil, soit un petit repas et un seul soulier.

Sergei savait que Zakolyev serait jaloux des trois animaux qu'il avait capturés, mais il pouvait difficilement les lui cacher. Il prit donc un air désinvolte et jeta aux pieds de Zakolyev l'écureuil, puis la belette et le lièvre, ajoutant avec diplomatie : « Voilà les prises de nos autres pièges. »

Zakolyev fixa les animaux. « Un autre coup de notre bon Sergei », marmonna-t-il avant de reprendre sa tâche. Sergei dépeça les carcasses du mieux qu'il put. C'était un travail salissant, que son inexpérience rendait plus difficile encore. Lors de leur entraînement, à l'école, il avait seulement aidé un peu à dépecer un lièvre et un cerf.

Au début de l'après-midi, ils avaient réussi à suspendre la viande en lambeaux sur des tiges nouées entre deux arbres. Ils tendirent les peaux sur des cadres fabriqués avec des branches d'arbrisseaux. La peau de la belette n'était pas assez large pour couvrir les épaules de Sergei, mais c'était un bon début. Quand il remit la peau de l'écureuil à Zakolyev en lui disant : « Pour ton autre soulier », le cadet senior la prit sans commentaire.

Ils firent cuire des lambeaux de chair de lièvre ; c'était leur premier repas depuis près de deux jours. Repu, Sergei s'en fut ramasser d'autres rameaux et branches de pins pour renforcer son abri de fortune.

Le soir venu, alors que les deux cadets se tenaient accroupis près de leur feu respectif, ayant à peine échangé quelques paroles, Sergei observa les étoiles s'allumer dans le ciel, étincelantes comme des cristaux de glace sur un drap de velours. Une fumée blanche parsemée de tisons rougeoyants s'élevait dans l'air frais, vite engloutie par la nuit. Après avoir jeté un regard à Zakolyev, qui fixait les flammes de son feu, perdu dans ses pensées, Sergei se faufila dans son abri de branchages. En se laissant gagner par le sommeil, il se demanda pourquoi Zakolyev l'avait choisi comme compagnon de survie.

❖ ❖ ❖

Le lendemain matin, Sergei trouva un écureuil écrasé sous une pierre qui avait été placée en équilibre ; dans le collet où s'était prise la belette près du ruisseau, un raton laveur était coincé. Plutôt que de tenter de saisir l'animal qui sifflait et grognait, il se fabriqua une massue avec une lourde bûche et l'assomma avant de l'achever.

Le jeune garçon repêcha également les deux poissons coincés dans son piège aménagé dans le ruisseau avant de revenir au campement.

Zakolyev, lui, n'avait capturé qu'un écureuil et une maigre mouffette — au cuir utile mais à la viande immangeable. Quand il aperçut l'abondant butin de Sergei, il le fixa sans dire un mot.

Embarrassé, Sergei déposa les poissons, l'écureuil et le raton laveur sur une pierre plate. « J'ai eu de la chance, dit-il. Nous allons bien manger. »

Après leur repas, Sergei partit l'estomac plein explorer les alentours — il aurait fait n'importe quoi pour s'éloigner de son sinistre compagnon. Il consacra quelques heures à tracer en marchant un grand cercle autour du campement, tentant d'apercevoir des poissons dans les ruisseaux et se familiarisant avec le territoire environnant. Sur le chemin du retour, il entendit au loin le martèlement des sabots d'un cerf. Il s'immobilisa et tendit l'oreille… silence… puis quelques autres pas… et à nouveau le silence. Les bruits de sabots venaient du même côté que le vent ; il serait donc difficile pour l'animal de déceler la présence de Sergei. Plié en deux, le jeune garçon s'avança doucement.

Quelques minutes plus tard, il aperçut un énorme cerf mâle, à peine visible à travers les branches, qui broutait des pousses d'herbe fraîche une vingtaine de mètres plus loin. De temps en temps, il tournait ses grandes oreilles et levait la tête. Sergei resta complètement immobile, et le cerf s'approcha de quelques mètres de plus. À ce moment, Sergei se rendit compte qu'il se trouvait au beau milieu d'un sentier qui permettait à l'animal d'aller s'abreuver au ruisseau.

Une idée folle lui traversa l'esprit : il allait essayer d'attraper le cerf. Il n'avait pas le temps de retourner chercher Zakolyev au campement, car il lui fallait agir vite. Cet animal leur fournirait assez de nourriture et de fourrure pour satisfaire tous leurs besoins. Mû par un instinct primitif, Sergei se hissa silencieusement dans un arbre qui bordait le sentier.

Il s'installa confortablement sur une grosse branche directement au-dessus du sentier et s'immobilisa. Le cerf n'était plus dans son champ de vision, mais il l'attendrait jusqu'à ce qu'il passe sous lui.

Une quinzaine de minutes plus tard, il aperçut l'animal qui broutait sous ses yeux. C'est le moment ou jamais, pensa-t-il. Retenant son souffle, couteau à la main, Sergei sauta de sa branche et atterrit sur le cerf avec un bruit sourd, lui enserrant fermement le cou de son bras. L'animal se débattit, mais Sergei lui plongea le couteau dans la gorge à deux reprises. Le cerf, perdant son sang et saisi de panique, ruait avec frénésie de tous côtés. Sergei se rendit compte que s'il chutait de l'animal, celui-ci le broierait avec ses bois avant de mourir au bout de son sang. Sur le point d'être projeté par terre, pris d'un réflexe désespéré de chasseur, il visa l'endroit au-dessus de la patte avant du cerf et y enfonça son couteau, à travers les côtes en direction du cœur.

L'animal s'effondra, sans vie.

Haletant, son cœur battant la chamade, Sergei sentit un sentiment d'euphorie l'envahir, mêlé au chagrin que suscitait en lui la mort de ce grand mâle.

En revenant au campement, il se souvint d'une parole d'Alexei : « Quand vous êtes dans un milieu sauvage, il vous faut devenir sauvages. »

Parvenu à la clairière, couvert de sang et hors d'haleine, il raconta son aventure à Zakolyev. Celui-ci, sceptique, retourna avec lui sur les lieux pour y découvrir le corps inerte du fier animal.

Sur le visage de Zakolyev, Sergei vit une expression de surprise se transformer en rage contenue. Le cadet senior sortit son couteau et se mit à éviscérer l'animal. « Allez ! » ordonna-t-il à Sergei. « Rends-toi utile ! »

Ils abandonnèrent la majeure partie des organes internes du cerf aux charognards et fabriquèrent une civière pour rapporter sa carcasse au campement. Ils passèrent le reste de la journée à dépecer l'animal, à en tendre la peau et à trancher la viande en lanières. Ils avaient maintenant assez de nourriture pour le reste de leur séjour. De plus, grâce au cerf et aux autres animaux capturés pour la plupart par Sergei, ils pouvaient se fabriquer des souliers doublés de fourrure de lièvre, ainsi qu'une veste et un pantalon de cuir de cerf. Sergei aurait même un chapeau de fourrure de raton laveur.

Ce soir-là, avant la tombée du jour, Sergei lava le sang qui souillait sa poitrine et ses jambes nues. Puis, il s'en fut à pas feutrés désamorcer ses pièges. Il était inutile de tuer d'autres animaux.

Les deux cadets consacrèrent une grande partie de leurs deux derniers jours à se confectionner un pantalon et une chemise avec le cuir du cerf. Ils avaient dû faire tremper la peau pendant plusieurs heures dans le ruisseau, puis l'avaient grattée pour en enlever les poils et la chair avant de la laver à maintes reprises pour la débarrasser du gras de l'animal. Ils ne pouvaient la tanner convenablement, n'ayant à leur disposition ni sel ni chaux. Cependant, ils frottèrent le cuir avec la cervelle du cerf puis avec de la cendre, comme on le leur avait enseigné.

Enfin, après avoir découpé de longues lanières de cuir pour attacher leur pantalon à leur chemise, ils se retrouvèrent vêtus comme de véritables hommes des bois. Leur dernier jour de survie fila comme l'éclair. Zakolyev n'adressait la parole à

Sergei que lorsque cela s'imposait, et chacune de ses remarques était cinglante, voire insultante. Enfin, il quitta le campement et ficha la paix à Sergei.

Puis, environ une heure avant la tombée du jour, Sergei crut entendre au loin le gémissement d'un animal. Il était en train d'alimenter le feu, et il poursuivit sa tâche. Toutefois, il entendit le même cri à nouveau et reconnut la voix de Zakolyev. S'élançant en direction de l'appel, il perçut clairement son nom : « Ivanov ! »

Sergei découvrit Zakolyev tout en bas d'une pente abrupte en bordure du ruisseau, couverte d'une mousse si glissante que Sergei perdit presque pied à son tour. Dans la lumière du crépuscule, il apercevait à peine Zakolyev qui tentait de dégager sa cheville coincée entre deux pierres.

Furieux, réagissant comme si Sergei avait été responsable de son malheur, Zakolyev lança d'un ton hargneux : « Ne reste pas planté là, imbécile. Va chercher une branche ! Dépêche-toi ! »

Sergei avait son couteau à la main, mais il ne lui était pas venu à l'esprit d'emporter la petite pelle militaire qui leur servait également de hachette. « Je reviens tout de suite ! » cria-t-il. Il courut aussi vite que possible dans la pénombre grandissante jusqu'au campement, où il trouva l'outil. Au retour, il aperçut une branche robuste et droite qui pourrait servir de levier. Il lui assena de grands coups de hachette pour la libérer.

Quand Sergei rejoignit Zakolyev, celui-ci était si enragé qu'il pouvait à peine parler. C'était là l'insulte ultime, et Sergei en était conscient. Non seulement avait-il surpassé Zakolyev par ses talents de trappeur et en tuant le grand cerf, mais voilà qu'il venait à sa rescousse, lui sauvant peut-être même la vie.

Sergei savait que s'il réussissait à libérer Zakolyev, il ne risquait guère d'être récompensé par un simple merci ou une poignée de main. Il eut envie d'abandonner le cadet à son sort, mais il se ressaisit.

Une fois que Sergei eut réussi à glisser la lourde branche sous une des deux pierres entre lesquelles était coincé Zakolyev, celui-ci put rapidement dégager sa cheville, qui était endolorie mais non pas fracturée. Sergei savait qu'il était inutile de lui offrir son aide à nouveau. Il lui tendit la grosse branche en silence pour qu'il s'en serve comme canne et s'éclipsa.

En route vers le campement, Sergei sentit un frisson de terreur le secouer. Il savait qu'en venant en aide à Dmitri Zakolyev, il s'en était fait un ennemi pour le restant de ses jours.

Quand Zakolyev refit irruption au campement, Sergei s'occupa à améliorer son refuge, craignant qu'un seul mot, ou même un simple regard, puisse faire exploser Zakolyev. Il désirait ajouter des branches sur le dessus de l'abri, car des nuages lourds de pluie avaient envahi le ciel, et il espérait bien dormir lors de cette dernière nuit dans la forêt.

Malheureusement, il put à peine fermer l'œil.

Peu de temps après s'être assoupi, il fut réveillé en sursaut par la lueur des éclairs qui frappaient au loin, suivis de roulements de tonnerre. Il ouvrit brusquement les yeux, pris d'un étrange pressentiment. Il sentait une menace planer. Dans la lueur d'un nouvel éclair, il vit — ou crut voir — des jambes et un torse, tout près de l'abri. Il tourna la tête presque imperceptiblement, paralysé par la peur. L'éclair suivant lui fit entrevoir Zakolyev accroupi, les yeux rivés au sol et un couteau à la main. Sergei crut que sa dernière heure était venue.

L'obscurité revint. Incapable de respirer ou même de faire le moindre son, Sergei plongea son regard dans la pénombre. Un autre éclair lui permit de constater que Zakolyev avait disparu.

Avait-il rêvé, ou halluciné ? Il l'ignorait. Il retomba sur le dos, haletant, tandis que la pluie tombait en trombe et que les craquements de tonnerre se faisaient de plus en plus distants. Il resta éveillé pendant des heures, attentif au moindre bruit qui se distinguait du crépitement de la pluie.

Quand il rouvrit les yeux, le soleil se levait. Il avait survécu à cette nuit horrible. Il s'assit prestement pour réussir à apercevoir Zakolyev, encore endormi dans son abri.

Pendant que Sergei démontait son abri et répandait les cendres de son feu, Zakolyev se leva, saisit son couteau et la pelle et quitta le campement sans dire un mot.

Plus tard, cherchant seul son chemin dans la forêt parsemée de pierres, Sergei songea à son expérience des sept derniers jours. Il savait maintenant qu'il pouvait survivre dans la nature sauvage, comme Alexei et bien d'autres avant lui.

Il parvint au lieu du rendez-vous vers midi, comme l'avait demandé le Cosaque. Peu après, la plupart des trente-deux cadets présents au départ étaient de retour. Un peu plus loin, Sergei aperçut Zakolyev au milieu d'un groupe de cadets plus jeunes, à demi nus. Zakolyev le vit aussi — il désigna Sergei en soufflant quelque chose aux cadets. Ceux-ci s'esclaffèrent.

Choisissant de les ignorer, Sergei chercha Andrei du regard, se demandant comment son ami s'en était tiré. Quand il tourna le dos à Zakolyev et ses admirateurs, quelques jeunes cadets gloussèrent. L'un des plus effrontés, désirant sans doute plaire à son idole, s'adressa à Sergei d'un ton sarcastique : « Tu sembles avoir retrouvé ton chemin ! »

Sergei dévisagea le jeune cadet ; il ne pouvait qu'imaginer ce que Zakolyev leur avait dit à tous.

Quand les jeunes garçons s'éloignèrent, l'un d'entre eux se retourna : « Tu as eu de la chance que Dmitri te donne une partie du cuir, sans quoi tu serais aussi dénudé que certains ! » lança-t-il avant de filer rejoindre son chef.

Enfin, Sergei aperçut Andrei, l'air fatigué mais réjoui, qui approchait avec son compagnon plus âgé. Ils portaient de longues chemises de peaux d'animaux mais pas de pantalons, avec en guise de souliers des bandes de cuir retenues par de grosses ficelles. Sergei survola du regard tous ces cadets à demi nus vêtus d'habits hétéroclites faits de peaux de lièvre, de raton laveur, de musaraigne, de mouffette, de renard ou d'écureuil. Sur ses lèvres se dessina un sourire empreint d'une confiance nouvelle.

Cette épreuve de survie avait été l'une des expériences les plus intenses de la vie de Sergei. Il formula le souhait de ne plus jamais avoir à passer du temps seul avec Dmitri Zakolyev.

. 8 .

Après la semaine de survie, Sergei reprit la routine quotidienne de l'école, conscient qu'il se produisait des changements non seulement en son for intérieur mais également dans son corps. Le miroir lui renvoyait maintenant l'image d'un jeune homme musclé, dont les aisselles et d'autres parties du corps se couvraient de poils. Il commençait à penser aux femmes plus souvent — à leur corps et à leurs mystères, qui suscitaient en lui un désir confus.

Il était aussi de plus en plus critique par rapport aux faiblesses et à l'hypocrisie des adultes qui l'entouraient : Brodinov prônait un entraînement rigoureux et l'importance de la forme physique alors que lui-même s'empâtait au fil des mois ; Kalishnikov, lui, se penchait pompeusement au-dessus de son bureau dans la classe en pontifiant au sujet de la vérité tout en continuant à entretenir des mensonges à propos des Juifs.

L'existence de Sergei lui semblait plus complexe et confuse que jamais. Il imagina à nouveau qu'il quittait cet endroit pour tenter de se trouver un nouveau chez-soi et s'entourer de gens avec qui il aurait plus d'affinités.

Sergei sentait gronder en lui l'appel de la liberté tout en restant plongé dans un monde tissé de contraintes auxquelles seule la nature échappait — régie par ses propres lois. À l'intérieur de lui, une multitude de questions et de dilemmes faisaient rage. Alors qu'il n'avait jamais vraiment songé à son avenir auparavant, celui-ci commençait à l'obséder.

Quand il recevait l'autorisation de son oncle, qui possédait une bibliothèque bien garnie, il découvrait avec intérêt ses livres. Il fit des lectures fort diversifiées, allant des ouvrages de philosophie religieuse ou de science militaire aux textes des philosophes grecs de l'Antiquité comme Platon, qui décrivaient la vie et les enseignements de Socrate et d'autres sages ou hommes d'État.

Le jeune homme ne tarda pas à faire une découverte surprenante : certaines phrases lui révélaient tout un univers d'idées et de notions sur lesquelles il ne s'était jamais penché : « Quel est le but de l'existence ? Comment mener une bonne vie ? Les humains sont-ils naturellement bons ou égoïstes ? » Parfois, il déposait l'ouvrage qu'il parcourait, fermait les yeux et se plongeait la tête entre les mains tandis que son cœur s'emballait — exalté non seulement par les mots qu'il lisait, mais par les portes qu'ils ouvraient. Il lui semblait découvrir de nouveaux horizons à l'intérieur même de son esprit.

Puis vint le quinzième anniversaire de Sergei, à la fin de l'été 1887. Il eut une pensée pour sa mère ce jour-là, comme à tous ses anniversaires et en bien d'autres occasions aussi. Il glissa à son cou la chaîne où pendait le médaillon, dissimulé sous sa chemise. Il la portait presque tous les jours ; il acceptait ce risque pour le simple bonheur que lui procurait ce geste en ce lieu qui n'était guère propice au plaisir, quel qu'il soit. La nuit venue, ou avant une séance d'entraînement ou une immersion dans l'eau glacée, il la cachait à nouveau sous son matelas.

Au mois de décembre de la même année, l'instructeur en chef Ivanov se présenta à la séance d'exercice matinale des cadets, ce qui se produisait rarement. Au fil des derniers mois, Sergei n'avait guère eu de contact avec son oncle, un homme distant et réservé qui restait habituellement en coulisses. La présence de l'instructeur en chef laissait donc présager une annonce importante. Sans introduction ni explication, il demanda aux cadets qui seraient nommés de s'avancer d'un pas, puis lut simplement une liste. Sergei entendit le nom de plusieurs autres cadets seniors, puis son propre nom et celui de quelques autres cadets de son âge parmi les plus assidus, dont Andrei. Il se demanda pourquoi ils avaient été choisis. Enfin, son oncle prononça le dernier nom sur la liste : « Cadet Dmitri Zakolyev. »

Puis, l'instructeur en chef s'expliqua : « Vous avez été sélectionnés tous les douze pour participer à un entraînement spécial destiné à faire de vous des soldats d'élite, et peut-être éventuellement des gardes du Tsar. Félicitations. » À leur connaissance, Ivanov n'avait jamais prononcé une parole qui ressemblât tant à un encouragement.

Du coin de l'œil, Sergei pouvait voir un fier sourire se dessiner sur le visage de certains de ses compagnons. Il fut heureux de constater l'air comblé d'Andrei. Cependant, lui-même ne se sentait pas particulièrement réjoui; il avait le sentiment que sa vie allait à nouveau se transformer au gré d'autrui. Et pire encore, il devrait fréquenter davantage Zakolyev.

Après avoir congédié tous les cadets sauf les douze élus, l'instructeur en chef Ivanov se mit à arpenter lentement la pièce en parlant d'un ton posé, comme s'il leur confiait des secrets qu'eux seuls avaient droit d'entendre. « Jusqu'à maintenant, dit-il, vous avez appris ce que tous les jeunes soldats doivent assimiler — les rudiments de la lutte et de la boxe, de l'équitation, de la natation, du maniement d'armes, de la stratégie militaire et de la survie dans la nature. Les autres cadets continueront à perfectionner ces connaissances. Les gardes d'élite, cependant, ont besoin d'un entraînement d'élite. »

Il se tut un instant tout en continuant à marcher de long en large, puis poursuivit : « Longtemps avant la naissance du Christ, notre Sauveur, des marchands grecs commerçaient avec des peuples sur les rives de la mer Noire. Au fil des siècles, les Sarmates ont été envahis par les Goths, qui ont été vaincus par les Huns venus d'Asie, éventuellement battus par les Avars turcs. Puis, il y a mille deux cents ans, les descendants des Vikings ont cédé la place aux peuples slaves orientaux qui se sont installés sur le territoire que l'on appelle aujourd'hui l'Ukraine. Ces peuples, aux cent quarante langues ou dialectes et à l'histoire imprégnée de sacrements, de sacrifices, de luttes, de sang et de labeur, ont formé le plus grand pays du monde, connu par ses habitants sous le nom de *Rodina*... mère Russie. »

Sergei garderait un souvenir limpide de ce discours — non seulement parce que son oncle prenait rarement la parole, mais également parce qu'il avait vu celui-ci s'interrompre et essuyer les larmes qui lui montaient aux yeux en évoquant la *Rodina*, cette contrée qu'il chérissait tant. Toutefois, l'instructeur en chef se ressaisit rapidement et continua : « Au fil de son histoire, le peuple russe — pas seulement les Cosaques et les soldats, mais aussi les paysans, les marchands et les habitants — ont dû repousser des envahisseurs venus du nord, du sud, de l'est et de l'ouest. Nous les avons combattus sur des plaines de sable et des rivières gelées, dans des marécages boueux et des forêts touffues. Nos ennemis nous ont forcés à mettre au point des techniques de combat adaptées à tous ces environnements. En tant que soldats d'élite, vous apprivoiserez une approche martiale plus naturelle et plus meurtrière que tout ce que vous avez pu étudier à ce jour. »

Puis, Ivanov appela l'instructeur cosaque : « Alexei Orlov ! ». Celui-ci fit un pas en avant. L'instructeur en chef se retourna vers les douze cadets. « Nous avons besoin d'un volontaire », ordonna-t-il. Anatoly Kamarov, l'un des cadets seniors, champion de lutte, s'avança. « Attaquez l'instructeur Orlov », lui demanda Ivanov avec un regard bon enfant. Kamarov s'accroupit légèrement et contourna Alexei qui continuait à sourire, l'air détendu, sans même prendre la peine de faire face au cadet. Quand le jeune garçon crut entrevoir une ouverture, il décocha un rude coup de pied à l'instructeur.

Alexei semblait avoir à peine bougé, mais il fit perdre l'équilibre à Kamarov qui retomba lourdement sur le sol. Les cadets avaient l'impression d'observer un magicien plutôt qu'un guerrier. Alexei répéta une manœuvre semblable plusieurs fois, jusqu'à ce que l'oncle de Sergei remercie Kamarov pour son courage et le Cosaque pour sa démonstration. « Le Tsar possède à son service de nombreux soldats loyaux », poursuivit Ivanov, « mais ceux d'entre eux qui le protègent et participent aux missions spéciales doivent pouvoir vaincre même les meilleurs soldats. Votre entraînement s'intensifiera jusqu'au point de rupture, et parfois même au-delà. Tout cadet qui désire y renoncer peut le faire avec honneur. Que ceux qui préfèrent réintégrer leur ancien groupe s'avancent d'un pas. Vous avez le droit de continuer à contribuer aux rangs réguliers, formés d'hommes courageux. »

L'instructeur en chef attendit quelques instants. Personne ne bougeait. « Il n'y a aucune honte à faire partie des rangs réguliers, insista-t-il. Il faut beaucoup de sagesse pour connaître vos limites et de courage pour les exprimer. » Sergei restait immobile, comme les autres.

« Qu'il en soit ainsi », conclut son oncle. « À partir de maintenant, les cadets réguliers continueront à s'entraîner avec l'instructeur Brodinov. Le groupe d'élite travaillera sous la supervision d'Alexei Orlov. »

L'entraînement des cadets d'élite débuta dès le lendemain. Dès que les jeunes garçons se furent rassemblés en deux rangées bien droites, Alexei leur enseigna le code d'honneur des Cosaques : « La vie de vos compagnons est plus importante que la vôtre. C'est votre devoir de risquer votre vie pour la leur, ou pour défendre le Tsar et l'Église. »

Il fit une pause pour laisser les cadets assimiler ses paroles. Sergei avait l'impression d'être propulsé dans un autre monde. Puis l'atmosphère changea brusquement quand l'instructeur Orlov reprit la parole : « Chacun d'entre vous doit maintenant se soumettre à une initiation. Elle peut sembler cruelle, mais elle remplit plusieurs objectifs. Vous devez subir la souffrance d'une blessure. Chacun choisira entre une profonde entaille infligée au couteau ou un coup de marteau sur le bras, assez puissant pour en briser l'os. »

« Cadet Ivanov, vous serez le premier, annonça-t-il. Les autres suivront. » Sergei s'avança, mais il hésita avant de se prononcer. Entre ces deux options douloureuses, laquelle était la meilleure, laquelle était la pire ?

« Alors », fit le Cosaque d'un ton tranquille et patient, mais insistant. « Quel est ton choix ? »

Sergei réfléchit encore un instant, puis déclara : « Je choisis la lame. »

Immédiatement, mais sans plaisir ni rancœur, Alexei lui tailla le bras. Sergei ne ressentit pas tout de suite la douleur — seulement le choc de voir la peau de son bras s'écarter, révélant une mince couche de gras. Puis la blessure se remplit de sang et une douleur lancinante l'envahit. Le sang coula le long de son bras, tombant en lourdes gouttes sur le sol.

« Vous deux », ordonna Alexei en désignant deux cadets seniors. « Je veux que l'un d'entre vous recouse la blessure du cadet Ivanov, et que l'autre lui fasse un bandage. Faites du bon travail, car votre propre tour viendra bientôt. » Il leur désigna une table couverte de bandages, d'attelles et d'autre matériel médical. La vieille infirmière Galina était là pour les superviser. Elle offrit à Sergei deux petits verres de vodka pour engourdir sa douleur. Il en aurait voulu un troisième, mais il n'osa pas le demander.

Après avoir mis une pincée de poudre sur l'entaille, l'infirmière retint le bras de Sergei en observant l'un des cadets seniors recoudre maladroitement sa peau avec une aiguille courbe. Sergei se retourna, serrant les dents et s'efforçant de ne pas crier ni haleter chaque fois que l'aiguille transperçait sa peau.

Malgré la douleur qui s'était intensifiée et les points à l'aiguille qui le faisaient grimacer, Sergei tint bon tandis que le cadet Yegevny tirait sur le fil tendu, refermant graduellement la blessure. Après quelques minutes qui lui parurent interminables, Sergei put relâcher son bras couvert d'un bandage, et sa douleur baissa d'un cran pour devenir plus diffuse.

« Tu es un brave garçon », lui souffla l'infirmière. Mais Sergei l'entendit à peine, distrait par le processus d'initiation qui se poursuivait quelques mètres plus loin. Pour lui, au moins, le pire moment était derrière.

Tous les cadets regardaient maintenant avec une fascination morbide le prochain cadet qui, après avoir vu la blessure sanglante de Sergei, choisit le marteau. Il poussa un hurlement suivi d'un gémissement mais ne perdit pas connaissance quand Alexei le frappa violemment. Tous entendirent un craquement, mais personne ne pouvait dire si l'os s'était rompu. Le cadet recula, le souffle coupé, plié en deux par la douleur. Deux autres garçons lui installèrent une attelle, sous les yeux du reste du groupe.

Les initiations se succédèrent : certains choisissaient la lame, d'autres le marteau. Andrei avait horreur du sang et opta pour le marteau. Il cria mais se ressaisit après avoir reçu le coup. Zakolyev préféra le couteau et ne broncha pas quand la lame lui transperça la peau. Il garda même le sourire.

L'un des cadets avait refusé l'initiation. Alexei l'enjoignit poliment à aller rejoindre le groupe de Brodinov. Il y eut bientôt un groupe de onze cadets tordus par la douleur près de la table de l'infirmière. La plupart acceptèrent la vodka et, comme Sergei, ils en auraient bu davantage.

À la fin, Alexei les rassembla pour s'adresser à eux avec cérémonie et respect, comme s'ils avaient franchi un abîme qui les séparait maintenant des autres cadets : « Certains enseignements ne peuvent être transmis par de simples mots. Chacun d'entre vous a subi une blessure, comme cela pourrait se produire lors d'un combat. Pendant votre guérison, restez à l'écoute de votre corps. Conditionnez-vous à guérir rapidement, et continuez à fonctionner malgré votre blessure, comme il vous faudrait le faire au combat. »

« Cette épreuve n'avait rien d'agréable », poursuivit-il, « et je ne prends aucun plaisir à faire du mal. Mais cela était nécessaire. Maintenant, vous avez fait l'expérience partielle de la douleur que vous pourrez infliger à l'ennemi en tant que soldats lorsque cela s'imposera. C'est là un sombre aspect du combat. N'oubliez jamais qu'il est préférable de blesser dix hommes que d'en tuer un seul. D'abord, parce qu'un blessé demande plus de soin et ralentit davantage l'ennemi, et également pour d'autres raisons d'un ordre supérieur.

« Comme les blessures guérissent, le soldat blessé pourra revoir sa famille. Au contraire, la mort ne pardonne pas, et l'âme d'un adversaire pèsera lourd sur votre conscience. C'est pourquoi on ne doit prendre la vie d'un ennemi que lorsqu'il n'y a pas d'autre option possible. Maintenant, retournez à vos chambres jusqu'au prochain cours et réfléchissez à ce que je viens de vous dire. »

On distribua aux cadets des pantalons décorés d'une bande rouge sur le côté, comme en portaient les officiers. En prenant la direction de leur caserne, Sergei remarqua qu'une camaraderie nouvelle semblait avoir surgi entre ceux qui avaient partagé cette douloureuse leçon. Seul Zakolyev marchait à l'écart, devant tout le monde.

L'un des cadets les plus âgés avait eu l'audace de subtiliser une bouteille de vodka à l'un des instructeurs. Maintenant, en un geste de complicité et de bravade, il la partageait avec les autres. Ils se passèrent la bouteille ; Sergei s'enivra, devint hilare, puis malade. Plus tard, il sentit un état de manque l'envahir ; il aurait bu encore, mais il n'y avait plus d'alcool à sa portée. Il se souvint que son père avait péri par l'alcool, et il se demanda s'il portait la même faiblesse en son sang.

Sa blessure guérit en quelques semaines, mais il en conserva une cicatrice qui lui rappellerait le jour où il avait joint l'élite.

Peu après, les cadets d'élite durent se passer de nourriture pendant sept jours, et même d'eau au cours des deux derniers jours. Selon l'instructeur Orlov, cet exercice servait de multiples fins. « D'abord, dit-il, vous surmonterez la peur instinctive de la faim ; ainsi, vous vous soucierez bien moins d'être privés de vivres lors d'une bataille. Ensuite, un jeûne occasionnel purifie le corps et renforce la constitution physique. »

« Troisièmement », chuchota un des cadets, « cela permet à l'école de faire des économies ». Cette remarque déclencha plusieurs rires étouffés. À la fin du premier jour de jeûne, cependant, plus personne ne riait, et tous se sentaient affamés. Le lendemain, le moral des cadets n'était guère meilleur. L'un deux abandonna ; il en resta donc dix. On leur imposa un surcroît de travail et d'entraînement au cours de cette période — ils ne pouvaient prétexter leur jeûne pour se reposer ou relâcher leur efforts.

Pendant ces sept jours, Sergei et ses compagnons vécurent des moments de grande lassitude, que venaient parfois égayer un sentiment de légèreté et une montée d'énergie. Les deux derniers jours, où ils furent privés d'eau, furent les plus difficiles. Ils conclurent leur jeûne par des rituels de purification, dont une sorte de second baptême.

« L'entraînement d'élite fera de vous des soldats d'élite », leur rappelait Alexei. « Un jour, certains soldats parmi vous deviendront peut-être de véritables guerriers, tels les trois cents spartiates *skiritai* qui, dans l'Antiquité, ont gardé l'entrée des Thermopyles pendant trois jours contre trois cent mille envahisseurs perses. »

« Quelle a été l'issue du combat ? » demanda l'un des cadets.

« Ils sont tous morts », répondit le Cosaque.

. 9 .

Sergei sentait que tout en lui gagnait en intensité — ses pensées, ses désirs, la vigueur de son esprit et de son corps. Il déménagea dans la caserne des hommes où habitait Zakolyev, maintenant âgé de dix-neuf ans et cadet senior. Entre-temps, Alexei poursuivait l'entraînement des cadets d'élite : le maniement des armes à feu, l'art du camouflage, les premiers soins, la survie en hiver et le combat corps à corps y occupaient une place majeure.

Quelques semaines plus tard, l'instructeur d'élite annonça : « Aujourd'hui, nous allons pratiquer les étranglements et les esquives. Quand votre partenaire tentera de vous étrangler, essayez de vous dégager sans lui infliger de blessure grave. Explorez diverses possibilités. Tentez de découvrir les mouvements les plus efficaces. Lorsque vous étranglerez votre partenaire, celui-ci ne pourra parler; il frappera donc sa main contre sa jambe pour vous indiquer de le relâcher immédiatement. Sinon, il risque de s'évanouir… et si vous gardez la prise trop longtemps, vous pouvez le tuer. Il ne faut donc *jamais* poursuivre un étranglement après que votre compagnon ait frappé ! »

Vers la fin de la journée, Zakolyev choisit Sergei comme partenaire. Dès que les bras de Zakolyev lui entourèrent le cou, Sergei se sentit incapable de parler, et même de respirer. De plus en plus étranglé, il crut que sa tête allait exploser. Des taches flottaient devant ses yeux. Il frappa contre sa cuisse une fois, puis à nouveau, et se sentit happé par un tourbillon de panique qui l'entraînait dans un gouffre de ténèbres.

Enfin, Zakolyev relâcha sa prise. Sergei s'effondra, à demi inconscient. Puis il leva les yeux et vit que Zakolyev le fixait. « Qu'est-ce que tu portes autour du cou ? » demanda le cadet senior.

« R-rien », rétorqua Sergei, furieux d'avoir oublié de retirer le médaillon avant l'entraînement. Il savait qu'il paierait cher cette négligence.

« Laisse-moi voir », demanda Zakolyev d'un ton désinvolte.

La façon dont Zakolyev adressait ses requêtes donnait l'impression qu'il était déraisonnable, voire stupide, de ne pas s'y conformer. Sergei allait porter la main à son médaillon quand il se ressaisit. « Non, dit-il. C'est personnel. » Zakolyev haussa les épaules et s'éloigna pour aller s'entraîner avec un autre cadet.

Après quelques derniers commentaires, Alexei conclut la séance d'entraînement et quitta les lieux. Tous les cadets, sauf quelques-uns qui s'exerçaient encore, ne tardèrent pas à faire de même. Désireux de se retrouver seul, Sergei s'apprêtait à leur emboîter le pas quand il entendit la voix glaciale de Zakolyev derrière lui : « Maintenant, tu peux me montrer ton petit trésor. »

Sergei comprit immédiatement que Zakolyev ne voulait pas simplement admirer le bijou mais se l'approprier. « Comme je t'ai dit — c'est personnel. Je n'ai pas l'intention de changer d'idée. »

Il tourna le dos à Zakolyev pour s'en aller, mais celui-ci lui saisit le cou de son bras droit, tout en calant sa main gauche contre sa nuque. Sergei fit un effort suprême pour résister à la panique, pour continuer à respirer, mais l'air ne passait plus ; il ne sentait qu'une pression aiguë lui presser douloureusement les tempes. Dans l'obscurité grandissante, il entrevit les derniers cadets qui quittaient la pièce après avoir jeté un coup d'œil dans leur direction, croyant qu'ils continuaient à s'entraîner. Mais il ne s'agissait plus là d'un simple exercice — Zakolyev risquait de le tuer.

Alors que son esprit sombrait dans les ténèbres, Sergei eut une dernière vision, l'image vacillante de son corps inerte étalé sur le sol. Puis, l'obscurité totale.

❖ ❖ ❖

Quand il reprit conscience, Zakolyev avait disparu. Le médaillon aussi.

À partir de ce moment, Sergei devint obsédé par le désir de récupérer son bien. Zakolyev n'avait pas le droit de lui dérober le seul souvenir qu'il possédait de ses parents.

Pendant quelques jours, les deux garçons n'eurent pas l'occasion de s'entraîner ensemble. Sergei chercha Zakolyev dans le dortoir des cadets seniors, sur les terrains de l'école et à l'arrière des salles de classe où le grand cadet allait fumer ou boire, en vain.

Sa concentration en souffrait; il ne réussissait pas à penser à autre chose.

Trois jours plus tard, il aperçut le cadet senior et alla droit au but : « Rends-le-moi », cria-t-il, l'estomac noué par la colère.

Quelques autres cadets, attirés par l'altercation, s'attroupèrent autour d'eux.

« Te rendre quoi ? » demanda Zakolyev calmement, d'un air amusé.

« Tu le sais bien. »

Zakolyev eut un sourire détestable. « Oh, cette petite breloque de fillette que tu portais au cou ? »

« Rends-le-moi… maintenant ! » grogna Sergei.

« Je te le répète… Je ne l'ai pas. »

« Menteur ! »

Zakolyev le regardait comme il aurait pu observer un insecte, intrigué par le fait que le « bon Sergei », de presque quatre ans son cadet, soit assez téméraire pour oser lui donner un ordre. Quand même, cette audace méritait une punition.

Le coup de pied de Sergei prit Zakolyev au dépourvu, faisant claquer son genou vers le côté. Il se laissa fléchir et en se tournant, coinça la jambe de Sergei, et le fit tomber sur le sol. Puis il s'assit lourdement sur sa poitrine et se mit à le frapper au visage, presque méthodiquement.

Sergei leva les mains pour se protéger des coups qui lui pleuvaient dessus, et il réussit à décocher un coup en retour. Utilisant ses doigts comme une lance, il visa l'œil de Zakolyev, ce qui mit celui-ci en fureur.

À ce moment, Brodinov surgit et sépara les deux cadets. Zakolyev avait eu le temps de briser le nez de Sergei, de lui ébranler quelques dents et de lui fissurer l'os des pommettes, ce qui lui vaudrait un séjour à l'infirmerie.

Le lendemain, Sergei entrouvrit ses yeux enflés et aperçut Andrei, accroupi à son chevet. Excité, son ami lui fit un bilan en chuchotant : « Zakolyev a un œil au beurre noir, et il boite. C'était courageux mais imprudent de ta part, Sergei. J'ai entendu Zakolyev dire à d'autres cadets seniors que si tu revenais l'embêter, tu t'exposais à un grave accident. »

« Et ce n'est pas tout. Selon une rumeur, un cadet aurait vu Zakolyev t'étrangler après l'entraînement et te dérober le médaillon. J'ignore comment, mais les instructeurs l'ont appris », ajouta Andrei en souriant. « Brodinov a demandé à Zakolyev de te le rendre, mais le cadet a nié l'avoir en sa possession. Ils savent qu'il ment probablement, mais personne ne peut rien prouver et aucun cadet n'ose porter une accusation contre lui. Maintenant, Zakolyev doit passer tout son temps libre en retenue aussi longtemps que tu resteras à l'infirmerie. Il est enfin puni comme le serait n'importe quel autre cadet ; tout le monde est au courant. Certains affirment même qu'il sera expulsé de l'école. »

Puis, la mine d'Andrei s'assombrit. « Je crois que tu t'es fait un terrible ennemi, Sergei. Mais je veillerai sur toi. »

« Je ferai de même pour toi », répondit péniblement Sergei. Il ne se réjouissait guère de la punition infligée à Zakolyev ni de l'atteinte à sa réputation. Cela ne ferait qu'empirer la situation, et le cadet senior ne lui rendrait jamais le médaillon.

❖ ❖ ❖

Sergei dormit et rêvassa tout le reste de la journée. Mais la nuit venue, s'extirpant d'un profond sommeil, il aperçut Alexei le Cosaque debout à ses côtés dans la pénombre. Il n'était pas vêtu de son uniforme d'instructeur mais de son habit de soldat cosaque — celui qu'il portait plusieurs années auparavant quand il avait fait irruption à cheval pour transmettre la nouvelle de la mort du tsar Alexandre II. L'espace d'un instant, Sergei crut qu'il s'agissait d'une apparition.

Puis Alexei prit la parole, et Sergei sut qu'il ne rêvait pas. « Exerce-toi à retenir ta respiration, de façon à ne pas trop souffrir du manque d'air. Ce n'est pas celui-ci qui provoque l'évanouissement, mais la pression sanguine. Si tu te fais étrangler à nouveau, murmura-t-il, détends-toi complètement — tu gagneras ainsi de vingt à trente secondes. »

Alexei regarda au loin, comme s'il cherchait les mots justes. « La vie est parfois dure, Sergei, il te faut être plus dur encore. Mais souviens-toi aussi que la souplesse peut l'emporter sur la dureté. Une rivière peut transpercer une pierre. Il lui faut seulement du temps. Tout ce dont tu as besoin, c'est d'un peu plus de temps… »

Le Cosaque poursuivit : « Tu as fait preuve de courage en t'attaquant à Dmitri Zakolyev. Ton père aussi était un homme courageux… un brave homme, comme tu en deviendras un… Et pourtant, je doute que tu sois destiné à devenir soldat. »

En entendant ces mots, Sergei sentit une profonde déception lui serrer le cœur, mais Alexei lui sourit comme à un ami. Et avant qu'il puisse prononcer un seul mot, et remercier le Cosaque pour ses conseils, celui-ci disparut dans les ténèbres.

Le lendemain matin, Andrei revint au chevet de Sergei, lui apportant les nouvelles du jour : « Alexei le Cosaque est parti ! Il a été rappelé d'urgence au Palais, et il a quitté l'école avant l'aube. L'instructeur Brodinov continuera notre entraînement.

L'instructeur en chef Ivanov nous a transmis les adieux et les respects de l'instructeur Orlov. Puis, si je me rappelle bien, voici ce qu'il a ajouté : "Ainsi va l'existence du soldat. Les gens y apparaissent puis disparaissent. Même si nos camarades tombent au combat, il nous faut continuer à avancer sans un faux pas." Puis il nous a donné congé jusqu'à cet après-midi, et c'est pourquoi j'ai pu venir te voir. » Andrei fit une pause. « Tu sais, je crois que l'instructeur Orlov manquera beaucoup à notre instructeur en chef. »

Pas autant qu'à moi, pensa Sergei.

. 10 .

Par une journée glaciale du mois de janvier 1888, Sergei put quitter l'infirmerie. Toujours déterminé à récupérer son médaillon, il évalua les diverses options qui s'offraient à lui. Il était conscient de l'inutilité d'une autre confrontation ; s'il provoquait Zakolyev à nouveau, il risquait d'être battu cette fois encore. Ou il pourrait être plus chanceux et blesser le cadet senior. Mais quelle que soit l'issue de la bagarre, Zakolyev ne lui révélerait pas la cachette du bijou.

L'attitude la plus sage consistait à attendre et à observer. Comme l'avait affirmé Alexei, certaines choses réclamaient du temps et de la patience. Cependant, cette histoire ne sombrerait pas dans l'oubli. Sergei savait qu'il s'était fait un redoutable ennemi. Mais Zakolyev aussi.

Il s'était produit un autre changement depuis la visite nocturne d'Alexei. Une grande partie de l'ardeur de Sergei avait disparu en même temps que le Cosaque. L'adolescent voyait un sentiment de détachement l'envahir, comme s'il n'avait été que le témoin de sa vie à l'école plutôt qu'un participant actif.

Dans les mois qui suivirent, il passa davantage de temps en solitaire, dans la tranquillité de la bibliothèque de son oncle. Il faisait tourner le globe terrestre sur son bureau, glissant son doigt vers le nord, le sud, l'est ou l'ouest.

Peu après le dégel printanier, Sergei était assis dans la bibliothèque, plongé dans la lecture des dialogues de Socrate, quand il se produisit un événement fort étrange : une image claire et nette, surgie de nulle part, fit irruption dans son esprit — un visage fruste dominé par un nez qui paraissait avoir déjà été fracturé, avec un menton et des joues couverts de barbe et d'épais cheveux frisés. Pourtant, une impression de force et d'intégrité se dégageait de cette figure, dont les yeux rappelaient à Sergei le tonnerre et l'éclair.

Puis, Sergei perçut ces mots : « Je ne suis pas un simple citoyen d'Athènes ou de la Grèce, mais du monde… » Le garçon prit brusquement conscience que ce personnage n'était nul autre que Socrate. L'apparition prononça quelques mots avant de disparaître : « Un monde nouveau… à l'ouest… »

Puis, plus rien. Sergei se trouvait à nouveau dans la bibliothèque de son oncle à l'école militaire Nevskiy. Dérouté, il s'interrogea sur la signification de l'expérience qu'il venait de vivre. Il ne croyait pas que l'esprit du philosophe grec lui avait réellement rendu visite et transmis un message. Après tout, il avait parlé dans la langue de Sergei, et non en grec. Et pourtant, ces mots n'étaient pas issus de nulle part… Quel était le « monde nouveau » dont parlait Socrate ? À l'ouest, mais où ? Sergei se souvint d'une confidence d'Andrei après leur première rencontre, plusieurs années auparavant : « Je ne suis pas né en Russie mais dans un pays à l'ouest, de l'autre côté de l'océan… dans un territoire qu'on appelle l'Amérique », avait expliqué le jeune garçon.

Peut-être mon propre esprit a-t-il créé ce visage et fait surgir ces mots ? Mais pourquoi ? Sergei était perplexe. Il ouvrit à nouveau le livre qu'il feuilletait, espérant recevoir une autre vision, puis finit par replacer l'ouvrage sur la tablette. Il s'apprêtait à quitter la pièce quand un bout de papier intercepta son regard. C'était une lettre posée de travers sur le bureau de son oncle. Curieux, Sergei y jeta un coup d'œil.

AVIS

À l'intention de Vladimir Borisovich Ivanov,

Instructeur en chef de l'école militaire Nevskiy :

Dans une semaine, une garnison de soldats s'arrêtera à votre école en route vers les territoires du sud pour y accomplir leur devoir face aux Juifs. Tous les cadets seniors et les cadets d'élite se joindront à cette garnison pendant trois mois. Cette expérience sur le terrain préparera vos cadets pour leurs tâches futures. Rappelez-leur qu'ils agissent au nom du Tsar, de l'Église et de notre mère patrie.

Vasiliy Aleksandrovich Artemov,
Commandant

Leur devoir face aux Juifs. Ces mots glacèrent Sergei. En tant que membre de l'unité d'élite, il devrait harceler des innocents — des gens comme son grand-père, comme la famille Abramovich. L'image des décombres carbonisés de leur maisonnette resurgit devant lui, et l'odeur de la mort empesta l'air…

Sergei ne pouvait se soumettre à cet ordre. Ni pour son oncle, ni pour le Tsar lui-même.

Il était parvenu à une croisée des chemins, et son choix lui apparaissait sans équivoque. Le temps était venu pour lui de s'éclipser dans la nuit. Il irait à Saint-Pétersbourg récupérer le cadeau que lui avait légué son grand-père. Ce trésor enfoui lui permettrait peut-être de se procurer un billet de paquebot à destination de l'Amérique, là où on ne demandait pas aux soldats de tuer des gens simplement parce qu'ils étaient juifs.

Tandis que sa décision se renforçait, il songea à la suite des événements. On se lancerait à sa poursuite ; il devrait donc s'enfuir vite et loin. Et il ne pourrait jamais revenir. Il sentit une bouffée de remords l'envahir en pensant à la décision de son père de l'envoyer à l'école militaire et à la bonne volonté de son oncle qui lui avait offert un toit et un mode de vie. Il s'apprêtait à leur tourner le dos. D'autre part, il ne pouvait supporter cette existence plus longtemps. Dans ses veines coulait le sang de son père, certes, mais également celui de sa mère. Et son appel à elle se faisait maintenant le plus fort.

Sergei ressentait la même fébrilité que lorsqu'il était sur le point de bondir de l'arbre sur le grand cerf. Il ignorait ce que lui réservait son avenir, mais il pourrait au moins l'orienter à son gré.

Sa décision prise, il savait qu'il devait partir sans tarder — cette nuit même. Mais il ne filerait pas sans laisser une note à son oncle. Il lui devait des explications. Il saisit une feuille de papier vierge qui traînait sur le bureau d'Ivanov et écrivit :

Cher instructeur en chef Ivanov,

Je vous présente mes excuses quant à mon départ précipité. Je m'en vais vers une nouvelle vie. J'emporte avec moi une carte, une boussole et quelques provisions nécessaires à mon voyage.

Sous vos bons soins, je me suis renforcé et j'ai beaucoup appris. J'espère vous rendre un jour fier de moi. Je crois que vous êtes un homme bon au grand cœur. J'aurais aimé vous connaître davantage.

Je ne vous oublierai jamais, et vous resterez toujours présent dans mes prières.

Sergei signa la lettre, la plia et la glissa dans sa poche. Avant de quitter le bureau, il dénicha en toute hâte ce qu'il cherchait : une carte qui lui serait sans doute utile, et les quelques documents que contenait son dossier rangé dans un classeur.

Ce soir-là, Sergei se faufila tout habillé sous ses couvertures. Son havresac était prêt; il contenait les quelques biens essentiels qu'il avait pu rassembler, dont ses documents personnels qu'il avait enveloppés dans une toile cirée pour les protéger. Il avait également glissé dans son sac un peu de nourriture sèche dérobée à la cuisine ainsi qu'un couteau de survie, du fil à pêche, une pelle militaire — petite mais polyvalente — et enfin la carte et la boussole.

Pendant le repas du soir, Sergei avait balayé la pièce des yeux et fait de silencieux adieux à Andrei et ses autres compagnons. Avant de se mettre au lit, il s'était appuyé contre la fenêtre de la caserne et avait laissé son regard errer dans la cour centrale où il s'était revu enfant, se cramponnant farouchement à la crinière de sa monture lors de sa première expérience à cheval.

Après le couvre-feu, il fit semblant de dormir jusqu'à ce qu'il entende les bruits familiers indiquant que ses camarades s'étaient assoupis, puis il glissa la lettre destinée à son oncle sous son oreiller. On ne tarderait pas à la découvrir, et l'instructeur en chef lancerait à ses trousses les meilleurs traqueurs parmi les cadets, et peut-être même un des instructeurs. Mais ils ne le retrouveraient pas, car ils l'avaient trop bien entraîné.

Une fois de plus, il passa en revue son plan d'évasion. D'abord, il devait se faufiler au-delà des sentinelles, dont il connaissait très bien la routine. Et lors de sa dernière immersion dans l'eau du lac, il avait aperçu un tronc qui flottait le long de la rive…

Sergei se réveilla en sursaut. Quelle heure était-il ? Avait-il dormi trop longtemps ? Il se laissa couler hors de son lit et vit par l'étroite fenêtre que la lune, déjà haute, continuait à s'élever dans le ciel. L'heure du départ avait sonné. Il saisit son havresac et sortit du dortoir à pas de loup, pieds nus et bottes à la main. Il glissa comme une ombre contre le mur pour éviter de faire craquer la cage d'escalier, puis emprunta le long corridor qui menait à la sortie. Sous la porte du bureau de son oncle, une bande de lumière filtrait. Il franchit la vieille porte de chêne et descendit les marches de pierre. Après avoir enfilé ses bottes, il traversa le tunnel long d'une centaine de mètres, qui s'enfonçait sous les bâtiments principaux et le terrain de l'école en suivant une pente douce.

Sergei parvint enfin aux rives du lac, éclairées par la lueur blafarde de la lune. Son cœur battait la chamade. Il referma doucement la lourde porte d'acier derrière lui. Le clapotis de l'eau semblait anormalement sonore dans le silence de la nuit, à peine transpercé par le cri lointain d'un huard. Dans sa poitrine d'adolescent, seul dans l'obscurité, le chant mélancolique de l'oiseau résonna profondément.

Après avoir pris une grande respiration, Sergei se dirigea vers l'endroit où il avait remarqué le tronc flottant. Celui-ci avait disparu. Progressant le vent dans le dos, il se mit à sa recherche dans les roseaux et les hautes herbes où ses bottes faisaient un bruit de succion.

Dans la brume qui s'épaississait, Sergei s'agenouilla au beau milieu des joncs. Il finit par repérer le vieux tronc, qui lui semblait maintenant trop gorgé d'eau pour pouvoir flotter.

C'est à ce moment qu'il entendit un bruit de pas. Encore accroupi, il s'immobilisa pour regarder entre les longues herbes. Ce qu'il vit lui donna la nausée. C'était Zakolyev, la brute, le tyran, le voleur. Avait-il suivi Sergei ? Ou s'agissait-il d'une étrange coïncidence ?

Zakolyev, lui aussi muni d'un sac à dos, regardait droit devant lui, fouillant la brume comme s'il cherchait quelque chose… ou quelqu'un. Sergei ne disposait que de quelques secondes pour décider s'il devait rester caché et laisser passer Zakolyev ou se lever et l'interpeller. Le premier choix semblait beaucoup plus sage ; Sergei éviterait ainsi la confrontation et demeurerait incognito. Cependant, il ne saurait jamais pourquoi Zakolyev s'était retrouvé sur les rives du lac en même temps que lui. Écartelé entre la prudence et la curiosité, Sergei aperçut soudain, dans la lueur de la lune, l'éclat métallique d'une chaîne autour du cou de Zakolyev. Pris d'une impulsion soudaine, il se leva et l'apostropha « Dmitri Zakolyev ! » tout juste assez fort pour que l'autre l'entende.

Zakolyev redressa brusquement la tête, sans paraître surpris outre mesure. « Alors, badina-t-il, on fait une petite balade sous les étoiles ? »

Sergei fixa le sinistre visage du cadet en se rapprochant de lui. « Rends-moi le médaillon, puis va où tu voudras — au diable de préférence. » Il avait parlé plus fort qu'il ne l'avait voulu, mais sa voix était assourdie par la brume.

Zakolyev secoua la tête en simulant un air déçu. « Mon bon Sergei… la dernière raclée ne t'a pas suffi ? »

Sachant tous deux qu'une bagarre attirerait l'attention des sentinelles, ils se retrouvaient dans une impasse. Plusieurs questions se bousculaient dans la tête de Sergei. Que penseraient les autres en apprenant la disparition de deux cadets la même nuit ? Son oncle présumerait-il qu'ils s'étaient enfuis ensemble ? Cette hypothèse était peu probable. Qui sait ce qui passerait par la tête des instructeurs ?

Puis il se souvint de la lettre qu'il avait adressée à son oncle. Oui, se dit-il, au moins l'instructeur en chef saura…

Comme s'il avait lu dans les pensées de Sergei, Zakolyev extirpa une feuille de papier de sa chemise. « Une si mignonne lettre d'adieu à ton oncle Ivanov », lança-t-il d'un ton arrogant, affichant le sourire odieux que Sergei détestait tant. Il sentit son sang bouillonner, résonner contre ses tempes alors que Zakolyev déchira la lettre en morceaux et les laissa tomber dans l'eau qui léchait leurs bottes.

Devant l'expression de Sergei, Zakolyev ajouta : « Tu devrais savoir que j'ai des espions partout, Ivanov. Comment as-tu pu être si stupide ? »

Le médaillon, songea Sergei. Concentre-toi sur cela, car il est trop tard pour le reste. « Rends-moi le médaillon, et je ne crierai pas l'alarme », dit-il.

« Vas-y », répliqua Zakolyev, « hurle comme un porc qu'on égorge si tu veux, je m'en fiche. »

« Qu'est-ce qui te porte à croire que je ne le ferai pas ? »

« Je te le répète, vas-y. »

Sergei cherchait désespérément une solution. « Alors, garde le médaillon. Tout ce que je veux, c'est la photographie de mes parents, Dmitri. Rends-la moi, et nous ne nous quitterons pas en ennemis. »

Dans le silence qui suivit, Sergei perçut le refus obstiné de Zakolyev. Brusquement, il lui décocha un coup de pied, visant le ventre. Il atteignit Zakolyev au plexus solaire, et entendit l'air qui sifflait hors des poumons du cadet senior, plié en deux. Sergei enchaîna avec un coup de genou dirigé vers la tête de Zakolyev, mais celui-ci parvint à faire dévier le coup et à lui faire perdre l'équilibre. Puis, les mains de Zakolyev se resserraient autour du cou de Sergei, allongé sur le sol, qui pressentait que le cadet avait cette fois-ci réellement l'intention de l'achever.

Un sentiment de panique s'empara de lui, suivi d'une soudaine lucidité. Il eut d'abord de réflexe de coincer le bras de Zakolyev avec son menton et de soulever la taille pour tenter de projeter son adversaire sur le côté, mais la façon dont celui-ci avait placé son poids indiquait qu'il avait prévu cette réaction. Sergei opta donc pour une manœuvre inattendue ; il tourna la tête vers l'intérieur du coude de Zakolyev. C'était une erreur ; le cadet senior le savait et s'en servit pour resserrer sa prise. Cependant, il ignorait que Sergei pouvait retenir sa respiration pendant plus de deux minutes, et que s'il réussissait en plus à se détendre suffisamment, il pourrait gagner davantage de temps.

Sergei sentit la pression familière s'intensifier ; devant ses yeux apparurent les premiers points noirs. Il feignit de se débattre comme un forcené pendant un moment, puis attendit aussi longtemps qu'il put avant de relâcher toute tension, comme s'il venait de tomber dans les pommes. Maintenant, Zakolyev ne pouvait que desserrer sa prise ou forcer davantage pour soulever sa tête inerte. En faisant le mort, Sergei gagna quelques précieuses secondes. Les points noirs se multipliaient. Si Zakolyev ne le libérait pas bientôt...

Brusquement, Zakolyev le relâcha, et Sergei sentit ses épaules retomber dans la vase avec un bruit sourd. Allongé, les yeux fermés, Sergei devina que son adversaire se tenait directement au-dessus de lui, une botte de chaque côté de sa tête. Il resta encore immobile pendant une seconde… deux… trois. Puis, vif comme l'éclair, il saisit par l'arrière les deux chevilles de Zakolyev. En même temps, il porta ses genoux à sa poitrine et décocha un coup de pied directement dans l'aine du cadet senior. Le choc fut violent. Zakolyev fit entendre un son — mi-grognement mi-gémissement — avant de s'effondrer, incapable de bouger.

Le choc le fit vomir sur le sol boueux, et Sergei en profita pour bondir sur ses pieds. Empoignant un rondin gorgé d'eau, il frappa Zakolyev sur le côté de la tête, l'assommant complètement. Il brandit à nouveau le morceau de bois au-dessus de sa tête, prêt à réduire en miettes le crâne de son adversaire, mais quelque chose le retint.

Réussissant à maîtriser la rage qui l'animait, Sergei laissa tomber le gourdin. Dans un dernier accès de colère, il saisit le sac de Zakolyev et le lança aussi loin qu'il put dans le lac. On n'entendit qu'un plouf étouffé, aussi doux que le bruit d'un canard se posant sur l'eau tranquille.

Zakolyev reviendra peut-être à lui bientôt, pensa Sergei. Il se pencha et retira prestement la chaîne du cou du cadet. Il l'attacha autour de son propre cou et s'empara de son havresac, prêt à filer. Il jeta un dernier regard à Zakolyev, étalé de travers et complètement immobile. Aucun souffle ne semblait animer sa poitrine. C'est à ce moment qu'une tragique question s'imposa à Sergei : L'aurais-je tué ?

Il l'avait frappé fort — peut-être trop. Même dans la pénombre à peine éclairée par une lune voilée, il pouvait distinguer une sombre moiteur sur le cuir chevelu de Zakolyev, ainsi que ses yeux au regard vide, à demi ouverts. Sergei posa sa main sur la gorge du cadet pour sentir son pouls. Rien.

Frissonnant, il recula. Plus loin, plus loin, plus loin, lui conseillait son instinct. Il se faufila entre les roseaux et, avec l'énergie du désespoir, réussit à tirer le gros tronc dans l'eau. Il flottait. Le sac solidement attaché sur son dos, Sergei s'allongea à plat ventre à califourchon sur le tronc, et se donna un élan. L'eau glacée lui mordit les bras et les jambes, apaisant temporairement son esprit.

Dans un équilibre précaire, il se mit à ramer pour s'éloigner du rivage, n'entendant que le doux clapotis de l'eau autour de lui. Une seule seconde de distraction le ferait chavirer dans le lac avec son havresac.

Il s'enfonçait dans un épais brouillard. Aucune sentinelle ne pourrait le repérer maintenant, mais il ne distinguait pas non plus la rive. S'il s'en éloignait trop, il pourrait s'égarer indéfiniment dans la vaste étendue d'eau glaciale. Or, cette brève exposition au froid faisait déjà frissonner tout son corps, qui tremblait aussi à la pensée du geste qu'il venait de poser.

J'ai tué Zakolyev. Je ne suis plus un simple fugueur mais un véritable fugitif, pensa-t-il. Peu importe si c'était un accident. Ce n'est pas ce que croiront les gens. Tout le monde connaissait ma rancune envers Zakolyev à cause du médaillon.

Il eut envie de rebrousser chemin, de leur expliquer — mais quoi ? Qu'il avait eu l'intention de s'enfuir, et Zakolyev aussi ? La lettre destinée à son oncle avait disparu. Il ne restait aucune preuve, aucune excuse satisfaisante pour l'instructeur en chef. Il ne pouvait revenir en arrière. Zakolyev était mort, et Sergei porterait ce fardeau sur sa conscience pour le restant de sa vie.

. 11 .

Après avoir évité de justesse une chute dans l'eau glacée, Sergei se ressaisit. Le passé est derrière moi, se raisonna-t-il. Je dois me concentrer sur le présent. Il s'éloignait en ramant de l'école militaire Nevskiy, fendant l'eau de toutes ses forces pour combattre le froid qui le saisissait jusqu'à la moelle. L'effort le faisait haleter, et il se sentait accablé par le poids des circonstances qui s'abattaient sur lui.

Quelques minutes encore, puis il pourrait regagner la berge.

Sergei cherchait à atteindre l'embouchure d'un ruisseau qui se déversait dans le lac Krugloye, environ six cents mètres à l'est de l'école. Estimant qu'il avait parcouru approximativement cette distance, il se rapprocha de la rive, abandonna le tronc et se fraya un chemin jusqu'au bord du lac dans l'eau qui lui arrivait jusqu'à la taille, la boue et les roseaux. Grelottant et claquant des dents, mais rassuré par la terre ferme sous ses pieds, il avança avec précaution sur le sol rocailleux.

Après avoir parcouru d'un bon pas une autre centaine de mètres vers l'est le long de la rive, Sergei sentit ses membres se réchauffer. Inquiet, il se demandait toutefois s'il avait dépassé le ruisseau. Il s'immobilisa et tendit avidement l'oreille, pour enfin distinguer la clameur de l'eau au loin. Poursuivant à quatre pattes, il rampa à travers l'épaisse végétation jusqu'au cours d'eau.

Sergei remonta le ruisseau quelques instants, puis s'en éloigna pour franchir une autre centaine de mètres vers le sud jusqu'à un terrain rocailleux où ses traces disparaîtraient. Puis il revint sur ses pas en marchant dans les mêmes empreintes jusqu'au ruisseau, laissant ainsi une fausse piste à tout hasard. Il marcha un bon moment dans l'eau en amont avant de repartir en direction est. Ses poursuivants pourraient difficilement suivre sa trace.

S'il n'avait été qu'un simple fugueur, ils auraient vite abandonné les recherches. Mais les faits avaient changé : la mort de Zakolyev l'empêchait d'aller rejoindre Saint-Pétersbourg au nord, car là-bas les autorités auraient été averties. Le trésor de son grand-père devrait attendre, et le voyage en Amérique aussi. Un an ou deux, peut-être même davantage...

Maintenant, il n'avait d'autre choix que de fuir vers les montagnes du sud et d'accroître la distance qui le séparait de ses poursuivants — et du fantôme de Zakolyev.

Sergei revint vers l'école en la contournant à une distance d'environ un kilomètre, et bifurqua à nouveau vers l'est puis vers le sud en direction des collines boisées. Il entendit au loin le hurlement d'un loup alors qu'il poursuivait son chemin dans la nuit, prenant ses jambes à son cou chaque fois que le lui permettaient la lueur de la lune et la configuration du terrain.

Le jeune cadet avait déjà entendu parler de certains hommes de la Mongolie ou du Tibet qui pouvaient parcourir des centaines de kilomètres dans l'obscurité au pas de course sur un terrain accidenté, les yeux rivés au ciel. Mais pour sa part, il regardait droit devant lui en courant dans la nuit brumeuse.

Il espérait que l'aube, qui éclairerait son chemin dans la forêt, répandrait aussi un peu de lumière sur sa vie. Une foule de questions se heurtaient dans sa tête. Comment tout cela avait-il bien pu se produire ? À peine sept heures plus tôt, songea-t-il, tout allait bien ; la vie suivait sa routine. J'étais un cadet d'élite, plutôt respecté par mes instructeurs et mes compagnons. Et maintenant... Ai-je pris la bonne décision ou commis la pire erreur de ma vie ? Non, trancha-t-il, j'ai fait ce que je devais faire.

L'autre option — accomplir son *devoir* face aux Juifs — était inimaginable. Cependant, il n'avait jamais eu l'intention de laisser un cadavre derrière lui.

La chasse à l'homme dont il ferait l'objet commencerait sans doute dans quelques heures. Il devait chercher à atteindre le plus vite possible les lointaines montagnes de la Géorgie, à quelque mille deux cents kilomètres au sud.

Là-bas, il serait en sécurité.

C'est ainsi qu'au cours du printemps 1888 s'amorça le périple de Sergei, qui le mènerait vers l'est et vers le sud le long de la rivière Kiyazma.

Les premiers jours après s'être enfui, l'adolescent ne cessait de regarder derrière lui, hanté par la peur d'être poursuivi. Toutes les nuits, ses rêves étaient peuplés d'ombres auxquelles il livrait combat; le matin, il plongeait dans la rivière pour se débarrasser des relents de la nuit. Il aménageait son campement vers la fin de l'après-midi, trouvant ou se construisant un abri. Puis il se tournait vers la pêche, la chasse ou la cueillette pour apaiser sa faim.

Plusieurs semaines plus tard, quand il atteignit la majestueuse Volga, Sergei trouva une embarcation abandonnée, une petite yole échouée dans les broussailles près de la rive. Son fond plat était criblé de fuites mineures, qu'il colmata avec de la gomme de conifère. Bientôt, il put poursuivre sa route en descendant le fleuve à grands coups d'aviron.

Au fil des jours, Sergei en vint à mesurer le temps au rythme des coups de ses avirons qui, inlassablement, fendaient l'air puis plongeaient dans l'onde. S'il faisait assez chaud, le jeune homme se baignait dans l'eau claire et profonde, relié à la yole par une cordelette attachée à sa cheville. Quand le fleuve avait lavé son corps en sueur et apaisé ses paumes à vif, Sergei se hissait à bord et s'allongeait au soleil, laissant son embarcation dériver le long du cours d'eau qui s'élargissait sans cesse, traversant des paysages toujours changeants.

Peu à peu, les journées s'allongèrent, et les épaules de Sergei prirent une teinte cuivrée. Certains jours, il jeûnait ou presque; d'autres fois, la vie lui offrait un véritable festin. Il transforma une tige de bambou récoltée sur la rive en une lance rudimentaire. Puis, il se fabriqua un arc à l'aide d'une branche d'if souple, ainsi que des flèches faites de roseaux rigides ornés de plumes de caille, au bout lesté de pierres assez tranchantes pour transpercer un cuir épais. Il s'en servit pour chasser les lièvres qu'il ne pouvait approcher d'assez près pour les attraper avec sa lance.

Ainsi, au cours de l'été et du début de l'automne, Sergei parcourut un millier de kilomètres en descendant le fleuve jusqu'à ce qu'il atteigne la mer Caspienne, où il continua son périple en longeant la côte vers le sud. À une centaine de kilomètres environ au sud de Makhatchkala, il abandonna à regret sa petite yole et continua à pied en direction des montagnes du Caucase, en Géorgie.

Poursuivant sa route vers le sud-ouest, Sergei apercevait parfois une *stanitsa*, un fort où étaient postés des soldats cosaques.

Il doutait que la nouvelle de la mort de Zakolyev ait pu se rendre aussi loin; cependant, incapable d'oublier sa condition de fugitif, il résolut d'éviter tout contact avec les militaires. Il s'installerait dans les montagnes pendant au moins un cycle complet des saisons ou deux, attendant le moment propice pour retourner en sécurité à Saint-Pétersbourg, où il pourrait retrouver le trésor enterré par son grand-père.

Sergei n'enfreignit sa résolution qu'une seule fois, lors des premières journées froides de l'automne. Envahi par un poignant sentiment de solitude associé à l'arrivée imminente de l'hiver, il prit le risque de traverser un village agricole peuplé de Cosaques libres. Alors qu'il observait avec mélancolie la fumée qui s'échappait des cheminées, il aperçut une jeune femme qui s'en retournait chez elle. Elle lui lança un regard, fit un signe de tête et sourit, ce qui raviva en lui l'envie de s'intégrer à une communauté, de se trouver un chez-soi. Sergei n'avait jamais partagé le lit d'une femme et il nourrissait aussi ce désir, se demandant comment ce serait d'avoir un jour sa propre famille.

L'ascension de Sergei lui demanda plusieurs semaines. L'hiver serait rigoureux là-haut dans les montagnes, mais il y trouverait la solitude dont il avait besoin.

À un moment, il se mit à la recherche d'un camp permanent qui lui offrirait une bonne protection contre les éléments. Vers la fin de l'automne, il trouva ce qu'il cherchait : une caverne située près d'un ruisseau où il pourrait pêcher truites et saumons, avec un barrage de castors à proximité. Il se construisit un abri robuste contre la paroi de la caverne, doté d'une ouverture aménagée au-dessus de son foyer. Il le recouvrit d'une épaisse couche d'argile pour empêcher le vent et la neige d'y pénétrer. Et avant que les ruisseaux ne gèlent et que le gibier ne se raréfie, il fit sécher la plus grande quantité possible des produits de sa chasse. Grâce à ces réserves, ainsi qu'au produit de sa pêche sur la glace, il devrait pouvoir survivre jusqu'au dégel.

Lors des journées ensoleillées, Sergei explorait les environs, chassant ou piégeant tout ce qu'il pouvait; toutefois, il passait la majeure partie de son temps à hiberner comme un ours, dormant et rêvant. Au son du vent qui hurlait à l'extérieur, il se cousit, blotti dans son repaire, un manteau de fourrure et des gants doublés pour empêcher ses mains de geler. Il ajouta également une doublure de fourrure à ses bottes usées.

La plupart des matins, Sergei frottait son corps nu avec de la neige et accomplissait quelques exercices pour préserver sa vigueur physique. Puis il enfilait à nouveau ses habits de fourrure et courait se réfugier dans sa caverne. Ce fut un long hiver d'ermite.

Cependant, le printemps 1889 arriva avec son lot de récompenses. Sergei aperçut une ourse et ses petits dans une prairie beaucoup plus basse en altitude. Plus tard, au crépuscule, il vit un farouche léopard se faufiler comme une ombre le long d'une crête enneigée. Le jeune homme parlait rarement à voix haute, sauf pour se confirmer qu'il en était encore capable. Parfois, cependant, il s'exerçait à imiter les chants d'oiseaux, ou hurlait avec les loups la nuit.

Ainsi, au rythme des saisons, une deuxième année défila dans les montagnes. L'automne revint, et un matin Sergei réalisa à quel point tout avait changé. Il n'appartenait plus à une école ni à une société, une religion, un groupe, ni même à une culture. Il était devenu un véritable homme des bois. Parfois, l'eau lui renvoyait son reflet vacillant quand il s'abreuvait dans un étang, et il reconnaissait à peine son visage basané et barbu. Même ses yeux avaient changé; son regard semblait s'être approfondi. Sergei avait dix-huit ans, mais son reflet était celui d'un homme mature, d'un vagabond des montagnes.

Autrefois, il se plaisait à explorer la nature; maintenant, il en faisait partie.

Un jour, au cours du printemps 1891, soit presque trois ans après sa fuite, Sergei avançait dans un étroit canyon, clignant des yeux devant le soleil levant. Les deux parois rocheuses étaient séparées par un espace d'environ quatre mètres, formant une espèce d'allée. Le jeune homme progressait avec précaution, car la dernière pluie avait rendu les roches glissantes. Tous ses sens étaient en éveil, mais cela ne fut pas suffisant : en contournant un énorme rocher qui lui bloquait le chemin, Sergei tomba presque face à face avec l'ours le plus imposant qu'il ait jamais vu.

Celui-ci lui tournait le dos, mais il fit rapidement volte-face. Sergei recula le plus rapidement possible pendant que l'animal humait l'air avant de passer à l'action. Fraîchement sortie de sa tanière, bien reposée et affamée, la femelle ne percevait pas Sergei comme un homme mais comme une simple proie.

En fait, Sergei ignorait s'il était sur le point d'être tué par un ours mâle ou femelle, mais quand l'animal se dressa sur ses pattes de derrière devant lui, il ne s'arrêta guère à ce détail. Puis tout se déroula très vite. L'ours retomba sur ses quatre pattes et rugit en tournant la tête vers Sergei, qui retira son sac à dos et le jeta au sol pour ensuite se hisser comme l'éclair sur la paroi rocheuse la plus proche. Le jeune homme ne savait pas qu'il pouvait grimper aussi vite, ni même qu'il était *possible* de grimper aussi vite.

En se débarrassant de son sac à dos, il avait gagné de précieuses secondes, et son escalade rapide lui avait sauvé la vie, du moins pour l'instant. Tout juste hors de la portée de l'ours, il s'accrochait désespérément à la paroi abrupte.

L'ours se dressa à nouveau sur ses pattes, et ses griffes acérées balayèrent le rocher à quelques centimètres des bottes de Sergei. Celui-ci tremblait comme une feuille, à un point tel qu'il avait du mal à maintenir sa prise sur la paroi.

L'animal frustré fit quelques pas en grognant, puis ouvrit le havresac d'un coup de patte. N'y trouvant rien à manger, il se dirigea pesamment vers une extrémité du passage où il disparut. Sergei descendit de quelques pas, tendit l'oreille pendant plusieurs secondes puis sauta. Il atterrit durement et roula sur lui-même pour se remettre sur pied. Après avoir jeté un bref regard derrière lui, il saisit son sac déchiré, son couteau, sa pelle et les quelques autres objets de survie qu'il contenait et prit ses jambes à son cou.

Sergei savait que si la femelle revenait, elle n'aurait aucun mal à le rattraper. Cette pensée lui donna un surcroît d'énergie qui le fit dévaler à toute allure la pente rocailleuse de la montagne où il se trouvait.

Vers la fin de l'après-midi, il s'arrêta pour se reposer. Assis sous un rocher en saillie, il évalua les dommages subis par son sac et sa couverture. Il fit deux feux, un de chaque côté, pour se réchauffer. Plus tard, en se remémorant cette expérience, Sergei se rendrait compte qu'il avait réellement échappé de justesse à une mort violente. Cet incident, comme aucune parole n'aurait pu le faire, lui rappelait l'immense valeur de la vie, qui avait tant à lui offrir.

Cette nuit-là, il sombra dans un sommeil troublé où il échappait à un ours, puis deux, puis trois, qui se transformaient en prédateurs humains errant dans la steppe, où brûlaient des villages entiers... puis il vit la maisonnette des Abramovich, réduite en cendres, et entendit les cris des innocents que des cavaliers renversaient à coups de fouet et de sabre.

Quand la pâle lueur de l'aube illumina le sommet enneigé du mont Elbrus, Sergei s'en fut au ruisseau pour apaiser son esprit tourmenté.

Peu après, il entreprit un long voyage vers le nord, au cours duquel il quitterait les montagnes et traverserait l'Ukraine. Le temps était venu de se rendre à Saint-Pétersbourg, de se lancer à la recherche du trésor enterré qui lui permettrait peut-être de découvrir un monde nouveau, de l'autre côté de l'océan.

TROISIÈME PARTIE

Le ciel et l'enfer

Depuis le début, l'amour a entraîné ma perte… et mon salut.

Extrait du journal de Socrate

. 12 .

Tandis que Sergei Ivanov prenait la direction du nord, un autre homme entreprenait une quête fort différente, armé d'un sabre cosaque et chevauchant une monture volée. Avec la conviction propre aux sages ou aux fanatiques, Gregor Stakkos aspirait à diriger des hommes. « Les chefs font leurs propres lois », claironnait-il, répétant ses futurs discours en parcourant à cheval la région des Cosaques du Don, dans le sud de la Russie.

Son plan était simple : il se joindrait à une bande de Cosaques, dont il deviendrait éventuellement le chef. Enfant, il avait entendu parler des Cosaques zaporogues — et également des Cosaques du Kuban, du Terek et du Don — ainsi que de leurs tactiques astucieuses et de leur habileté au combat. Gregor savait aussi que ces bandes accueillaient souvent des étrangers capables de se battre avec fougue. Il trouverait sa place parmi ces guerriers, puis s'élèverait au-dessus d'eux.

Ils l'appelleraient *Ataman*, le chef, comme les Cosaques désignent les gens de pouvoir. Outre cette ambition obsessionnelle, Gregor nourrissait un seul autre désir : débarrasser son pays des Juifs. Il les méprisait pour des raisons obscures, que lui-même s'expliquait mal.

Gregor Stakkos ignorait le doute. Il ne craignait rien, sauf les cris qui revenaient le hanter presque toutes les nuits. Il détestait s'endormir. Le jour, il était tout-puissant. La nuit, ses rêves le conduisaient droit aux enfers, où il perdait tous ses moyens. Incapable de fuir, il ne réussissait pas non plus à interrompre l'avalanche de hurlements saccadés et d'images sanglantes qui l'assaillaient. Gregor avait un corps robuste, mais celui-ci ne lui était d'aucun secours pour chasser la scène horrible qui avait bouleversé sa neuvième année, où il avait perdu ses deux parents la même nuit — assassinés par un monstre.

Le père de Gregor avait été officier dans l'armée du Tsar. Puis, après un accident qui l'avait rendu infirme, il n'avait plus jamais reperdu son haleine de vodka. Le colonel, comme le nommait Gregor, vivait avec son épouse et son fils à l'arrière d'un petit magasin dans un avant-poste situé près de la ville de Kishinev.

Par une froide soirée de décembre, comme très souvent, le colonel Stakkos avait sombré dans une ivresse maussade. Il cherchait en vain un objet à sa colère, jusqu'à ce que le jeune Gregor ouvre la porte en trombe pour échapper aux rafales de neige et se dirige droit vers l'âtre, où il s'assit tranquillement avec son couteau pour tailler une petite flûte dans un roseau. Le soir, il ne faisait rien d'autre que de sculpter en silence de petits objets tout en essayant d'échapper à la rogne de son père.

Le colonel, surpris par le claquement de la porte, put enfin laisser libre cours à sa rage. L'enfant savait qu'un choix lugubre s'offrait à lui : s'enfuir à l'extérieur dans la froidure jusqu'à ce que le colonel succombe aux vapeurs de l'alcool, ou s'exposer à une autre raclée.

De telles corrections n'étaient ni rares ni brèves. Et chaque fois que la lourde ceinture du colonel zébrait le dos de Gregor, sa mère détournait la tête d'un air consterné, se concentrant sur son ménage sans jamais lever la main ni prononcer une seule parole pour défendre son fils.

Le vieux Stakkos se leva et s'avança en titubant vers Gregor, bloquant la sortie. « Petit bâtard, grommela-t-il, viens que je t'administre ton remède, fils de crapule… »

« Mais je suis *votre* fils, Père », se défendit le jeune garçon.

« C'est ce que tu crois », marmonna le colonel. « Il est temps de t'le dire. T'as abouti ici quand ton père t'a abandonné… un Juif… ta mère est morte, ou elle a foutu le camp, je sais plus… »

Le colonel tripota la boucle de sa ceinture avant de libérer la longue lanière de cuir. « Maintenant, viens que j'te paye la traite. J'en voulais pas d'enfant... la bonne femme a dit que t'aiderais dans la maison... sale Juif... j'aurais dû me méfier... bon à rien... tu nous dois ta — »

Le colonel ne termina jamais sa phrase. En entendant les derniers mots du vieux Stakkos, qui venait de lui révéler ses origines juives, Gregor fit volte-face ; il saisit la ceinture au vol avec une agilité surprenante et l'arracha des mains du colonel.

« Fous-moi la paix », cria l'enfant en se défendant comme un forcené. Puis il vit un éclair rouge sur le canif qu'il tenait à la main, tandis que son père reculait en trébuchant, les yeux écarquillés. Il s'effondra, et sa tête fit un bruit sourd en percutant le poêle de fonte. Il resta immobile, le regard vide.

Gregor se retourna vers sa mère qui le fixait, ahurie. « Oh, mon Dieu ! » gémit-elle.

J'ai finalement réussi à attirer son attention, pensa Gregor en regardant sa main ensanglantée, tandis que sa mère se remettait à crier : « Monstre, monstre, tu l'as tué ! »

C'est à ce moment que le monstre fit son apparition, et Gregor vit une lame s'enfoncer dans le ventre de la femme. Elle poussa un hurlement qui le glaça jusqu'à la moelle, puis il aperçut à nouveau l'éclat du couteau, et le monstre la poignarda jusqu'à ce qu'il soit épuisé et que les cris se muent en gémissements et que la femme cesse de bouger.

Puis Gregor rêva d'un feu, de flammes qui s'élevaient dans les airs et d'une fumée se mêlant aux flocons tourbillonnant dans le ciel. Quand les voisins arrivèrent, ils trouvèrent la maison en cendres près du petit garçon qui avait rêvé tout cela, assis dans la neige, et ils l'emmenèrent.

. 13 .

Quand l'été atteignit son apogée, Sergei achevait de longer la frontière orientale des territoires imposés à la plupart des Juifs, entre la mer Baltique et la mer Noire. Quelques semaines encore, puis il passerait à l'ouest de Moscou en poursuivant son chemin vers le nord. Maintenant âgé de presque dix-neuf ans, le visage encadré d'une barbe et de cheveux longs, il ne ressemblait plus guère au jeune homme à la coupe militaire qui s'était enfui de l'école Nevskiy. Il se risqua donc à emprunter les routes de campagne, voyageant parfois dans la charrette d'un paysan ou d'un marchand.

Cheminant sans relâche malgré la chaleur estivale, Sergei révisa en pensée tout ce que lui avait confié son grand-père. Il espérait que la carte de Heschel, qu'il avait gravée dans sa mémoire dix ans auparavant, pourrait le guider à bon port. Il savait qu'un héritage de grande valeur était enterré au nord de Saint-Pétersbourg... dans un pré... sur les rives du fleuve Néva... dix kilomètres au nord du Palais d'hiver.

Vers la fin du mois de septembre 1891, par un lourd après-midi d'été, Saint-Pétersbourg apparut enfin à l'horizon. Sergei entra dans la ville, déambulant sur les rues pavées. Certains passants, plus accoutumés à côtoyer des citadins aristocrates qu'un vagabond vêtu de cuir de cerf et de bottes usées jusqu'à la corde, s'écartaient sur son passage. Les regards qu'ils lui jetaient lui firent prendre conscience de son apparence pour la première fois depuis longtemps; il décida de soigner davantage son allure afin de mieux se fondre dans son nouvel environnement.

En observant les citadins dans leur voiture et les allumeurs de réverbères au travail dans la rue bordée de commerces, Sergei se rendit compte qu'il avait vécu une éternité sans devoir payer sa nourriture, ses vêtements ou son logement. Il n'avait pas un seul kopeck en poche, mais s'il parvenait à retrouver le cadeau de son grand-père, il pourrait sans doute s'offrir une chambre, un bain chaud et les services d'un barbier. Tout cela, et peut-être même plus.

Il rejoignit le fleuve Néva, à proximité du Palais d'hiver, et prit la direction du nord. En proie à une excitation croissante, il visualisa clairement la carte : d'abord le fleuve, puis une croix près de la rive indiquant un endroit sous un gros cèdre, dans un pré bordé par la forêt. Cet arbre, se rappela-t-il, avait été planté par le grand-père de son grand-père quand celui-ci était enfant. Sergei marcha jusqu'à ce que s'épaississent les ténèbres puis s'allongea, malgré l'humidité de la nuit, sur un simple lit de feuilles dans la forêt qui s'étendait au nord de la ville.

À l'aube, le jeune homme marcha jusqu'à un grand pré situé à une dizaine de kilomètres au nord du Palais d'hiver. Puis il chercha en vain le vieux cèdre qui devait abriter la cachette. Il n'y avait aucun arbre dans le pré.

À ce moment, une brise soudaine derrière lui — ou peut-être son instinct d'homme des bois — le fit se retourner. Il aperçut à environ deux cents mètres de lui quatre cavaliers qui se rapprochaient rapidement. Peut-être n'avait-il aucune raison de s'inquiéter, mais le fait que des cavaliers se dirigent à toute allure vers un homme seul ne laissait présager rien de bon. Sergei ne pouvait fuir dans cet espace à découvert; il prit donc une profonde inspiration et s'efforça de se détendre. Cependant, plusieurs questions se bousculaient dans sa tête. Sont-ils toujours à ma poursuite ? Mon instinct m'a-t-il abandonné ? Ai-je manqué de prudence ?

De loin, les cavaliers ressemblaient à des Cosaques, coiffés de chapeaux de fourrure noire et vêtus d'une longue cape claquant au vent. Quand ils furent plus près, Sergei distingua leur veste rouge, leur ample pantalon noir et leurs bottes, également foncées. Puis il aperçut leur sabre pendu sur le côté et la carabine qu'ils portaient en bandoulière sur l'épaule.

Pendant quelques secondes, il crut qu'ils allaient le piétiner, mais au dernier moment ils serrèrent la bride de leur cheval, se dispersèrent et l'encerclèrent comme s'il était la proie d'une partie de chasse. Sergei en eut la chair de poule. Il se força à prendre de profondes respirations, luttant pour conserver son calme malgré son cœur qui battait à tout rompre. Il était habile au combat, mais comment se défendre contre quatre hommes entraînés et armés de sabres ?

« Salutations », dit-il en se donnant un air confiant.

« Ton nom ? » demanda le chef.

« Sergei... Voronin », répondit-il, réticent à dévoiler son véritable nom de famille. Deux des hommes se regardèrent, méfiants, mais ils ne dirent rien.

« Habites-tu près d'ici ? » questionna le chef.

« Non, comme vous pouvez le constater », expliqua Sergei. « Je suis un voyageur, venu seulement visiter Saint-Pétersbourg. » Puis il demanda plus hardiment : « Interrogez-vous ainsi tous les visiteurs ? »

Le chef des cavaliers répondit sèchement : « Nous sommes à la recherche de vagabonds juifs illégaux. » Il jeta un regard sévère à Sergei, cherchant à déceler des signes de peur sur son visage. « En as-tu rencontré ? »

« Non, aucun », rétorqua le jeune homme avec le plus d'assurance possible, se demandant s'ils étaient au courant de la mort de Zakolyev.

Sergei attendit en silence. Puis, tous se retournèrent au son d'un chariot qui s'approchait sur une route avoisinante. Après quelques instants, le chef sembla décider que Sergei ne valait pas la peine qu'ils s'y attardent. « Allons-y ! » cria-t-il, et ils disparurent dans un nuage de poussière. Cosaques ou non, ils étaient d'excellents cavaliers — et probablement de bons combattants aussi —, présuma Sergei. S'ils l'avaient attaqué, armés comme ils l'étaient, il n'aurait certainement pas eu le dessus.

❖ ❖ ❖

Cet incident troubla Sergei, qui n'avait guère aimé le regard échangé par deux des cavaliers.

Cependant, tout s'était relativement bien terminé, et l'ancien cadet avait des préoccupations plus pressantes. N'apercevant aucun cèdre dans le pré, il poussa plus loin son exploration des rives de la Néva, puis revint sur ses pas vers la ville au cas où il serait passé tout droit. Il ne trouva toutefois aucun autre site correspondant aussi bien à la description de son grand-père. D'autre part, il était certain d'avoir bien mémorisé la carte. Il s'agissait sans doute du bon pré, mais comment pourrait-il retrouver le trésor sans l'arbre ?

En cet après-midi de septembre, le soleil lançait d'ardents rayons. Dans l'espoir de s'éclaircir les idées, Sergei mit de côté son havresac, retira ses vêtements et plongea dans l'onde claire et rafraîchissante du fleuve. Après quelques minutes, il regagna la rive et s'accroupit dans l'eau peu profonde, attentif à la sensation produite par les cailloux froids entre ses orteils et les vaguelettes qui lui léchaient les pieds. Il essaya d'imaginer son grand-père lorsqu'il était enfant, barbotant au même endroit, apprenant à nager…

Sergei lava ses vêtements et les suspendit pour les faire sécher, puis il s'allongea au soleil. Il ne cessait d'évaluer la situation sous divers angles : « Tout concorde avec le plan de mon grand-père, conclut-il, sauf l'arbre manquant. » Il pouvait encore entendre la voix de Heschel : « Une petite croix près d'un grand cèdre solitaire… une boîte est enterrée du côté de l'arbre opposé à la rivière, entre deux grosses racines… »

Après avoir enfilé ses habits encore humides, Sergei entreprit de sillonner le site à la recherche d'un signe quelconque du grand cèdre disparu. Il marcha jusqu'aux limites du pré, puis se retourna et s'agenouilla. Ce n'est qu'à ce moment qu'il discerna une légère protubérance près du milieu du pré. En examinant plus attentivement cet endroit, il parvint finalement à dégager une vieille racine pourrie, camouflée sous la surface inégale du sol. Son cœur se mit à battre la chamade.

Il sortit sa pelle de son sac et creusa la terre pour essayer d'y découvrir d'autres racines. Après avoir dégagé un cercle d'environ trois mètres de diamètre, il constata que les racines à moitié pourries partaient toutes d'un même endroit, où devait s'être élevé le vieux cèdre.

Sur la carte, la croix se trouvait entre deux racines, du côté de l'arbre opposé au bassin formé par la rivière. Sergei se plaça à cet endroit, près du centre d'où rayonnaient les racines. Il dessina un carré sur le sol et se mit à creuser de plus en plus profondément, jusqu'à ce que sa pelle frappe un objet solide. À genoux, il continua à gratter la terre avec ses mains.

De plus en plus excité, Sergei put enfin distinguer une boîte qu'il parvint à extirper du sol. « Je l'ai trouvé, grand-papa ! » s'écria-t-il comme si Heschel se tenait à ses côtés. La boîte était plus grosse qu'il ne l'avait imaginée, et plus lourde aussi. Agenouillé dans la terre noire, il s'empressa de l'ouvrir, découvrant à l'intérieur un grand sac de toile. Ce trésor lui permettrait-il de se rendre de l'autre côté de l'océan — et peut-être de s'y procurer un terrain ou même une maison ?

Il dénoua le cordon et plongea sa main dans le sac, essayant de deviner la nature de son contenu en le tâtant. Cela ressemblait à du bois. Une autre boîte ? Retirant l'objet du sac, il aperçut… une horloge.

Sergei la regardait, hébété, envahi par un indéfinissable mélange d'émotions. Il s'agissait d'un présent logique, car grand-papa Heschel fabriquait des horloges et des violons. Et certes, il tenait entre les mains une superbe pièce. Mais en toute franchise, il avait espéré un héritage de plus grande valeur.

Puis il remarqua un petit sac attaché à l'arrière de l'horloge. Quand il le saisit entre ses doigts, il entendit un tintement de pièces de métal.

Il ouvrit la bourse et y trouva cinq pièces d'or et une feuille de papier pliée. Il la déplia avidement et y lut ces mots : « À mon cher petit-fils, Socrate. N'oublie pas que le véritable trésor se trouve à l'intérieur. » C'était signé « ton grand-père qui t'aime, Heschel. »

Sergei relut ces lignes écrites par son grand-père, les yeux brûlants et remplis de larmes. Celles-ci étaient-elles dues à la fatigue de son long périple, ou à sa nostalgie à l'égard de Heschel? Il imaginait le sourire du vieil homme glissant dans la bourse les cinq pièces luisantes — une petite fortune pour un jeune homme qui n'avait jamais eu une seule pièce de monnaie en poche.

Sergei ne connaissait guère le coût des choses, y compris d'un billet pour l'Amérique, mais il présumait que les pièces d'or devaient valoir au moins une centaine de roubles. Évidemment, il lui faudrait en gagner d'autres avant son départ. Sergei Ivanov n'arriverait pas les mains vides en Amérique. Non, il posséderait assez d'argent pour amorcer une nouvelle vie. Et il apporterait avec lui l'horloge de son grand-père.

Le jeune homme glissa la note et les pièces de Heschel dans son manteau. Déposant l'horloge avec précaution, il remit la boîte dans son trou, la couvrit de terre et, fidèle à une vieille habitude, effaça toute trace de son passage. Puis il admira à nouveau l'horloge de bois sculptée et polie, couverte d'une jolie vitre sur le devant. Il la retourna pour mieux observer le balancier et les poids. C'est alors qu'il remarqua une inscription gravée dans le bois à l'arrière de l'horloge. Après avoir soufflé sur la fine poussière qui la recouvrait, il put distinguer des lettres et des chiffres — c'était une adresse, probablement celle de l'ancien atelier de son grand-père… ou même de son appartement!

Sergei ressentit soudain la forte envie de visiter le logis de son enfance, mais une pensée le retint. Il craignait que son apparence n'effraie les habitants de cet appartement. J'ai besoin d'un bain, d'une coupe de cheveux et de nouveaux habits, songea-t-il.

Le soleil plongeait déjà vers l'ouest; les recherches de Sergei l'avaient absorbé presque toute la journée. Rangeant l'horloge dans son sac, il décida de passer une dernière nuit dans les bois.

. 14 .

En cette matinée de septembre, il faisait déjà chaud quand Sergei échangea une de ses pièces d'or contre des roubles pour se procurer des souliers, des pantalons foncés, une chemise et une veste. Son paquet de vêtements sous le bras, il rendit visite au barbier, puis aux bains publics. Quand il se regarda dans la glace, rasé de près et proprement vêtu, il fut surpris de constater à quel point il semblait avoir rajeuni.

Plus tard, il avait l'intention de s'informer du coût d'un billet pour l'Amérique. Puis, il se trouverait une chambre. Mais d'abord, il devait retrouver l'ancien appartement de son grand-père.

Portant toujours son sac à dos où étaient rassemblées ses quelques possessions, dont l'horloge de son grand-père, Sergei jeta un nouveau coup d'œil au bout de papier sur lequel il avait transcrit l'adresse. Quand il leva les yeux, ce qu'il vit lui fit complètement oublier sa destination : à moins d'une dizaine de mètres de lui, de l'autre côté de la rue, une jeune femme semblait marchander avec un vendeur de rue. Ses gestes étaient si animés, ses expressions si vives et gracieuses, qu'il sembla à Sergei qu'elle formait la seule touche de couleur dans un décor tout gris.

Sergei n'entendait pas distinctement ses paroles, mais il percevait le son de sa voix, qui traversait la rue pavée comme un arôme de fleurs et de pain frais. Elle semblait avoir le dessus sur le vendeur, qui tour à tour fronçait les sourcils ou souriait. Puis elle éclata de rire, basculant la tête vers l'arrière, et Sergei se dit qu'aucune musique ne pourrait jamais être aussi douce à ses oreilles.

Il discernait à peine quelques mèches d'une chevelure auburn, dont la riche teinte rappelait celle des feuilles d'automne, sous le foulard qui encadrait le visage de cette svelte jeune femme d'environ son âge, à la bouche généreuse et aux grands yeux.

Mais ce n'était pas uniquement son apparence qui exaltait Sergei. Après tout, il avait vu d'autres jolies femmes au cours de ses voyages. L'attrait qu'exerçait celle-ci sur le jeune homme était différent, viscéral; c'était un coup de cœur, et autre chose aussi... un sentiment de familiarité, comme s'il l'avait déjà rencontrée ou même connue, dans cette vie ou une autre — ou dans un rêve...

Oui! Il avait l'impression d'avoir aperçu cette personne, cet endroit, dans un rêve! Une nouvelle conscience de sa destinée s'empara de lui : il devait faire connaissance avec la jeune femme.

Déjà, il ne pouvait plus la quitter des yeux. Quand elle quitta le marché après avoir fini de marchander, il lui emboîta le pas. Absorbé par la contemplation de sa silhouette qui s'éloignait, il se fit presque frapper par une voiture. « Jeune fou ! » hurla le conducteur furieux, tandis que Sergei faisait un bond de côté sans détourner son regard de l'inconnue.

Il la vit s'arrêter et toucher l'épaule d'un vieil homme en haillons. Elle glissa une pièce de monnaie dans sa paume, lui souffla quelques mots et poursuivit son chemin, cherchant à traverser la rue.

S'assurant que la voie était libre des deux côtés, elle se retourna et aperçut Sergei qui la regardait. Il se rendit compte qu'il la fixait, bouche bée.

Avait-il vraiment décelé un sourire surpris sur son visage avant qu'elle ne porte à nouveau son attention sur la rue ? Mais oui ! Et voilà qu'elle lui jetait un nouveau coup d'œil ! Après tout, peut-être saurait-il trouver le courage de...

Le cri perçant d'un enfant derrière lui le fit se retourner brusquement, et il aperçut une mère s'efforçant de consoler un petit garçon qui s'était heurté la tête en tombant. La mère lui caressait les cheveux en lui murmurant des mots tendres, et il semblait déjà se calmer.

Quand Sergei chercha à nouveau la jeune femme des yeux, elle avait disparu.

Il se précipita pour tenter de la retrouver dans les environs, fouillant du regard les rangées de vendeurs claironnant leurs meilleurs prix. L'habile Sergei, qui pouvait facilement dépister un lièvre ou un cerf dans les bois, avait donc été semé par la plus jolie proie du monde.

Il se sentait misérable; seul l'espoir qu'elle revienne le lendemain mettait un baume sur ses nerfs à vif.

Après avoir traîné à cet endroit une autre demi-heure au cas où la jeune femme réapparaîtrait, Sergei abandonna à regret cet espoir, se rappelant la raison première de sa visite à Saint-Pétersbourg ce jour-là.

Trente minutes plus tard, il gravissait les marches d'un logement qui lui semblait vaguement familier et frappait à sa porte. Il eut à peine le temps de replacer sa veste et de passer la main dans ses cheveux fraîchement coupés avant de voir la porte s'ouvrir et d'assister à une véritable résurrection.

Frappé de stupeur, il resta figé sur place. Plus de dix ans s'étaient écoulés, mais le visage de cette femme n'avait guère changé. Elle le fixait d'un air perplexe, croyant vaguement le reconnaître... C'était Sara Abramovich.

« C'est moi », expliqua-t-il, « Sergei Ivanov, le petit-fils de Heschel. »

« Sergei ? J'ai du mal à croire que c'est bien toi ! » murmura-t-elle en saisissant sa main et en l'entraînant à l'intérieur. Il la suivit docilement, plongé dans un état second. Il avait toujours cru qu'elle avait péri dans les flammes de sa maison avec son époux et ses enfants, dix ans auparavant.

« Madame Abramovich... comment avez-vous — ? »

« J'ai encore du mal à y croire, répéta-t-elle. Dès notre arrivée ici, j'ai envoyé un mot à ton école, mais ils m'ont répondu que tu étais parti — »

« Vos enfants... ils vont bien ? »

Elle sourit. « Plutôt bien — mais comme tu pourras le constater, ce ne sont plus des enfants. Assieds-toi un instant, Sergei. Je vais préparer du thé, et je te raconterai toute l'histoire. » Elle lui désigna le salon, illuminé par le soleil du matin, puis se dirigea vers la cuisine. Il s'assit sur un fauteuil près de la fenêtre, qui donnait sur une rue pavée.

Il caressa le fauteuil, qui lui semblait étrangement familier, tout comme le parquet poli. Il avait joué sur ce parquet. Il entendit la voie douce et claire de Sara qui lui parvenait de la cuisine : « Oh, Sergei, ton grand-père serait si heureux d'apprendre que tu es ici ! »

« Et où sont Avrom et Leya ? » demanda-t-il, assez fort pour couvrir le bruit du réchaud au kérosène sur lequel Sara faisait bouillir de l'eau.

« Ils ont changé de nom… comme moi d'ailleurs », lui apprit-elle en faisant irruption dans le salon avec le thé et de petits gâteaux. « Maintenant, mange ! Je les ai faits moi-même hier soir. Tu dois m'expliquer comment tu as trouvé… »

« Madame Abramovich — Sara— *s'il vous plaît* », supplia-t-il en lui coupant la parole. « Comment se fait-il que vous soyez… ici ? »

« Que tu as grandi en beauté », fit-elle en ignorant sa question. Puis elle se tourna vers une vieille horloge mécanique fixée au mur. « Oh, regarde, l'horloge s'est encore arrêtée. Impossible de connaître l'heure dans cette maison ! Mais peu importe, les enfants devraient rentrer bientôt. Oh ! Tu ne le sais pas encore — Avrom se nomme dorénavant Andreas, Leya est devenue Anya et moi… je m'appelle Valeria Panova. C'est ton grand-père qui avait arrangé notre nouvelle identité, au cas où… » Sa voix se brisa, tandis que son regard se perdait au loin.

« Sara — Valeria… que s'est-il passé ? » demanda à nouveau Sergei. « Comment avez-vous pu vous échapper, vous et les enfants ? »

Valeria regarda Sergei droit dans les yeux. « Nous échapper ? Comment as-tu pu savoir… ? » s'étonna-t-elle. Elle serra plus fort la main du jeune homme, comme pour se donner du courage. « Et pourquoi ne mentionnes-tu que les enfants, et pas Benyomin ? » Percevant le tremblement dans sa voix, Sergei répondit doucement : « En mars 1881, commença-t-il, presque un an après la visite que nous vous avons rendue, mon grand-père et moi — après l'assassinat du Tsar —, on parlait beaucoup des Juifs à l'école. Je me faisais du souci pour votre famille. Une nuit, je me suis donc enfui de l'école et j'ai retrouvé le sentier dans les montagnes. »

« En pleine nuit ? Mais… tu étais si jeune ! »

« Je devais vous avertir… j'ai donc réussi à me rendre à votre maison… j'ai dû arriver tout juste après le drame… si seulement j'étais arrivé plus tôt, je l'ai tellement regretté… il ne restait rien… seulement un tas de décombres fumants. Mais… j'ai trouvé un corps que j'ai cru être — en fait, j'en suis convaincu — celui de votre époux. »

Le visage de Valeria s'affaissa, et elle se mit à sangloter.

Après un moment, Valeria se ressaisit, et elle raconta à Sergei sa version des faits. Elle parlait lentement, comme si elle ignorait par où commencer. « Tu sais que Benyomin aimait travailler le bois. Il admirait les castors pour leur habileté à se construire des abris dotés de tunnels secrets. Quand il a construit notre maisonnette, il a lui-même creusé un tunnel de quarante mètres reliant notre cave à une trappe camouflée dans la forêt. Je me souviens que je lui reprochais cet étrange projet… Il a mis plus de temps à creuser ce tunnel qu'à bâtir le reste de la maison. Cependant, sa prévoyance nous a sauvé la vie. »

Valeria soupira et laissa son regard errer par la fenêtre avant d'ajouter : « Cela aurait pu le sauver lui aussi, s'il n'avait pas rebroussé chemin. J'y ai pensé si souvent plus tard. J'aurais dû me douter qu'il les attendrait à la porte de la maison pour les empêcher de découvrir le tunnel. Oh, Sergei, ils sont arrivés si vite — et ils ont mis le feu à la maison.

« Ils devaient s'attendre à ce que nous nous précipitions tous vers l'extérieur... » Elle laissa traîner ses derniers mots un instant avant de poursuivre précipitamment, comme pour en finir au plus vite : « Après nous avoir tous poussés dans la cave, Benyomin a refermé la porte derrière nous, et nous a tendu des sacs à dos, à Avrom — Andreas — et à moi, renfermant de la nourriture et les nouveaux papiers que ton grand-père avait prévus pour nous, à tout hasard...

« Nous avons franchi le tunnel rapidement, courbés en deux. Il faisait noir comme dans un four, mais il était juste derrière moi... puis il a disparu. J'ai seulement entendu sa voix, assourdie par la terre, loin derrière. "Courez, a-t-il imploré. Quand vous pourrez le faire en sécurité, rendez-vous à Saint-Pétersbourg !" Ce furent là les dernières paroles de mon époux... »

Les yeux de Valeria s'emplirent de larmes et elle poussa un profond soupir, puis elle reprit : « Nous avons attendu dans le tunnel pendant plus d'une heure. À un moment donné, j'ai entendu un martèlement de sabots au-dessus de nous, et il est tombé un peu de terre dans l'air étouffant du tunnel. Ensuite, plus rien. Nous attendions comme des taupes dans notre souterrain, où flottait une forte odeur de fumée. Je savais que Benyomin ne reviendrait pas. » Son visage prit une expression douloureuse, et elle se mit à parler plus vite. « J'avais envie de courir vers la maison, de le supplier de nous accompagner... seule la pensée des enfants m'en a empêchée. Seuls les enfants... » Elle fit une nouvelle pause, puis poursuivit : « Tout juste avant l'aube, nous sommes sortis du tunnel et nous sommes enfoncés dans la forêt. Nous dormions à l'abri des regards le jour et progressions la nuit, jusqu'à Saint-Pétersbourg. »

Sergei essaya d'imaginer comment Sara, Avrom et Leya, sans entraînement, avaient pu parcourir tous ces kilomètres à pied, mais déjà Valeria reprenait la parole : « Mon époux nous a sauvés par son intelligence et son courage, et ton grand-père nous a offert une nouvelle vie. À notre arrivée ici, nous étions dans un état lamentable. Nous n'avions nulle part où aller, sauf ce logement. »

« Mais à l'époque, mon grand-père était déjà décédé… »

« Oui, mais il avait pris des arrangements. Depuis qu'il nous avait emmené son petit-fils en visite, il nous considérait comme sa famille. » Elle effleura les cheveux de Sergei, qui eut l'impression d'être transporté vers son passé, se glissant un instant dans la peau du petit garçon qu'il était jadis.

« La plupart des Juifs », expliqua Valeria, « sont forcés d'habiter les ghettos loin au sud, où les conditions de vie sont difficiles et où les pogroms se poursuivent. Mon époux, qui refusait de telles contraintes, avait décidé de nous construire une maisonnette perdue dans les bois. Heschel, quant à lui, a pu grâce à son revenu régulier demeurer à Saint-Pétersbourg dans son propre appartement, qu'il nous a légué. »

« Mais pourquoi avez-vous dû changer de nom ? »

S'apercevant que les traditions juives n'étaient guère familières à Sergei, Valeria le renseigna : « Dans le Talmud, il est écrit que quatre choses peuvent transformer le destin d'un être : la charité, l'humble prière, le changement de nom et le changement de mœurs. Après avoir subi cette attaque dans les montagnes, nous avons laissé derrière nous nos anciens noms, notre ancienne identité. Maintenant, nous nous mêlons aux autres. Nous assistons aux services de l'Église orthodoxe russe. Heschel nous a même procuré des baptistaires truqués, pour parfaire notre déguisement.

« Andreas et Anya sont restés fidèles à la foi juive, mais uniquement en privé. Ils sont conscients des risques qu'a pris Heschel pour nous, des conséquences de cette situation… et ils savent que c'était la volonté de leur père d'assurer notre sécurité. Dans notre cœur, nous sommes toujours Sara, épouse de

Benyomin, et Avrom et Leya. Cependant, tu dois nous appeler par nos nouveaux noms, Sergei, pour notre protection à tous. »

Sergei fit oui de la tête, déterminé à lui obéir même si cela lui semblerait étrange au début.

Les pensées de Valeria la ramenèrent à ses enfants. « L'apprenti de Heschel, Mikhail, a transmis son métier à Andreas ; celui-ci fabrique maintenant des violons. Il est plus sérieux que son père, et pourtant il lui ressemble tant sous d'autres aspects ! Et Anya est devenue une femme au tempérament agréable et… »

À ce moment, la porte d'entrée s'ouvrit. Sergei se leva et se retourna pour accueillir la nouvelle arrivante, une jeune femme aux joues roses et aux bras chargés de paquets.

Il dut se retenir pour ne pas tomber. Bouche bée à nouveau, il n'en croyait pas ses yeux : la demoiselle qui venait d'entrer était celle qu'il avait rencontrée au marché. C'était Anya, qui le regardait en souriant d'un air à la fois surpris et radieux.

Ses yeux, d'un vert émeraude, semblaient éclairés par une lumière intérieure. Ses cheveux bouclés, auxquels le soleil donnait des reflets dorés, encadraient un visage ouvert et bienveillant. À ce moment précis, tandis que la jeune femme esquissait un autre sourire, déposant ses paquets sur la table du vestibule et replaçant du doigt une mèche de cheveux rebelle, Sergei tomba amoureux pour la seconde fois ce jour-là. Il avait l'impression d'avoir été catapulté dans un monde nouveau, infiniment plus élevé et raffiné.

Le reste de la journée se passa comme dans un rêve.

Quand Valeria rappela à Anya la visite que leur avait rendue Sergei quand elle était fillette, il vit passer dans son regard une lueur de reconnaissance — ainsi qu'un autre sentiment, mystérieux et intangible, qui lui donna espoir.

Puis Anya et sa mère s'en furent dans la cuisine, et il sembla à Sergei que tout redevenait gris autour de lui. Il fut déçu de voir revenir Valeria seule, même si ses paroles le rassurèrent : « J'espère que tu resteras quelques jours avec nous, Sergei. Ton grand-père s'en réjouirait, et moi de même. Tu trouveras sans doute la chambre d'amis confortable — »

« Cela n'ennuie pas... Anya, si je reste ? »

Valeria posa les mains sur ses hanches. « À ce que je sache, Anya n'est pas maîtresse de ce foyer, mais je suis convaincue qu'elle n'a aucune d'objection. Absolument aucune. »

Quand Anya revint les rejoindre, elle était plus séduisante encore, vêtue d'une robe d'un bleu profond qui mettait en valeur sa silhouette. Sergei savait qu'il était impoli de la dévisager, mais il ne pouvait s'en empêcher. Cette fois, au moins, il eut la présence d'esprit de refermer la bouche. Leurs yeux se rencontrèrent, et l'espace d'un instant le monde cessa de tourner.

Le charme fut rompu par la voix de Valeria : « Sergei, pourrais-tu mettre quelques bûches dans le feu pendant qu'Anya et moi préparons le repas ? Andreas devrait rentrer d'une minute à l'autre, et vous pourrez refaire connaissance. »

Pendant que les deux femmes s'activaient dans la cuisine et que Sergei alimentait le feu, la porte s'ouvrit pour laisser entrer Andreas. Toujours grand et maigre, il n'avait guère changé depuis leur dernière rencontre. Valeria quitta la cuisine un moment pour faire les présentations. Andreas salua Sergei avec une certaine raideur mais sans inimitié, comme il l'avait fait quelque dix ans auparavant.

Ils firent ensuite honneur au repas, bavardant de tout et de rien, mais Sergei avait du mal à se concentrer sur la conversation ; il ne cessait de jeter des coups d'œil furtifs vers Anya, cherchant à plonger à nouveau son regard dans le sien. Quand il exprima son désir d'émigrer en Amérique, il crut déceler une trace de déception sur son visage. Se sentait-elle déjà attirée vers lui, ou se montrait-elle seulement polie ?

Puis Sergei songea à l'horloge. Avec un mot d'excuse, il alla récupérer son havresac et en sortit le cadeau de son grand-père, expliquant brièvement à tous que celui-ci lui avait remis une carte plusieurs années auparavant, et qu'il venait tout juste de récupérer l'horloge enterrée dans un pré à l'extérieur de la ville. « C'est le dernier présent que m'a offert mon grand-père », soupira-t-il en la remettant à Valeria. « Comme vous pouvez le constater, l'adresse de cet appartement était gravée à l'arrière. Je crois que sa place est ici, sur votre cheminée... »

Valeria sourit. Elle tendit l'horloge à Andreas, qui replaça les aiguilles et arrangea les poids et le balancier de façon à ce qu'il se déplace de façon rythmique. Même après toutes ces années sous terre, l'horloge fonctionnait encore à merveille, tictaquant comme le cœur de Sergei chaque fois qu'il regardait Anya...

« C'est une pièce magnifique », reconnut Valeria. « Tu peux la laisser sur la cheminée pour l'instant. Quand tu l'emporteras en Amérique, elle te rappellera les moments que nous aurons passés ensemble. »

Allongé sur le lit de la chambre d'amis, ce soir-là, Sergei se laissa difficilement gagner par le sommeil, profondément conscient du fait qu'Anya dormait tout près, à l'autre bout du couloir. Il espérait qu'elle soit également en train de penser à lui.

Et c'était le cas.

Les premiers jours, Sergei fit quelques réparations dans l'appartement, cherchant à se rendre utile. Malgré cela, il lui semblait étrange de voir Andreas partir travailler tous les jours pendant que lui-même ne s'occupait qu'à des bricoles. Il proposa également de contribuer à l'achat de nourriture, mais Valeria déclina gracieusement son offre.

Sergei savait qu'en obtenant un emploi le plus rapidement possible, il épargnerait plus vite la somme qui s'ajouterait à ses quatre pièces d'or restantes pour lui permettre de traverser l'océan vers l'ouest. Il nourrissait maintenant le profond désir d'acheter deux billets — et non pas en troisième mais en deuxième classe, plus chère.

Bientôt, il se mit à partir chaque jour à la recherche de travail. Dix jours plus tard, il avait trouvé un emploi dans une fonderie située dans le secteur industriel des faubourgs de la ville. Il travaillerait comme aide-forgeron à fabriquer et à réparer des fers à cheval et des roues de voiture, ainsi que des barrières et des portes de métal décoratives destinées aux maisons des citoyens aisés. C'était un dur labeur, mais en survivant dans la nature, Sergei avait appris à apprécier l'effort associé à un travail honnête.

Quand il rentrait à l'appartement le soir, couvert de crasse et de sueur, Valeria faisait chauffer de l'eau et insistait pour qu'il prenne un bain chaud avant le repas. Il s'exécutait, sans perdre sa vieille habitude consistant à se rincer avec un seau d'eau froide après le bain.

D'ailleurs, le jeune homme éprouvait un ardent besoin de ces douches glacées, car son corps était embrasé par son désir pour Anya. Il pensait à elle plusieurs fois par jour, convaincu qu'il ne pourrait jamais partir sans elle.

Un soir, pendant le repas, il fit l'aveu le plus important et le plus ardu de sa vie : il révéla sa profonde volonté d'épouser Anya. Par respect, il avait prévu adresser sa requête à Valeria, en présence d'Anya. Mais le moment venu, il ne put s'empêcher d'exprimer ses sentiments directement à Anya, devant sa mère et son frère. « Je désire plus que jamais consacrer mon existence à ton bonheur, si seulement tu consens à notre union. »

Sergei ne savait pas d'où lui était venue cette éloquence, ni ce courage. Conscient que sa demande pouvait être rejetée ou même couverte de ridicule, il scrutait le visage d'Anya, cherchant à y déceler un indice des sentiments de la jeune femme à son égard.

Valeria brisa le silence : « Anya, je crois que tu as des choses à faire à la cuisine — ou va plutôt dans ta chambre. Il semble que Sergei, Andreas et moi ayons besoin de discuter. »

Anya rétorqua doucement mais fermement : « Mère, je suis certaine de n'avoir rien de plus important à faire à la cuisine ou dans ma chambre que ce qui se passe ici. Je resterai donc parmi vous. »

Puis elle se tourna vers Sergei. Il la regarda avec ferveur, lisant sa réponse sur son visage avant même qu'elle n'ouvre la bouche à nouveau.

Andreas, cependant, ne semblait guère enthousiaste. « Sergei, commença-t-il, tu affirmes vouloir partager ta vie avec Anya. Qu'as-tu à lui offrir ? Comment réussiras-tu à lui offrir confort et sécurité ? »

C'était la meilleure et la pire question qu'aurait pu poser Andreas. Pour la première fois de sa vie, Sergei aurait souhaité être un homme riche. Il y eut un moment de silence, mais la question continuait de flotter dans l'air. Que pouvait offrir Sergei à Anya, outre son profond dévouement ?

Il formula avec soin sa réponse : « Je comprends ton inquiétude, Andreas. Je n'ai qu'un modeste salaire aujourd'hui, mais je possède la force de la discipline. J'ai survécu seul dans la nature sauvage. Mes mains sont habiles, j'apprends vite et je n'ai pas peur de travailler fort. »

Andreas prit la parole en tant que maître du foyer et frère d'Anya : « Ce sont là de belles qualités, mais tu ne connais ma sœur que depuis quelques semaines. Vous devriez prendre le temps de vous apprivoiser davantage. »

En répondant à Andreas, Sergei plongea à nouveau ses yeux dans ceux d'Anya. « C'est là mon désir le plus cher. » Puis, se tournant vers Valeria, il lui dit : « J'aime votre fille du plus profond de mon être. Je ferais n'importe quoi pour elle. Et pour la protéger, je donnerais ma vie s'il le fallait. Je vous en fais le serment. »

Puis il ajouta : « J'irai à l'école, travaillerai de longues heures et ferai tout mon possible pour offrir une bonne vie à Anya. »

« Mais encore, Sergei… »

« Andreas, assez ! » l'interrompit Valeria. « Laisse le pauvre garçon manger. »

« Sergei n'est plus un garçon, mère », la corrigea Anya.

Et Sergei eut la conviction que tout se passerait bien.

Il ignorait qu'à peine quelques jours plus tard, tous ses espoirs risqueraient d'être balayés.

. 15 .

Le drame éclata au beau milieu d'une simple conversation égayant le repas du soir, quand Valeria interrogea Sergei à propos de ses projets d'avenir.

« Eh bien, déclara-t-il. Je ferai de mon mieux pour améliorer ma situation. Il existe plusieurs possibilités en Amérique… »

Ce dernier mot les figea tous sur place.

Andreas fut le premier à ouvrir la bouche : « As-tu dit *Amérique*? Mais je croyais que… »

« Nous croyions *tous* », renchérit Valeria froidement.

Sergei fixa Andreas, puis Valeria. En un éclair, il comprit la situation. Il avait un emploi; il était en train de s'établir. Ils avaient tous cru que ses projets avaient changé — qu'il continuerait à habiter cet appartement avec Anya, jusqu'à ce qu'ils se trouvent un logis convenable dans les environs.

Sergei, qui leur avait fait part plusieurs fois de son intention d'émigrer, croyait quant à lui qu'ils avaient compris sa volonté d'amorcer une nouvelle vie outremer avec Anya.

Rompant un lourd silence, Valeria s'exprima : « Tu ne peux amener ma fille sur un autre continent. Je ne la reverrai plus jamais. »

« Mère », l'implora Sergei. « S'il vous plaît. Je sais à quel point vous chérissez Anya, et désirez que son sort s'améliore… »

« Comment peut-il s'améliorer dans cette Amérique, de l'autre côté de l'océan ? » demanda-t-elle.

Sergei chercha ses mots un moment : « Vous savez que les temps sont durs pour les Juifs — avec les Cosaques qui battent le territoire, et les pogroms… »

« Tu n'as rien à nous apprendre à propos des Cosaques ni des pogroms », riposta Andreas d'une voix cinglante. « Nous connaissons l'animosité dont font l'objet les Juifs. La chaise vide de notre père à table nous la rappelle tous les jours. Pourquoi crois-tu que nous jouons cette comédie ? Pourquoi sinon nous faire appeler "Valeria", "Anya" et "Andreas" ? N'essaie pas de nous expliquer que les temps sont durs ! »

« Pardonne mes paroles irréfléchies, Andreas. Mais ne vois-tu pas que ces difficultés représentent une autre bonne raison pour toi et Valeria de nous accompagner en Amérique ? Là-bas, vous pourrez reprendre votre véritable nom, retrouver votre héritage spirituel et vous bâtir une nouvelle vie ! En Amérique, vous pourrez célébrer ouvertement le shabbat, car les familles y sont libres de pratiquer la religion de leur choix ! »

Sergei porta son regard vers Valeria. « Mère, je n'ai aucune intention d'éloigner Anya de vous. Je veux simplement lui offrir une vie meilleure. Venez avec nous ! »

Valeria se leva. « Je… vais aller réfléchir dans ma chambre. Anya, la vaisselle — peux-tu… » Elle se retourna et sortit précipitamment de la pièce, mais les autres avaient tous vu son visage ravagé par la douleur.

Anya fit un mouvement vers elle mais s'arrêta aussitôt, sachant que sa mère l'appellerait si elle avait besoin d'elle. La jeune femme demeura donc à table avec Sergei et son frère. Ils restèrent tous silencieux. Sergei voulut prendre la parole pour apaiser cette nouvelle douleur qui leur déchirait le cœur — mais il avait déjà exprimé le fond de sa pensée.

Des doutes le tourmentaient. Il se demandait s'il était égoïste de sa part d'arracher Anya à sa famille, à son foyer, pour l'emmener si loin. Il regarda sa bien-aimée qui fixait ses mains, et il lui releva doucement la tête avec son doigt. Quand leurs yeux se rencontrèrent, elle murmura : « Sergei… Quoi qu'il se produise et où que tu ailles, je resterai à tes côtés. »

Sergei sut alors qu'ils deviendraient mari et femme, et partiraient pour l'Amérique. Mais comment pourrait-elle partir sans la bénédiction de sa mère ?

Sergei soupira, songeant que l'amour et la famille engendraient de plus grands défis qu'un hiver dans les montagnes. Les lois de la nature étaient simples, mais aucune règle absolue ne régissait le cœur humain.

« Notre mère ne partira pas », affirma Andreas. « Tu le sais, Anya. Elle craint terriblement la mer. Elle ne traversera jamais un océan. »

Puis ils continuèrent à attendre en silence, perdus dans leurs pensées.

Valeria revint enfin, et les paroles qu'elle prononça conclurent la discussion : « Je n'irai pas en Amérique, trancha-t-elle. Je suis née en sol russe, et j'y mourrai. C'est ici que mon mari... » Elle laissa traîner ces mots, puis regarda Anya et lui pressa la main. « Bien que je donne ma bénédiction à ce mariage, je ne bénirai jamais le voyage qui mènera Anya de l'autre côté de l'océan... cependant, vous avez ma permission. Anya doit suivre son époux.

« Je ne vous demande qu'une chose, si vous m'aimez : ne partez pas tout de suite. Accordez-moi un peu de temps avec ma fille mariée, afin que je puisse mieux connaître mon gendre. »

Sergei, profondément soulagé, ne pouvait pas refuser l'unique requête de Valeria. Il accepta de rester quelques mois de plus. Ce n'est qu'à ce moment qu'un faible sourire apparut sur les lèvres de Valeria. C'était un sourire courageux, né de son désir maternel de voir sa fille heureuse.

« Il en sera donc ainsi », conclut Andreas, et il embrassa Sergei comme un frère.

Quelques jours plus tard, tandis qu'elle se plongeait dans les préparatifs du mariage, Valeria avertit Sergei : « Anya et toi devrez être mariés par le père Alexey à l'église, ou votre union ne sera pas légale. Pour cela, tu auras besoin de ton extrait de baptême, Sergei. J'imagine que tu as été baptisé à l'école militaire, et qu'ils ont conservé ton certificat. Tu devrais communiquer avec eux sans tarder... »

L'école... De sombres souvenirs affluèrent à l'esprit du jeune homme, qui s'était tant efforcé de les enterrer.

Comme il avait emporté avec lui tous ses documents personnels, dont son extrait de baptême, ce détail technique ne posait aucun problème. Cependant, la remarque de Valeria lui rappelait douloureusement que tout contact avec l'école lui était désormais interdit. Il avait tué un autre cadet et s'était enfui ; il demeurerait toujours un fugitif.

Valeria ignorait tout de cette histoire — et il ne lui en soufflerait jamais un mot, pas plus qu'à Andreas ni même à Anya. Surtout pas à Anya.

Le mariage eut lieu dans une petite chapelle un vendredi matin, le 6 novembre 1891 — soit six semaines après l'arrivée de Sergei à Saint-Pétersbourg. Quelques flocons tourbillonnaient dans l'air en cette froide journée d'automne, et aux yeux des nouveaux mariés le monde semblait empreint de fraîcheur, de beauté et de bonté. Enfant, Sergei avait rêvé de devenir un membre de la famille Abramovich : son désir s'exauçait.

Plus tard en après-midi, lors d'une cérémonie tenue à la maison en présence de Valeria, d'Andreas et de quelques amis juifs, ils se déclarèrent à nouveau leur amour et prononcèrent leurs vœux d'union selon la tradition juive. Ils n'avaient pu organiser une cérémonie officielle avec un rabbin, car Valeria ne pouvait prendre le risque de rassembler les dix témoins — le *minyan* — imposés par la loi du Talmud.

Comme cadeau de noces, Andreas et Valeria offrirent aux nouveaux époux un petit chariot de boulanger repeint à neuf par Andreas et tiré par un cheval assez âgé mais fiable — un splendide présent grâce auquel ils pourraient faire de belles promenades dans la campagne environnante.

Quand les invités prirent congé, Valeria expulsa gentiment les amoureux de l'appartement : « Allez faire votre première balade de nouveaux mariés », insista-t-elle.

« S'agit-il d'une tradition dont je n'ai jamais entendu parler ? » demanda Sergei, curieux.

« Mais oui ! Une tradition que nous venons d'instaurer. Maintenant, allez prendre une bouffée d'air frais ! » ordonna Valeria en se glissant dans son rôle de belle-mère aussi gracieusement que tombait la neige des nuages.

Sergei et Anya, bien emmitouflés, déambulèrent dans l'air frisquet. En admirant les flocons étincelant dans la lumière dorée d'un réverbère à gaz, ils humèrent le parfum de la nuit, où l'odeur de la neige se mêlait à celle de la fumée qui s'échappait des cheminées. Saint-Pétersbourg leur apparaissait sous un éclairage nouveau, comme s'ils contemplaient cette ville pour la première fois avec les yeux de l'autre.

« Mère ne croyait pas si bien dire, tu sais », s'exclama Anya. « Elle nous a envoyés prendre une bouffée d'air frais, et as-tu remarqué comme l'air est particulièrement *frais* ce soir ? » Ils s'esclaffèrent tous les deux. Puis elle retira une de ses mitaines et invita son bien-aimé à faire de même. « J'ai envie de sentir ta main dans la mienne, Sergei. Je ne veux pas qu'un gant nous sépare. Je ne veux rien entre nous… »

Il la regarda avec émotion. « Rentrons à la maison, dit-il. Je crois qu'il est temps d'aller au lit. »

Anya sourit, et le rouge qui lui monta aux joues n'était pas uniquement dû au froid.

Ils ne tardèrent pas à découvrir que Valeria et Andreas avaient profité de leur absence pour transporter leurs affaires dans la chambre de Valeria, plus vaste, tandis que celle-ci s'était installée dans l'ancienne chambre d'Anya.

« Tout est bien ainsi », affirma Valeria en leur souhaitant une bonne nuit.

Plus tôt pendant la journée, Andreas avait rappelé à Sergei que la tradition juive incitait l'homme à combler sa femme le vendredi soir.

Sergei avait bien l'intention de respecter la tradition à la lettre. Et peut-être même de faire un peu de zèle.

Pendant leur nuit de noces, Sergei montra à sa nouvelle épouse son médaillon, dont il lui raconta l'histoire. Puis il coupa cinq mèches de sa chevelure auburn et les enroula en une petite boucle qu'il glissa derrière la photographie de ses parents. « Autrefois, ce médaillon était mon seul trésor, lui confia-t-il. Aujourd'hui, c'est toi mon trésor, alors c'est à toi qu'il revient. » Il serra Anya dans ses bras sous les chaudes couvertures de leur lit conjugal. « Nous nous sommes mariés la première fois que nos yeux se sont rencontrés », murmura-t-il.

« Quand tu avais huit ans et moi cinq ? » le taquina-t-elle.

« Oui — et même avant cette vie. »

Puis, après avoir transcendé sa gêne initiale, elle s'offrit totalement à lui. Fous de désir, ils s'initièrent aux joies de l'amour tous les soirs qui suivirent, s'enivrant de leurs étreintes.

Un soir, Anya, frémissant sous les caresses de Sergei, toucha doucement la cicatrice qui zébrait le bras de son amant. « Ma mère ne m'a jamais semblé si heureuse depuis des années », souffla-t-elle.

« Elle est contente d'avoir changé de chambre ? »

« Mais non, grand sot ! Que les hommes peuvent être bêtes ! Elle se réjouit à la pensée de son premier petit-enfant. »

« Ah... Dans ce cas, nous devons faire tout notre possible pour accroître sa joie », dit-il en l'embrassant dans le cou.

Anya se serra tout contre lui. « Oui... nous devrions nous y mettre tout de suite », roucoula-t-elle. Et ils renouvelèrent leurs vœux dans chaque baiser, chaque caresse.

Après le premier vendredi soir, Anya prit un plaisir croissant à leurs ébats, et ils inventèrent une plaisanterie complice, comme le font parfois les amoureux. Parfois, quand Sergei était en train de réparer une lampe, de lire dans la salle de séjour ou de se raser, Anya se coulait derrière lui, lui murmurant à l'oreille : « Quel jour sommes-nous aujourd'hui, mon mari ? »

Peu importe la journée, il répondait invariablement : « Je crois que nous sommes vendredi… Pourquoi ? »

Et elle renchérissait : « Mon jour favori… et ma nuit favorite. »

Au cours des jours et des nuits qui suivirent, dans la chaleur du lit, dans la cuisine ou encore lors de leurs balades dans les rues de la ville ou le long de ses canaux, Sergei raconta son enfance à Anya. Elle lui confia également ses joies et ses chagrins passés. Ils partageaient tout. Presque tout.

Quelques semaines passèrent et un vague pressentiment, aussi intangible qu'une volute de fumée, vint jeter une ombre sur le bonheur de Sergei. Sans s'expliquer pourquoi, il avait l'impression que le calme actuel annonçait une tempête. Son malaise était principalement issu de sa promesse de prolonger son séjour à Saint-Pétersbourg. S'il avait respecté son intuition, il se serait procuré aussitôt deux billets de train à destination de Hambourg, puis il aurait réservé deux places sur le premier paquebot mettant le cap sur l'Amérique. Il avait décidé d'honorer la promesse faite à Valeria, mais il ne retarderait pas leur départ plus longtemps.

Vers la mi-janvier, il s'entretint avec Valeria en privé, lui rappelant son intention de partir pour l'Amérique dès que possible. « Mes économies seront bientôt suffisantes, Mère — dans un mois, deux tout au plus. Préparez-vous à notre départ. »

« Bien sûr, je comprends, répondit-elle. Mais tout va si bien, Sergei, et nous sommes tous si heureux. Vous n'avez pas besoin de vous précipiter de l'autre côté de l'océan. »

Toutes les conversations à ce sujet finissaient de façon semblable, et Valeria ne cessait de trouver de nouvelles réparations à faire dans l'appartement, demandant à Sergei d'y contribuer. Cela rognait les économies du jeune homme, qui ne pouvait que s'y résigner ; après tout, il vivait sous le toit de sa bellemère, et il devait aider à entretenir leur logement.

Il était évident que Valeria digérait mal leur départ imminent, ce qui créa des tensions entre eux au fil des semaines.

Sergei vit s'accroître son angoisse quand parvint à ses oreilles la nouvelle de nouveaux pogroms dans le sud du pays, ainsi que des rumeurs d'autres incidents isolés. Pourtant, malgré le sentiment d'urgence qui le tenaillait, il continuait de couler des jours paisibles à Saint-Pétersbourg, s'efforçant de se convaincre que ses craintes n'étaient pas fondées.

. 16 .

Gregor Stakkos poursuivait chaque jour le chemin qu'il s'était tracé, sans se laisser troubler par les vulgaires tracasseries ou les questions morales qui préoccupent les hommes de nature inférieure. Mince et musclé mais peu enclin à travailler, il dérobait nourriture et argent, laissant sans remords des morts et des blessés derrière lui. Il se procura de la même façon une meilleure monture. S'appropriant sans vergogne le droit de vie ou de mort sur autrui, il se considérait déjà comme un leader cosaque — l'Ataman — doté de privilèges et de pouvoirs supérieurs. Bientôt, d'autres reconnaîtraient également un chef en lui.

Gregor Stakkos était un homme de la trempe des chefs de nations; pour commander, cependant, il lui fallait s'entourer d'hommes loyaux et habiles qui deviendraient le prolongement de ses yeux, de ses oreilles et de ses membres. Il ne tarderait pas à s'adjoindre de tels compagnons. Tout était planifié. Mais pour l'instant, il ne faisait qu'observer et poser des questions, sans nouer d'amitiés ni s'efforcer de faire bonne impression.

Un jour, Stakkos fit son apparition dans un village cosaque situé près du Don, un avant-poste protégeant des maraudeurs la frontière septentrionale du pays. Après y avoir séjourné quelques jours, il fut accusé par un jeune homme d'avoir dérobé un couteau. Pour le punir de cette calomnie, Stakkos lui donna une terrible raclée, lui arrachant presque un œil. On ne retrouva jamais le couteau.

Quelques jours plus tard, une jeune fille prétendit que Stakkos l'avait prise de force. Comme elle était la fille de l'Ataman du village, il dut s'éclipser en vitesse pour aller s'installer ailleurs.

Je devrai être plus discret à l'avenir, songea-t-il en aiguisant son nouveau couteau.

S'éloignant à cheval, Stakkos s'aperçut qu'il était suivi par un grand cavalier manchot à peu près de son âge, un homme que les villageois appelaient Korolev. Il avait déjà remarqué ce Korolev et s'était renseigné à son sujet. Il s'était vite rendu compte que bien que Korolev fût connu de tous, personne n'en savait long sur lui. Dépassant Stakkos d'une bonne tête, il avait un visage aux traits finement ciselés, des yeux d'un vert profond et de longs cheveux noirs noués sur la nuque. Une brute robuste et superbe, si on oubliait la longue cicatrice qui lui balafrait la joue, son bras manquant et ses yeux trop petits et rapprochés.

« Il se tient à l'écart », avait confié à Stakkos un vieux villageois. « Il est arrivé il y a six mois, mais ne s'est jamais mêlé aux autres. » Maintenant, semblait-il, le géant Korolev avait décidé de suivre Stakkos.

Celui-ci tira sur la bride de sa monture pour faire face au manchot. « Que veux-tu ? »

« Je t'ai regardé agir. J'aimerais savoir si tu serais un bon compagnon. »

« Je ne serai jamais le compagnon de personne, mais je saurai être un chef généreux envers ceux qui m'accompagneront. »

« Dans ce cas, tu devras me prouver ta supériorité au combat », déclara Korolev en sautant en bas de son cheval. Sa voix sifflante rappelait le son d'un serpent.

Gregor Stakkos hocha la tête, veillant à dissimuler son intérêt derrière un sourire glacial. « Soit. » Même si son adversaire semblait invulnérable, Stakkos savait que sa propre force résidait dans sa disposition à vouloir éviter la défaite à tout prix, ne craignant ni les blessures ni même la mort. Son audace impressionna Korolev, devant qui la plupart des hommes fuyaient comme des chiens battus avant même le début de la bagarre.

Ils se firent face et commencèrent à se battre, s'observant mutuellement pour évaluer la férocité et l'endurance de leur adversaire. Korolev se débrouillait fort bien — même exceptionnellement bien pour un homme privé d'un bras. En fait, il aurait eu le dessus comme d'habitude s'il n'avait commis une grave erreur. Il avait en effet sous-estimé la force de Stakkos, qui profita de cette négligence pour le projeter sur le sol et brandir son couteau. Appuyant son genou sur l'impressionnante poitrine du géant, Stakkos ricana : « Je vois que ton joli visage est déjà décoré. Que dirais-tu d'une cicatrice assortie sur l'autre joue ? Ou devrais-je te couper l'autre bras pour améliorer ton équilibre ? »

« À ta guise », répondit le manchot, « mais je chevaucherai désormais à tes côtés, et te suivrai tant que cela me plaira. »

« Bien dit. Dans ce cas, je t'épargnerai. » Stakkos lui tendit la main pour l'aider à se relever, mais Korolev avait déjà bondi sur ses pieds pour sauter en selle. En route, ils discutèrent — en tant que simples alliés, car ils ne deviendraient jamais amis.

Stakkos lui posa quelques questions directes, auxquelles Korolev répondit sans chercher à déguiser la vérité : enfant, il s'était infligé lui-même sa cicatrice au visage pour se rendre « moins joli ». Il avait perdu son bras trois ans auparavant, le jour où il avait attaqué avec un couteau un homme armé d'une hache. Avant que Korolev ne tue ce « bâtard », celui-ci avait réussi à lui entailler le bras si profondément qu'il deviendrait inutilisable, et risquait de s'infecter. Après avoir tranché la gorge de son adversaire, Korolev avait empoigné la hache pour achever le boulot amorcé, puis il avait scellé sa blessure dans un brasero. Il avait dû rester au lit pendant un certain temps après cet incident, mais il s'en était tiré.

Stakkos apprit également que comme lui, Korolev avait quitté tôt la maison familiale. Le géant omit les détails. Il expliqua simplement : « Il y a eu des ennuis à la maison, après quoi ils avaient peur de moi. »

« Ils t'ont jeté dehors ? »

Korolev secoua la tête. « Un matin, je me suis réveillé et ils étaient partis… » Il s'interrompit et posa ses yeux clairs sur Stakkos. « Ce que je t'ai dit, tu le gardes pour toi. Voilà notre entente : si tu le répètes à d'autres, je te tuerai — ou mourrai en cherchant à avoir ta peau. Mais je risque fort d'en sortir gagnant. »

Stakkos acquiesca, avertissant le manchot qu'il devrait se conformer aux mêmes règles. « Je suis généreux envers les êtres loyaux, et dur envers ceux qui me trahissent. »

Il plongea son regard dans celui de Korolev, et pour la première fois de sa vie, du moins dans ses souvenirs, celui-ci ressentit un tressaillement qui ressemblait à de la peur. Mais il se ressaisit et ajouta une dernière condition : « J'ai un grand appétit sexuel. Quand nous prendrons des prisonniers… »

« Nous ne prendrons pas de prisonniers — »

« Avant qu'elles meurent, je m'occuperai des femmes d'abord. D'accord ? »

Gregor Stakkos y consentit aisément. Korolev pouvait bien avoir les femmes. Le futur Ataman, lui, ne se souciait que du pouvoir.

C'est ainsi que des liens se tissèrent entre eux. Avec le temps, ces deux hommes formeraient le noyau d'une nouvelle bande de Cosaques, dominée par Stakkos. Et les hommes de même acabit seraient attirés par l'Ataman et son second comme des mouches par du fumier frais.

. 17 .

Par une matinée pluvieuse de la mi-février, alors qu'ils s'apprêtaient à descendre du lit, Anya chuchota à l'oreille de son mari : « J'ai quelque chose de spécial à te dire, Sergei. »

« Tout ce que tu me dis est spécial, ma douce. »

Elle lui donna un petit coup de coude dans les côtes. « Mais cette fois, c'est plus spécial encore. M'écoutes-tu vraiment ? »

Il se retourna vers elle, l'esprit vaguement préoccupé par le fait qu'après le travail aujourd'hui, il devrait réparer l'évier de la cuisine. « Mais si, comme toujours… »

Elle l'interrompit en mettant un doigt sur ses lèvres. « Une nouvelle vie s'est nichée en moi. Je peux déjà sentir la présence du bébé… »

Sergei n'était pas sûr d'avoir bien compris. Anya aurait pu lui annoncer qu'elle avait appris à flotter dans les airs qu'il n'aurait pas été plus surpris. « Un bébé, dit-il. Notre bébé ? »

Anya éclata de rire. « Je ne me rappelle pas avoir fait un bébé avec quelqu'un d'autre, mais laisse-moi y penser… »

« Quand l'as-tu appris ? »

« Je m'en suis doutée dès janvier, mais je voulais en être certaine. Le bébé a dû être conçu peu après notre mariage. Peut-être même la première nuit ! » répondit-elle.

Émerveillé, il tendit la main vers son ventre. « Puis-je le sentir bouger ? »

Anya leva les yeux au ciel. « Sergei Sergeievich, tu peux être si sage et si bête ! Le bébé n'est probablement pas encore plus gros que ton poing. Cela prendra des mois avant qu'il ne donne des coups de pied comme son père. »

« Il… ? »

Anya hésita. « Oui, j'ai l'impression que c'est un garçon, mais — »

« Dans ce cas, ce sera un garçon ! » s'exclama-t-il, exalté par la perspective de fonder sa propre famille. « Nous aurons une maison pleine d'enfants, et... » Puis il eut une pensée pour Valeria. « Mère est-elle au courant ? »

« Bien sûr que non ! Crois-tu vraiment que j'aurais pu en parler à quelqu'un d'autre avant de te l'annoncer ? »

« Nous devons partager cette nouvelle avec elle et Andreas ! Notre fils naîtra en Amérique ! »

Anya se blottit contre lui. « Oui, en Amérique... »

« Je lui apprendrai tout ce que je sais — comment survivre dans la nature... »

Anya s'esclaffa. « Ne vas-tu pas un peu trop vite ? Il est encore trop tôt pour planifier son avenir. Après tout, c'est peut-être une fille. »

Tout aussi exalté par cette possibilité, Sergei sourit : « Une fille ? Aussi gracieuse que sa mère ? Dans ce cas, elle deviendra ballerine ! »

Anya ne répondit rien ; elle rayonnait de bonheur. « La vie n'est-elle pas merveilleuse, Sergei ? Il y a à peine quatre mois, tu ne savais même pas que j'étais encore en vie. Et aujourd'hui, tu imagines que notre fille deviendra danseuse étoile au Théâtre Mariinsky... »

Sergei l'interrompit. « Pas au Théâtre Mariinsky, Anya — notre enfant grandira en Amérique... »

« Bien sûr, Sergei — c'était un lapsus. Y a-t-il des troupes de ballet en Amérique ? »

« Probablement — et de l'eau chaude dans la cuisine, et des commodités dans chaque maison... »

« Plus d'aller-retour à la fontaine du coin pour aller chercher de l'eau, ou de courses vers les toilettes du rez-de-chaussée ? Plus besoin de faire chauffer l'eau pour le bain sur le réchaud ? le questionna Anya. Si tu dis vrai, cela suffira pour me faire traverser l'océan ! Oh, Sergei, si je rêve, j'espère ne plus jamais me réveiller. »

Il embrassa Anya si délicatement qu'elle ne put s'empêcher de rire. « Je ne suis pas si fragile, tu sais », dit-elle en l'étreignant une dernière fois avant de se laisser glisser hors du lit.

Avant que Sergei ne quitte l'appartement, ce matin-là, ils s'entendirent pour attendre le soir pour annoncer la grande nouvelle à Valeria quand ils seraient tous réunis à table.

Le soir venu, Anya et Valeria apportèrent les plats sur la table. Sergei attendait en silence, un large sourire aux lèvres, jusqu'à ce que Andreas finisse par demander : « Alors ? Qu'estce qui se passe ? »

En voyant l'expression de sa fille, Valeria avait déjà pressenti la vérité, mais elle attendait, émue, qu'ils la lui confirment.

Quand elle apprit officiellement la nouvelle, elle se leva et se précipita vers la cuisine. Sergei la suivit des yeux, perplexe, tandis que Anya s'empressait d'aller la rejoindre. Quelques minutes plus tard, Anya revint, souriante, essuyant une larme qui coulait sur sa joue. « Tout va bien. Mère ne voulait simplement pas que nous la voyions pleurer à nouveau. Elle est en train de confectionner un gâteau au miel pour célébrer la nouvelle, » expliqua-t-elle.

Avec l'arrivée du printemps, Anya et Sergei prirent l'habitude d'aller se balader dans l'air frais du soir. Durant les premiers mois de sa grossesse, la jeune femme avait souffert de malaises passagers, mais parvenue au cinquième mois déjà, elle était maintenant en pleine forme. Le dimanche, ils faisaient de longues promenades, discutant de leur avenir.

Le dernier dimanche de mai, Sergei invita Anya, alors enceinte de six mois, à faire une excursion en carriole pour lui montrer le pré où il avait déterré l'horloge de son grand-père.

Tandis qu'ils faisaient paisiblement le tour du pré, sous l'ombre des arbres, Sergei jetait de fréquents coups d'œil à sa femme pour s'assurer qu'elle allait bien. Il n'avait pas de raison de s'inquiéter — Anya était rayonnante, montrant du doigt un oiseau ou s'émerveillant du passage d'une biche et de son faon.

L'herbe, piquée de fleurs jaunes, rouges et violettes, dansait sous une douce brise d'été. « Quel joli endroit, dit-elle. Installons-nous ici pour pique-niquer. » Ils cassèrent la croûte, savourant une de leurs rares journées en tête-à-tête. Aux yeux de Sergei, le paradis ne pouvait guère être plus magnifique que ce moment partagé avec Anya dans le pré.

Leur après-midi ne fut obscurci que par un nuage de poussière qui s'éleva à l'est, rappelant à Sergei les cavaliers qui l'avaient encerclé presque un an auparavant. Cette fois, le jeune homme put à peine distinguer quelques hommes à cheval au loin. Quelques minutes plus tard, quand il leva les yeux dans leur direction, ils étaient partis. Cependant, envahi à nouveau par un sombre pressentiment, il se réjouit de leur départ imminent pour l'Amérique.

Ce soir-là, Sergei annonça au reste de la famille qu'il avait épargné assez d'argent pour leurs billets et leur installation en Amérique : ils partiraient donc dans quelques semaines. Il ne crut pas bon de leur exprimer le sentiment d'urgence qui le tenaillait, ne voulant pas les inquiéter.

Quand Anya se leva pour aller porter la vaisselle sale à la cuisine, Valeria vint s'asseoir près de Sergei. Prenant ses mains dans les siennes, elle lui dit doucement : « Sergei, ne t'ai-je pas témoigné amour et bonté ? »

« Oui, Mère, bien sûr. »

Encouragée, elle poursuivit : « Tu sais que je ne reverrai peut-être plus jamais ma fille, le monde étant ce qu'il est. Pourrai-je au moins avoir le bonheur d'accueillir l'enfant qu'elle porte ? »

Sergei avait craint cette requête. Ensuite, songea-t-il, elle nous demandera de rester jusqu'à la confirmation de l'enfant ou sa *bar mitzvah*. Il résista. « Andreas se mariera, répondit-il. Et vous aurez plusieurs autres petits-enfants — »

« Qui sait ? » s'exclama-t-elle, comme si elle avait prévu cet argument. « Andreas ne pense pas encore au mariage, et encore moins aux enfants. Sergei… je ne te demande pas de rester pour toujours — je le ferais si je croyais que c'était possible —, mais peux-tu au moins avoir la générosité de m'accorder ce dernier délai ? Laisse-moi aider ma fille à donner naissance à son premier enfant ! »

Détournant son regard du visage suppliant et angoissé de Valeria, Sergei aperçut Anya qui attendait silencieusement sa réponse dans le couloir.

Malgré ses profondes craintes, Sergei se sentit fléchir : « D'accord, Mère. Vous verrez naître votre premier petit-enfant — mais dès que nous pourrons partir, nous le ferons sans tarder. »

Valeria, au comble du bonheur, l'embrassa chaleureusement. « Tu es un homme si bon, Sergei. »

« Et un bon mari », ajouta Anya en souriant.

. 18 .

Quand Gregor Stakkos et le géant Korolev firent leur arrivée dans un village cosaque perdu dans la région montagneuse du Caucase, en Géorgie, ils ne cherchèrent pas d'abord à se faire remarquer. En tant que cavaliers armés, ils étaient autorisés à participer temporairement aux activités quotidiennes des villageois. Ils travaillèrent donc en échange de leur nourriture et d'un abri, attendant le moment propice pour se mettre en valeur.

Ils n'eurent pas à patienter longtemps. Quelques semaines après leur arrivée, des guerriers cosaques revinrent au village après une mission de reconnaissance. Ils informèrent les autres de la présence d'*Abreks* — des bandits tchétchènes — ayant traversé la rivière pour piller les campements russes. La dernière fois, ils avaient abattu deux Russes. En état d'alerte, prévoyant d'autres incidents du genre, les Cosaques doublèrent le nombre de sentinelles le long de la frontière, afin qu'elles soient assez rapprochées pour alerter les autres en cas d'attaque.

Stakkos entrevit rapidement dans cette situation une occasion d'acquérir une réputation de héros. Les récits de ses conquêtes avaient déjà suscité l'admiration de plusieurs jeunes hommes du village. Certaines de ses histoires étaient véridiques, les autres tirées de son imagination. Évidemment, la présence du guerrier manchot à ses côtés ajoutait à son prestige.

Stakkos expliqua son plan à ses jeunes admirateurs : « À mon avis, nous ne devrions pas attendre que ces Abreks franchissent le Terek. Korolev et moi irons les attaquer cette nuit même. Nous trouverons le campement de ces Tchétchènes et les tuerons tous. Nous rapporterons des armes, des chevaux et des bottes. Et quelques souvenirs — peut-être une oreille ou deux », ricana-t-il en brandissant un petit sac de cuir. Deux des jeunes hommes, impatients de connaître la gloire et l'aventure, se portèrent immédiatement volontaires ; trois autres, craignant de passer pour des lâches, leur emboîtèrent le pas.

Et c'est ainsi que Gregor Stakkos et sa petite bande s'approchèrent silencieusement du camp ennemi dans l'obscurité précédant l'aube. Il avertit ses hommes de n'utiliser qu'en cas de besoin absolu le seul coup que leur permettait leur pistolet — et de privilégier le couteau et le sabre, efficaces mais discrets.

Les Abreks étaient des combattants endurcis, mais ils ne s'attendaient pas à une attaque « préventive » aussi audacieuse. Les sept jeunes guerriers auraient pu massacrer les bandits dans leur sommeil si un Abrek qui s'était levé pour soulager sa vessie n'avait perçu un mouvement dans les buissons. Il n'eut que le temps de pousser un cri d'alerte avant de tomber raide mort.

Réveillés en sursaut, les Abreks empoignèrent couteaux, pistolets et fusils. Voyant qu'il avait raté son effet de surprise, Stakkos se lança résolument à l'assaut, décapitant presque un adversaire avec son sabre tout en tirant un coup de pistolet de l'autre main. Ses jeunes compagnons, inspirés par la témérité de leur chef et l'apparente invincibilité de Korolev, se battirent comme des forcenés.

Le camp ennemi abritait huit hommes et deux femmes. Stakkos tua la première qui visait un de ses hommes à la carabine. Korolev captura la seconde vivante et quand il en eut terminé avec elle, elle l'implora de l'achever. C'est ainsi que l'Ataman et son premier lieutenant Korolev instaurèrent la première de plusieurs nouvelles traditions qui seraient associées à leur bande. Les novices qui avaient combattu aux côtés de Stakkos étaient devenus « ses hommes ».

Les sept hommes revinrent au village en traînant les chevaux des brigands, leurs tuniques couvertes de sang — surtout celui de l'ennemi. Seuls deux garçons avaient subi des blessures mineures qu'ils affichaient fièrement, telles des médailles.

Gregor Stakkos avait prouvé ses talents de stratège et de leader, ainsi que sa vaillance au combat. Ils furent accueillis en héros, jusqu'à ce que les jeunes hommes se vantent de la façon dont ils avaient traité la femme. Quand les aînés entendirent leurs fanfaronnades et virent leur sac de « souvenirs », ils crachèrent sur le sol en signe de mépris, ce qui donna un goût amer à cette journée de bravoure et d'infamie. Adulé par les jeunes, rejeté par les aînés, Stakkos quitta le village en compagnie de cinq jeunes Cosaques — le noyau de sa future bande.

Au cours des mois qui suivirent, sous l'autorité de son Ataman, la bande commença à fouiller le territoire pour y repérer des *shtetls*, des habitations ou des fermes abritant des Juifs. Choisissant leur cible de façon aléatoire, une fois par mois ou à peu près, ils s'abattaient dessus comme une tornade, laissant mort et feu dans leur sillage. À d'autres moments, ils accomplissaient des patrouilles, protégeant la frontière comme d'autres bandes cosaques contre les ennemis de la Russie.

Cette alternance de patrouilles, de changements de camp et de massacres de Juifs se poursuivit jusqu'à ce que quelques hommes envoyés en éclaireurs reviennent au camp. Peu après, l'Ataman s'adressa à ses hommes : « Levez le camp. Direction nord ! » Ils se déplaçaient comme une véritable force de la nature, frappant ici et là puis disparaissant sans laisser de trace.

. 19 .

Juin tira sa révérence, et la ville de Saint-Pétersbourg fut plongée dans la chaleur estivale de juillet. Sergei se convainquit que son malaise était simplement issu de ses responsabilités de nouveau mari et de futur père. N'ayant jamais goûté un tel bonheur, il ne voulait en rien l'altérer. Je dois croire que tout ira bien, se répétait-il en se remémorant les paroles de son grand-père : « C'est Dieu qui écrit le livre de notre vie. »

Il songeait à ces mots en parcourant la publication *Bibliograficheskie zapiski*, qui rapportait tant des faits que des rumeurs à propos de raids dans les agglomérations de Juifs au sud du pays. Il ressentit à nouveau une sourde angoisse, mais il se rassura en se disant que d'ici quelques mois, sa petite famille serait en route vers l'Amérique. Et un jour peut-être, Valeria et Andreas viendraient les rejoindre.

Comme chaque journée les rapprochait du grand départ, les moments passés en famille prirent un caractère presque sacré. Valeria devint plus possessive à l'égard d'Anya ; elle voulait passer du temps et discuter en tête-à-tête avec sa fille. Sergei respectait de bon cœur ce désir maternel. Anya et lui avaient toute la vie devant eux, tandis que Valeria serait bientôt privée de la présence de sa cadette.

Quand Valeria vint s'asseoir à ses côtés, il posa son journal devant lui.

« J'espère que tu as apprécié le repas, Sergei. »

« Beaucoup, merci. »

« Anya s'est retirée dans votre chambre pour lire. J'ai pensé que nous pourrions discuter un peu, toi et moi. »

« Mais bien sûr. »

Non sans difficulté, elle épancha son cœur : « La maternité est douce, Sergei, mais elle laisse un goût amer aussi. Car plus nous aimons nos proches, plus leur absence est douloureuse. Ces jours-ci, quand je parle à Anya, les mots me manquent pour tout lui exprimer. Je voudrais qu'elle sache à quel point je l'aime… l'importance qu'elle revêt à mes yeux… mais elle ne peut comprendre tout cela — pas avant de voir grandir son propre enfant. À ce moment elle comprendra… et je lui manquerai aussi, Sergei, je lui manquerai terriblement. »

Valeria se mit à pleurer doucement. Sergei, ne sachant pas comment réagir, resta simplement assis près d'elle en silence. Comment trouver les mots pour réconforter une mère sur le point d'être séparée de son enfant ? Elle serrait très fort la main de son gendre. Après un moment, elle la relâcha. Puis elle le remercia pour son écoute, se leva lentement et se dirigea vers sa chambre.

Les derniers mots qu'il entendit ne lui étaient pas destinés. Valeria murmurait pour elle-même : « La place d'une grand-mère est près de ses petits-enfants… » Puis, poussant un profond soupir, elle disparut derrière la porte.

Son dilemme sautait aux yeux : elle avait envie de les accompagner — mais elle ne pouvait pas, ne voulait pas s'y résigner. Ses racines russes la retenaient ici, mais son cœur la relierait bientôt à une contrée de l'autre côté de l'océan.

Bien qu'il restât encore plusieurs semaines avant la date prévue de l'accouchement, Valeria semblait de plus en plus angoissée — non pas tant par l'approche de la naissance elle-même que par l'imminence du départ de sa fille. Sergei et elle entretenaient un rapport cordial, mais teinté d'ambiguïté. Elle l'aimait bien, mais il était aussi l'homme qui entraînerait sa fille et son petit-enfant dans un lointain pays.

Au cours de ces dernières semaines, Sergei annonça son départ à son patron, réserva leurs billets, se procura des valises et aida Anya à y entasser leurs affaires. Pendant ce temps, Valeria s'affairait à nettoyer et à préparer l'appartement pour l'arrivée de l'enfant. Une arrivée qui serait vite suivie d'un départ.

Sur la cheminée trônait toujours l'horloge du grand-père de Sergei, égrenant ses heures.

Le troisième dimanche de juillet, Anya demanda à Sergei de l'emmener pique-niquer dans leur « havre de bonheur », le pré à proximité du fleuve Néva où elle pourrait tremper ses pieds fatigués.

Sergei, lui, était d'avis qu'elle ne devrait pas trop s'éloigner de la maison.

« Ta grossesse n'est-elle pas trop avancée pour une balade aussi cahoteuse ? » demanda-t-il.

« Je me sens dans l'état le plus avancé qu'il soit possible d'atteindre », plaisanta-t-elle. « Et pourtant, j'ai bien envie d'une promenade en carriole dans l'air frais, en toute intimité avec mon mari. »

Une heure plus tard, Sergei aidait sa bien-aimée à monter dans la carriole. Valeria, l'air soucieux, lui tendit le panier à pique-nique. « Nous serons de retour avant la tombée de la nuit », la rassura-t-il. Il donna un coup de rênes au cheval, qui partit au pas.

Tandis qu'ils longeaient le canal qui passait sous Nevskiy Prospekt avant de bifurquer vers le nord, Sergei prit la parole : « Anya, ma belle, crois-tu au destin ? »

« Je crois en toi. »

« Je sais », dit-il en se penchant pour lui donner un baiser sur les cheveux. « Mais crois-tu en la destinée ? »

Anya fit entendre un petit rire. « Comment pourrais-je ne pas croire au destin en observant les événements à la fois étranges et merveilleux qui t'ont mené jusqu'à moi ? » Elle caressa son ventre rond. « Et il se produira un autre miracle bientôt. » Elle prit la main du jeune homme et l'appuya sous son nombril. « Le sens-tu bouger ? »

Tout d'abord, Sergei ne perçut rien — puis il sentit un coup, et encore un autre. « Il pratique déjà ses coups de pied et de poing », observa-t-il, comblé par cette journée, par cette vie.

Quittant les limites de la ville, ils gravirent une route de campagne et passèrent devant une fermette. Anya sourit en envoyant la main au paysan, qui les salua d'un signe de tête.

Ils ne tardèrent pas à arriver au pré. Sergei avait prévu étendre leur couverture au centre de la clairière, là où il avait trouvé le cadeau de son grand-père. Toutefois, la chaleur accablante les incita à s'installer plutôt à l'orée de la forêt, où ils vidèrent leur panier. Puis ils s'allongèrent à l'ombre, laissant leur regard folâtrer dans le pré.

. 20 .

Pendant le règne du tsar Alexandre III et la période de la contre-réforme, la violence envers les Juifs et les gitans s'intensifia. Les Chernosotentzi, nationalistes extrémistes, étaient en partie responsables de cette dégradation. Gregor Stakkos et ses hommes aussi.

Stakkos différait des nationalistes en ce qu'il n'était pas mû par la force de l'idéologie ; la haine qu'il vouait aux Juifs était viscérale, inexplicable. Et contrairement à la plupart des Cosaques, capables d'assassiner les ennemis du Tsar sans se comporter comme de vulgaires voleurs, Stakkos se plaisait à dépouiller ses victimes avant d'effacer par le feu toute trace de son passage.

Ne laissant aucun témoin derrière lui, il assurait la sécurité de sa bande de façon presque obsessionnelle. Ses hommes et lui ne rejoignaient jamais directement leur campement ; ils faisaient des détours en veillant à circuler sur un terrain rocailleux ou dans des lits de rivière. Ainsi, ils semblaient s'évanouir dans l'espace tels des fantômes. Partout, leurs raids faisaient naître des rumeurs à la fois déroutantes et terrifiantes.

Au cours des dernières années où il avait traversé maints villages ou petites villes, l'Ataman s'était rallié d'autres compagnons, jeunes hommes nerveux ou vétérans endurcis. Plusieurs femmes s'étaient également jointes à eux, pour diverses raisons. Certaines étaient les conjointes de nouvelles recrues, tandis que d'autres étaient disposées à servir les célibataires de la bande. Des règles furent établies afin de faire respecter l'ordre au sein du clan.

À cette époque, Stakkos instaura une nouvelle coutume : chaque année, ou tous les deux ans, il épargnait un bébé juif qu'il confiait aux femmes de la bande pour qu'elles l'élèvent en bon chrétien. Ainsi, malgré les meurtres et les incendies qui lui souillaient les mains, il s'entoura d'une réputation de « sauveur d'enfants ». Peu à peu, les structures de cette bande nomade en vinrent à ressembler à celles d'un village cosaque.

Aux yeux de Stakkos, il n'y avait pas de limite à la violence. Il considérait la cruauté comme un attribut nécessaire, voire vertueux. Armés non seulement de sabres et d'armes à feu mais d'une détermination fanatique, ses hommes assouvissaient tous leurs instincts.

Dans leurs campements temporaires, il semblait régner une activité de village normale, parmi les huttes dotées de foyers où circulaient femmes et enfants. Pourtant, il émanait des hommes de Stakkos quelque chose d'inhumain. Exaltés par leur sentiment d'invulnérabilité, s'élevant au-dessus des lois et de la morale, ils écumaient la Russie, plongeant leurs victimes dans les feux de l'enfer.

C'est ainsi qu'ils firent irruption dans un pré paisible par un beau dimanche après-midi de juillet.

. 21 .

Sergei et Anya venaient de terminer leur repas; la jeune femme savourait ce langoureux après-midi, la tête appuyée sur l'épaule de son mari, écoutant les chants d'oiseaux et le vent qui ridait la rivière et faisait frémir les arbres.

Sergei était sur le point de s'allonger entre les bras d'Anya quand il aperçut un nuage de poussière au loin. Se redressant, il distingua des cavaliers qui se rapprochaient — probablement des soldats en patrouille.

S'il avait réagi aussitôt, comme un sombre pressentiment l'exhortait à le faire, ils auraient peut-être pu s'enfuir. Abandonnant panier et couverture, il aurait aidé Anya à grimper dans la carriole et fouetté son vieux cheval pour qu'il parte au galop. Mais une telle réaction aurait fait paniquer inutilement sa bien-aimée. Après tout, il ne s'agissait que de quelques cavaliers venant dans leur direction.

Cependant, ceux-ci se rapprochaient rapidement. Déjà, il était trop tard pour fuir. Quand ils furent plus près, Sergei reconnut l'un des hommes qui l'avaient encerclé l'année précédente, puis un autre. Sa peur s'accrut quand il aperçut parmi les quatorze cavaliers un géant manchot qui ressemblait à un guerrier mongol.

Puis, le chef du groupe arrêta sa monture à quelques mètres de Sergei. Ses traits avaient vieilli et une cicatrice lui barrait le front, mais on ne pouvait s'y méprendre. Dominant la scène du haut de son cheval, un sourire glacial aux lèvres — ce sourire que jamais n'oublierait Sergei —, Dmitri Zakolyev posait sur lui un regard méprisant.

Sergei, figé sur place, était assailli par des émotions contradictoires : un soulagement d'abord, puis le regret de ne pas avoir tué Zakolyev suivi d'une sourde angoisse par rapport à la suite des événements.

Il se retourna rapidement vers Anya qui, encore assise dans l'herbe, semblait plus perplexe qu'effrayée. Elle leva les yeux vers lui, souhaitant être rassurée. « Je le connais », lui expliqua Sergei. « Nous sommes d'anciens compagnons d'école. » Dans sa bouche soudainement très sèche, sa voix sonnait faux.

« Quel plaisir de te revoir, Sergei — si je ne m'abuse, tu as déjà rencontré quelques-uns de mes hommes », lança Zakolyev en désignant les quatre cavaliers qui l'avaient abordé l'automne précédent. « Quand mon éclaireur m'a rapporté avoir rencontré un homme qui correspondait à ta description — un certain Sergei... Voronin, je crois —, j'étais plutôt furieux qu'il ne t'ait pas ramené au camp pour une petite rencontre. Je m'apprêtais à le punir, mais il m'a assuré qu'il pourrait te retrouver. Et voilà, c'est fait. Nous pourrons enfin rattraper le temps perdu, n'est-ce pas ? »

Sergei n'eut pas l'occasion de riposter, car déjà Zakolyev poursuivait : « Je te cherche depuis longtemps, mais personne n'avait entendu parler de mon bon vieux Sergei. Mais après nos désolants adieux, j'espérais profondément avoir la chance de me reprendre. Et nous voici réunis à nouveau, en charmante compagnie de ton épouse, rien de moins. Avec un enfant en prime... »

La voix de Zakolyev était si douce, et ses manières si courtoises, que Sergei imagina, l'espace d'un bref instant, que l'ancien cadet pouvait avoir changé. Mais à ce moment, quelques hommes s'esclaffèrent, l'air narquois. Sergei sentit les muscles de ses bras se contracter tandis que la rude réalité le frappait comme une gifle.

« Eh bien, Sergei », reprit Zakolyev, « as-tu perdu tes bonnes manières ? Ne serait-il pas plus poli de faire les présentations ? »

L'esprit de Sergei fonctionnait à toute allure, cherchant à évaluer la situation : si Zakolyev était dangereux, ses hommes risquaient de l'être encore davantage — ils étaient probablement avides de plaire à leur chef, d'accroître leur prestige et de s'élever dans la hiérarchie de la bande. En outre, ils étaient sans doute bien entraînés au combat. Sergei pourrait peut-être s'attaquer à quelques-uns d'entre eux, et faire un effort héroïque...

Mais s'il cherchait à se battre, Zakolyev les tuerait tous les deux, Anya et lui ; si, au contraire, il implorait la clémence du chef et se soumettait à sa volonté, peut-être ne feraient-ils que lui cracher dessus et lui donner une raclée... mais qu'arriverait-il à Anya ?

Sergei ne pouvait imaginer qu'ils puissent lui faire du mal.

Il cherchait désespérément à trouver les mots ou les gestes qui pourraient au moins sauver la vie de sa femme et de son enfant. Tandis que toutes ces pensées se bousculaient dans sa tête, il vit qu'Anya se levait péniblement, et il se pencha prestement pour l'aider. Elle saisit la main de son mari, qui était froide et tremblante. Ce contact fit monter en Sergei une colère viscérale. Contrôle cette rage, pensa-t-il, et utilise-la. Mais pas tout de suite... pas tout de suite.

« Je t'ai demandé de me présenter ta femme », répéta Zakolyev d'une voix cinglante.

« Dmitri », s'entendit dire Sergei, cherchant à évoquer de meilleurs souvenirs. « As-tu oublié notre expérience de survie ? Comment nous nous sommes entraidés... »

« Je n'ai rien oublié », l'interrompit Zakolyev.

Dès qu'il avait vu Zakolyev vivant, Sergei s'était douté que l'ancien cadet avait dû attendre ce jour avec impatience — et qu'il s'était préparé soigneusement, anticipant tout ce que Sergei pourrait dire ou faire pour essayer de lui échapper. Cependant, Zakolyev n'avait pas prévu cette douce surprise, la présence d'Anya aux côtés de Sergei.

« Je m'adresse à toi en tant que Cosaque et homme d'honneur », articula finalement Sergei. « Laisse ma femme rentrer à la maison. Je te donne ma parole que... »

Zakolyev prit un air blasé et leva la main pour faire taire Sergei. Puis il demanda poliment, comme s'il était animé par une simple curiosité éveillée par ses propres souvenirs : « As-tu encore ce vieux médaillon ? »

« Je… je l'ai donné », répondit Sergei. « En cadeau. »

Anya tendit machinalement la main vers son cou.

« Mais oui, tu l'as donné », ricana Zakolyev. « Korolev ! » aboya-t-il en faisant un signe de tête en direction d'Anya. Le géant à la tresse noire se laissa glisser en bas de son cheval et se dirigea lentement vers la jeune femme. Les narines de Sergei frémirent à son passage — il puait non seulement la sueur, mais exhalait l'odeur fétide d'un homme possédé.

« Arrière », rugit Sergei en s'interposant entre sa femme et la brute musclée. « Rappelle ton chien d'attaque, Zakolyev ! »

Korolev s'arrêta. Zakolyev fit un signe à ses hommes, et six d'entre eux mirent pied à terre et encerclèrent Sergei, l'isolant d'Anya.

« Que signifie tout cela ? » demanda Sergei.

« J'ai besoin qu'un homme te fouille », précisa Zakolyev.

« Et les autres ? »

« Au cas où tu essaierais quelque chose de stupide. »

Sergei décida de coopérer. Pour l'instant, personne n'avait été blessé, ni même menacé. Tout espoir n'était peut-être pas perdu. Il savait toutefois qu'il se tenait en équilibre sur un baril de poudre.

Mais le baril explosa : les six hommes immobilisèrent Sergei, tandis que le géant éloignait Anya de son mari en la traînant par le poignet.

Dans les cinq secondes qui suivirent, mû par l'énergie du désespoir, Sergei neutralisa deux hommes. Il atteignit le premier d'un coup de poing à la gorge qui lui coupa le souffle, et décocha au second un coup de pied au genou qui le fit basculer vers l'arrière. Cependant, les quatre hommes restants lui saisirent les bras, les jambes, le cou, l'écrasant sous leur poids en le maintenant face contre terre.

Sergei relâcha immédiatement toute résistance, comme s'il abandonnait la partie. Il attendrait quelques instants encore, pour mieux les surprendre… mais ils étaient trop nombreux. En proie à une immense fureur, il ne réussit qu'à lever la tête pour cracher un mélange de terre et de sang, témoin impuissant de la scène horrible qui se déployait devant lui.

Zakolyev fit un autre signe de tête. Korolev relâcha Anya et, aussi vif qu'un serpent, lui arracha du cou le médaillon qu'il lança à son chef. Anya, le souffle coupé, porta la main à sa gorge ; sur sa peau satinée, que Sergei avait embrassée à peine quelques minutes plus tôt, se dessinait maintenant une fine marque rouge. La jeune femme semblait terrifiée ; elle craignait pour la vie de son mari, pour la sienne et surtout pour celle de son enfant.

Anya ne pouvait détacher ses yeux de Sergei. Si elle réussissait à croire assez fort qu'ils étaient encore seuls tous les deux dans le pré, peut-être tous ces intrus disparaîtraient-ils ? Elle plongea son regard dans celui de son bien-aimé en quête d'une lueur d'espoir, en vain.

Puis Zakolyev reprit la parole. « Je te remercie d'avoir gardé mon médaillon en lieu sûr pendant toutes ces années, Sergei. Et sur un si joli cou. » Il huma le bijou. « Ahhh, il a conservé son odeur. Quel délicieux parfum… »

Quelques hommes éclatèrent de rire, et Sergei sentit le sang lui monter au visage. « Tu as le médaillon maintenant », fulmina-t-il, toujours plaqué à plat ventre. « Il est à toi… et je suis à ta disposition. »

« En effet », renchérit Zakolyev en souriant.

« Alors laisse partir ma femme — nos affaires ne la concernent pas. Affrontons-nous si c'est là ton désir… mais pour l'amour de Dieu, Dmitri, nous étions cadets ensemble… »

« Je te trouve ennuyeux », répliqua Zakolyev d'un air lassé. « À mes yeux, tu l'as toujours été, Sergei. »

Il se tourna vers Anya. « Ce bon Sergei est-il aussi gentil au lit ? demanda-t-il. Dit-il "s'il te plaît" et "merci" avant et après ? »

Les hommes de Zakolyev grognèrent comme des chiens nourris à la volée par leur maître. Celui-ci évoquait plutôt un chat jouant avec sa proie.

Korolev resserra sa prise autour du poignet d'Anya. Elle grimaça, hors de la portée de Sergei. La connaissant intimement, il voyait à quel point la terreur la gagnait, elle qui avait échappé de justesse à la foudre des Cosaques dans son enfance. Aujourd'hui, Sergei était bouleversé par son visage courageux où se lisait une muette prière : « Protège la vie de notre enfant. »

Mais Sergei, cloué au sol, n'était plus qu'un simple pion sur l'échiquier de Zakolyev.

Tandis qu'un homme fouillait les poches de leur prisonnier, les autres relâchèrent leur prise un instant. Profitant de ce bref moment d'inattention, Sergei décocha un violent coup de coude à l'homme occupé à le dépouiller, lui brisant la mâchoire. Il réussit à se retourner et à asséner un coup de pied à un autre, l'atteignant à l'aine, mais les autres s'abattirent sur lui et le maintinrent au sol, face contre terre, si rudement qu'il pouvait à peine respirer.

Zakolyev se dressa fièrement : « Comme tu peux le constater, Sergei, je suis devenu un chef. »

Sergei lança vers lui un nouveau crachat mêlé de terre et de sang. « Je vois bien ce que tu es devenu. »

« Et toi, tu es resté ce que tu as toujours été — une mauviette cherchant à plaire aux parents que tu n'as jamais connus. » Zakolyev ouvrit le médaillon : « Mais oui, voici ton saint père et ta sainte mère. J'ai toujours aimé ce portrait de famille. Je le trouve si touchant », dit-il sans s'adresser à personne en particulier, contemplant toujours les visages miniatures. Puis son regard revint vers Sergei. « Mais un jour, tu me l'as volé. »

Sergei sentit monter un goût de bile dans sa gorge. À ce moment, il comprit qu'il n'y avait plus d'espoir, que leurs prières ne seraient pas exaucées, que ses derniers actes sur terre seraient mus par l'énergie du désespoir.

Zakolyev se retourna vers Anya, la détaillant de la tête aux pieds. Sergei chercha à nouveau à se dégager. « Mais aujourd'hui, cette babiole ne compte plus guère pour moi », déclara Zakolyev. « Peut-être même la rendrais-je à la jolie femme en échange d'un petit baiser. »

Une vague de panique submergea Anya, qui posa sur Sergei des yeux de biche effarée. Mais même dans cette situation critique, elle gardait espoir que son mari cloué au sol puisse imaginer un moyen de les sauver. Cependant, Zakolyev éteignit brutalement cette dernière lueur d'espérance : « À bien y penser, rectifia-t-il, avec tout le mal que je me suis donné pour récupérer mon médaillon, je crois bien qu'il vaut plus qu'un baiser. »

Se vautrant dans son pouvoir, conscient de la vulnérabilité de Sergei en présence d'Anya, Zakolyev s'adressa à la jeune femme tout en continuant à fixer Sergei. « Petite femme, il fait si chaud aujourd'hui, pourquoi ne pas te déshabiller un peu pour que mes hommes puissent se rincer l'œil ? » Il inclina la tête à l'intention de Korolev, qui relâcha le poignet d'Anya et déchira sa chemise. Terrifiée, elle restait figée sur place, tentant à la fois de protéger le bébé lové dans son ventre et de se couvrir avec ses mains.

Sergei explosa avec une férocité surhumaine, se libérant de l'emprise des cinq brutes qui le retenaient au sol. « Cours, Anya, cours ! » hurla-t-il en fracassant les côtes d'un autre homme. Mais tous les hommes qui restaient, à l'exception de Zakolyev et du manchot, l'assaillirent comme une avalanche, l'écrasant sous leur poids, lui brisant le nez et les os des joues en lui plaquant le visage contre le sol rocailleux.

Sergei était insensible à la douleur ; il ne ressentait que son besoin viscéral de protéger Anya et son impuissance absolue à cet égard. Il avait épuisé toutes les forces de son être, en vain.

« Retenez-le ! » rugit Zakolyev.

Une main l'empoigna par les cheveux, le forçant à regarder Korolev qui porta la main à la poitrine d'Anya, agrippant brutalement ses seins ronds. La jeune femme lui cracha au visage, soudainement prise d'une immense fureur maternelle. Elle se débattait comme une forcenée, donnant des coups de pied, griffant le visage de son bourreau.

Enragé, le visage en sang, Korolev saisit la nuque d'Anya d'une main et sa mâchoire de l'autre, dans un mouvement de torsion.

Avec un craquement sinistre, le cou d'Anya se rompit. Sergei vit sa femme rendre l'âme à trois mètres de lui.

La suite des événements sembla se dérouler au ralenti. Sergei avait l'impression que son esprit avait quitté son corps et flottait dans les airs; il vit Korolev projeter Anya au sol comme une vulgaire poupée de chiffon. Elle resta immobile, les yeux rivés au ciel. Engourdi par la douleur, Sergei refusait de croire ce qu'il voyait. Tout cela ne pouvait être réel; il devait s'être endormi, avoir fait un cauchemar.

Mais le cauchemar n'était pas terminé. Zakolyev descendit de son cheval, furieux, et se dirigea vers Korolev. Tirant son sabre de son fourreau, il s'approcha de l'homme qui venait d'assassiner la femme de Sergei.

« Korolev », fit-il d'une voix acerbe, « tu dois apprendre à te contrôler. Tu as gâché un moment que j'espérais prolonger. »

Le géant eut la sagesse de garder le silence; il recula de quelques pas et sauta en selle, attendant les prochaines paroles de l'Ataman, qui s'exclama : « Eh bien, tout n'est pas perdu. »

Devant Sergei au comble de l'horreur, il s'agenouilla près du corps d'Anya et, d'un geste presque tendre, fit glisser la pointe de son sabre sur son ventre gonflé. Il en retira le fœtus encore relié à sa mère par le cordon ombilical, et le tint la tête en bas.

Zakolyev secoua la tête, mécontent, constatant en même temps que Sergei et les autres qu'il avait enfoncé son sabre trop profondément — le bébé était mort.

Dépité par ce nouvel échec, Zakolyev se retourna vers Sergei. « C'était un garçon », siffla-t-il en laissant tomber l'enfant près du corps d'Anya.

Sergei hurla, tentant désespérément d'étouffer la douleur insoutenable qui l'étreignait. Du coin de son œil enflé, il aperçut un pistolet qui se balançait vers sa tête. Puis, plus rien.

Après s'être approprié un « souvenir », comme le voulait sa coutume, Zakolyev remonta en selle. Korolev, lui, mit pied à terre et dégaina son couteau en se dirigeant vers Sergei, inconscient.

« Laisse-le », ordonna Zakolyev. « Je veux qu'il vive et se rappelle. »

« Tu t'es fait un ennemi pour la vie — qui est désormais le mien aussi », rétorqua Korolev. « Un homme qui n'a plus rien à perdre risque d'être dangereux. Il serait sage de l'achever avant qu'il ne cherche à se venger. »

« C'est une mauviette et un imbécile », affirma Zakolyev d'une voix tranchante, conscient que ses hommes ne perdaient pas un mot de cette conversation. « Tu as fait assez de dégâts aujourd'hui. Laisse-le ! » C'était un ordre, et l'Ataman n'aimait pas se répéter. Pas du tout.

Korolev hésita un instant. Puis, haussant les épaules, il enfourcha sa monture. « Ataman, pourquoi t'a-t-il appelé Dmitri Zakolyev ? » demanda-t-il.

« C'est un nom que j'avais pris dans ma jeunesse », répondit son chef. Puis, d'une voix plus forte, il rassembla tous ses hommes, y compris ceux qui boitaient ou devaient se faire porter jusqu'à leur cheval. « À partir d'aujourd'hui, déclara-t-il, Gregor Stakkos est mort. Je ne veux plus jamais entendre ce nom. Pour commémorer la journée d'aujourd'hui, je serai dorénavant Dmitri Zakolyev — même si vous continuerez à m'appeler Ataman ! Pour démontrer votre accord, levez votre sabre ! » Ils pointèrent tous leur sabre vers le ciel. Après une légère hésitation, Korolev fit de même.

Zakolyev et ses hommes firent tourner leur monture et s'éloignèrent de la clairière. Après avoir jeté un dernier regard à Sergei Ivanov, toujours évanoui le visage contre le sol, Korolev leur emboîta le pas.

. 22 .

Sergei Ivanov revint à la vie en suffoquant — mais c'est une autre vie qui l'attendait, une réalité cauchemardesque déchirée par les cris perçants des oiseaux charognards accomplissant leur besogne. Il bondit sur ses pieds, battant l'air de ses bras et beuglant comme un dément. Il donna libre cours à sa colère en s'en prenant aux harpies ailées qui lacéraient les restes de sa femme et de son enfant. Une douleur lancinante martelait sa tête ensanglantée; il se força à regarder les corps inertes, mais son esprit refusait de reconnaître les os de la petite main tendue vers la poitrine d'un personnage cireux éventré sous le soleil.

Enveloppant les restes de sa famille dans la couverture qui avait servi au pique-nique, il tenta de leur creuser une tombe, grattant le sol de ses mains jusqu'à ce que ses ongles soient couverts de sang. Cependant, la terre durcie par le soleil estival lui résistait. Il n'avait pu les sauver, et maintenant il ne réussissait pas à les enterrer. Il se mit à frapper du poing une pierre plate, observant d'un regard absent ses jointures se fendre.

Il aurait aimé s'allonger près d'Anya et se laisser mourir, mais son devoir l'appelait : il devait retrouver Zakolyev et Korolev et les exterminer. S'il survivait à ce défi, il reviendrait ensuite rapporter les événements à la mère et au frère d'Anya.

Vidé de sa substance, il ne ressentait plus la peur : comment pourraient-ils tuer un homme revenant directement de l'enfer? Ses yeux ne percevaient plus qu'un long tunnel sombre devant lui; il chancela jusqu'à la rivière, où il vomit. Quand la surface de l'eau redevint lisse, il y vit le visage d'un étranger qui lui fit horreur — un faiblard, un lâche et un abruti.

Anya, l'amour de sa vie, avait fait fondre les glaces de son passé jusqu'à ce que jaillisse le flot chaleureux de l'amour.

Maintenant, il se sentait glacé jusqu'à la moelle, errant sans but dans un monde peuplé d'ombres.

Un nouvel éclair de douleur lui vrilla le crâne, et une lumière blafarde clignota devant ses yeux. Sergei tomba à genoux et pria pour que cesse sa souffrance, pour que s'évanouissent ses souvenirs. Aucune de ses requêtes ne fut exaucée. Sa femme et son enfant étaient morts, emportant avec eux toute la pureté et la bonté de ce monde. Il n'existait plus pour lui ni Dieu, ni justice, ni lumière.

Puis il eut à nouveau l'impression que sa tête explosait, et il s'écroula.

Quand il s'éveilla dans la pénombre, sa douleur à la tête revint aussitôt le tourmenter. Il était allongé sur un lit confortable, dont il tira les couvertures pour essayer de se lever. Toutefois, ses jambes se dérobèrent sous lui et il tomba, renversant une table. À ce moment, une vieille femme surgit et l'aida à se remettre au lit.

« Il faut vous reposer, fit-elle. Nous parlerons plus tard, si vous voulez. »

« Ma femme, mon enfant… dans une couverture… »

« Calmez-vous… Mon mari les a enterrés convenablement à l'endroit où il les a trouvés. Maintenant, dormez. »

Quand il se réveilla à nouveau, il faisait encore sombre. Il entendit un ronflement tout près et tenta de se lever sur ses jambes vacillantes, mais il retomba lourdement sur le lit. Un démon lui chuchota à l'oreille : « Elle est morte par ta faute. » Il ne pouvait nier cette vérité, ni soulager la douleur indicible qu'elle engendrait. Non, sa pénitence consisterait à vivre chaque seconde de sa vie avec ce fardeau. Il devrait traverser la mort à plusieurs reprises avant de pouvoir les rejoindre. Mais d'abord, il avait des hommes à retracer et une mère à consoler.

Sergei se leva à nouveau, tremblant, et retrouva près du lit ses vêtements qui l'attendaient, lavés et pliés. Il tourna la tête et grimaça. Portant la main à son crâne, il y sentit un bandage, et s'aperçut que ses mains avaient été nettoyées et couvertes d'un cataplasme. Après s'être habillé en silence, il se dirigea vers la porte, ses chaussures à la main. Dans les premières lueurs de l'aube, il trouva un crayon et un papier sur une table près de l'entrée et gribouilla quelques mots : « Merci. Je n'oublierai jamais votre bonté. »

De retour dans le pré, Sergei s'agenouilla près du monticule qui marquait l'endroit où avait été enterrée sa petite famille. Il murmura des paroles d'amour et de désolation — mais quand il tenta de leur demander pardon, ses mots moururent dans sa gorge. Plein de mépris envers lui-même, Sergei jura sur la tombe de sa bien-aimée et de son enfant qu'il vengerait leur mort.

Au début, il n'eut aucun mal à suivre les traces de sabots. Progressant aussi rapidement que possible à pied, il chemina péniblement toute la journée et une partie de la première nuit. Son nez endolori, ses dents branlantes et son visage enflé étaient une source de douleur constante. Tant mieux, pensa-t-il, cela le garderait réveillé. Mais comme il devait préserver ses forces, il ramassa une branche qu'il effila sur une pierre afin de harponner du poisson dans un ruisseau. Il en attrapa un et le mangea cru en continuant à avancer en chancelant, les yeux rivés aux traces des cavaliers. Le lendemain, il trouva des œufs d'oiseau et cueillit quelques baies. Pas de feu, peu de repos, pas d'appétit. Il se forçait à manger uniquement pour être capable de poursuivre sa route.

Les jours et les nuits se succédaient dans une confusion de ténèbres et de lumière, au milieu de paysages aux ombres changeantes éclairés tantôt par le soleil, tantôt par la lune. En s'acharnant à suivre la piste des brigands sur la terre piétinée, Sergei pensa à son père, et il comprit enfin comment un homme pouvait s'enivrer jusqu'à la mort.

À l'instar de son père, Sergei avait perdu femme et enfant le même jour. Mais cette fois, ce n'était pas la main de Dieu qui avait frappé, mais des hommes pourris jusqu'aux os. En assassinant Anya et son enfant, Zakolyev et ses acolytes avaient mis fin à la lignée de Sergei, car il ne se remarierait jamais — il en avait la conviction, comme il savait aussi que ces hommes périraient par sa main. Une simple punition ne suffirait jamais; aucun pardon n'était possible. Il n'espérait pas un acte de contrition de leur part; il voulait leur peau. À partir de ce jour, il ne vivrait que pour leur donner la mort.

❖ ❖ ❖

Le matin du troisième jour, une soudaine averse effaça les traces des brigands. Sergei aperçut encore quelques branches cassées, puis plus rien. Il avait perdu leur piste. En état de choc, il s'effondra, trop faible pour continuer ou rebrousser chemin.

Puis il songea à Valeria, qui devait être folle d'inquiétude. Il devait accomplir maintenant la tâche qu'il redoutait tant.

Sur le chemin du retour vers Saint-Pétersbourg, Sergei était si torturé qu'il n'accorda aucune attention au paysage, sauf pour se repérer de temps en temps. Quand il s'arrêta pour s'abreuver dans un étang, l'eau lui refléta un visage enflé et couvert de crasse. Il fit également une autre constatation : ses cheveux étaient devenus entièrement blancs.

Quelques heures plus tard, les clochers de la ville surgirent au loin, lui signalant son retour dans le monde des hommes.

Levant les yeux vers la fenêtre de leur appartement, Sergei se rappela le jour où il avait demandé la main d'Anya. Il ne put réprimer un gémissement. Il gravit lentement les marches et frappa à la porte. Il entendit des pas précipités, puis la voix tourmentée de Valeria où perçait une pointe de soulagement. « Mon Dieu, où avez-vous... » Quand elle constata que Sergei était seul, sa voix se brisa.

La mère d'Anya avait le teint livide et la chevelure ébouriffée. De larges cernes étaient apparus sous ses yeux rougis. Mais Sergei était encore plus méconnaissable : avec ses pommettes fracassées, son nez et ses lèvres enflées, son regard hagard et sa chevelure blanchie, il ressemblait à une caricature de lui-même.

Pourtant, Valeria le reconnut aussitôt, et elle jeta un regard horrifié derrière lui, scrutant les escaliers. « Où est Anya ? »

Sergei restait cloué sur place, incapable de prononcer un seul mot.

« *Où est Anya* », répéta-t-elle. Sa voix n'était plus qu'un chuchotement rauque. Elle plongea ses yeux dans ceux de Sergei, et son cœur devina la réalité avant que son esprit ne la saisisse : Anya n'était pas de retour. Elle ne reviendrait plus jamais.

Sergei l'agrippa avant qu'elle ne tombe, l'installant délicatement sur le divan.

Quand elle rouvrit les yeux, Valeria se redressa brusquement. « Raconte-moi ce qui s'est passé », demanda-t-elle d'un ton monocorde.

« Une bande de crapules nous a attaqués dans le pré. Ils étaient plus forts que moi et m'ont assommé. Anya a été tuée. Je les ai suivis pour venger sa mort, mais j'ai perdu leur piste », résuma Sergei.

Valeria refusait d'admettre la situation — il lui était beaucoup plus facile de croire que son gendre était assez cruel ou dérangé pour inventer des mensonges aussi terribles. Sergei s'assit à ses côtés en silence, jusqu'à ce que la vérité se fraie un chemin vers son cœur de mère. Il lui sembla qu'il la voyait vieillir puis mourir sous ses yeux. Enfin, elle prit la parole d'une voix lasse, à peine audible. « Six jours... et six nuits sans savoir. Au début, j'ai cru que vous vous étiez enfuis tous les deux... puis j'ai prié pour que vous l'ayez fait... j'ai essayé de me convaincre que c'était le cas, mais je savais qu'Anya n'aurait jamais... »

Sergei devina la pensée qu'elle n'osait exprimer : Valeria les avait suppliés de prolonger leur séjour à Saint-Pétersbourg afin qu'elle puisse voir son premier petit-enfant. Elle se reprocherait cet acte d'amour égoïste pour le restant de ses jours.

Sergei imaginait le frère d'Anya, bourreau de travail malgré son inquiétude, tentant d'occuper son esprit tout en priant pour que sa sœur revienne saine et sauve.

Valeria prit une profonde inspiration et demanda, non sans difficulté : « As-tu au moins enterré ma fille ? »

Sergei hocha la tête. « Oui... elle est dans le pré. »

Il tendit la main pour saisir la sienne, mais elle eut un mouvement de recul. Puis elle posa la question qu'il redoutait — celle qui ne cessait de revenir le tourmenter : « *Pourquoi ma belle Anya est-elle morte et toi encore vivant ?* » Comme Sergei restait muet, Valeria poursuivit : « Ici même, dans cette pièce, n'as-tu pas juré de la protéger — de donner ta vie pour protéger la sienne ? N'as-tu pas fait cette promesse ? » Ils connaissaient tous deux la réponse.

Il la regarda, cherchant à établir avec elle un contact visuel. « Mère, je... »

Valeria se leva avec raideur. « Tu les as laissés l'assassiner. Tu es un lâche, indigne d'être mon fils. Maintenant, quitte cette maison. »

Sergei se dirigea lentement vers la chambre qu'il partageait avec Anya pour récupérer quelques affaires. Il contempla pour la dernière fois l'oreiller de sa bien-aimée et caressa la chemise de nuit soigneusement pliée qui attendait son retour. Il la pressa contre son visage et en huma le parfum. Des images surgirent, réminiscences de moments passés ensemble. Sa douleur devint si intense qu'il s'écroula.

Il se releva péniblement et empoigna son havresac, son couteau, sa pelle et quelques vêtements. Puis il repartit comme il était arrivé, vagabond solitaire et sans famille.

❖ ❖ ❖

Après son départ, Valeria s'affaissa contre la porte. Ses yeux secs fixaient le vide, et elle respirait avec peine. Soudain, elle prit conscience qu'Andreas rentrerait bientôt à la maison, et qu'elle devrait lui annoncer la nouvelle. Elle haleta, prise de convulsions. Puis elle fondit en sanglots, incapable d'interrompre ses pleurs.

Elle se releva ensuite et, telle une somnambule, traversa la pièce en serrant ses mains contre sa poitrine, frissonnante. L'appartement, comme son propre corps, lui semblait sinistre et désolé. Elle se tourna vers l'âtre, poussant un nouveau cri de désespoir à la pensée qu'elle ne reverrait jamais sa fille.

Valeria se mit à donner des coups de poing contre le manteau de la cheminée, encore et encore, jusqu'à ce que l'horloge qui y était logée bascule. La précieuse horloge, fabriquée par Heschel Rabinowitz à partir de bois récolté par son Benyomin bien-aimé, tomba avec fracas.

L'un de ses coins percuta le sol, et elle se rompit avec un son discordant, tandis que se répandaient un peu partout des pièces qui brillaient comme des joyaux. Mais Valeria n'aperçut que cendres et poussière avant de s'effondrer sur le parquet du salon.

Ayant accompli son devoir, Sergei revint au pré où étaient enterrés sa femme et son enfant, se préparant à aller les rejoindre. Il avait réfléchi : il ne souillerait pas de son sang la terre où reposait Anya — il s'allongerait plutôt près de sa tombe et laisserait la soif et la faim accomplir leur œuvre.

Une journée passa. Puis deux… et trois… puis il cessa de compter. Les symptômes de la faim avaient disparu depuis belle lurette. Ses lèvres desséchées ne lui offraient qu'une pénitence dérisoire, et même sa mort n'effacerait pas la dette immense qu'il avait contractée.

Il était résolu à ne plus jamais se relever.

Son esprit à demi conscient fut happé par un tourbillon de pensées, de sons et d'émotions. Des images du passé se mêlaient à des visions de ce qui aurait pu être : son père, buvant seul dans une pièce sombre… son grand-père disparaissant au loin… Anya, allaitant leur bébé… leurs enfants s'amusant dans un parc en Amérique.

Puis de mystérieuses impressions surgirent d'une zone obscure, mythique, de son esprit. Il vit le passeur des morts Charon, un vieillard maussade qui l'attendait sur les berges de l'Achéron, fleuve du malheur, pour l'aider à traverser un autre fleuve, le Styx, vers les enfers. Mais Sergei n'avait pas de monnaie à donner au passeur, et il était condamné à errer le long des rives brumeuses de ces fleuves peuplés de morts.

Sergei, nu sur le rivage dont on ne revient pas, laissait son regard couler avec les flots, s'enfoncer dans l'eau noire, glisser sur la surface ridée du fleuve — troublée uniquement par le reflet de la lune et des étoiles. Puis il lui vint à l'esprit qu'il ne s'agissait peut-être pas d'une hallucination — que son corps s'était peut-être réellement relevé d'entre les morts et qu'il se tenait maintenant debout sur la berge surplombant le fleuve Néva. Il se pencha vers l'avant et se laissa basculer dans le reflet chatoyant des astres de la nuit.

Le contact brutal de l'eau stimula le cœur de Sergei, dont le rythme s'accéléra. Il eut d'abord le souffle coupé, puis but à grandes lampées. L'eau eut sur lui un étrange effet thérapeutique. Dans un moment de grâce, le démon de la haine de soi quitta le corps de Sergei, qui se détourna du sentier de la mort.

Il se hissa sur la berge du fleuve, telle la première créature qui émergea jadis de la mer. Ruisselant, Sergei se sentit renaître en cette tiède nuit d'été. La voix d'Alexei le Cosaque résonna dans son esprit : « La valeur d'un être peut se mesurer de deux façons — d'abord par sa vie, et ensuite par sa mort. » La vie de Sergei n'avait pas valu grand-chose, mais sa mort pourrait être déterminante. À ce moment, il décida qu'il ne gaspillerait pas sa vie. Anya s'était battue avec courage ; il ne pouvait que s'en inspirer.

«Comment se peut-il que tu sois encore en vie?» avait demandé Valeria. Il n'avait pu répondre alors à sa question, mais il comprenait maintenant qu'il n'avait pas survécu pour rien. Tandis qu'il se tenait debout, nu sous le ciel criblé d'étoiles, il sentit se cristalliser le but de sa vie, celui-là même qui l'avait arraché aux enfers pour le ramener dans le monde des vivants.

Le visage de son grand-père lui apparut, suivi de ceux de ses parents, l'espace d'une trêve imprégnée du souvenir de l'amour. Mais le charme se rompit brutalement; ses souvenirs ne suffiraient pas à le maintenir en vie. Un seul homme possédait ce pouvoir : Dmitri Zakolyev.

Sergei se rappela l'élan absurde qui l'avait poussé à suivre les traces des hommes de Zakolyev. Comment avait-il pu imaginer qu'il avait des chances d'assouvir sa soif de vengeance? Espérait-il une intervention divine, ou une soudaine impulsion d'une force surhumaine? L'entraînement auquel il avait été soumis dans sa jeunesse l'avait préparé à se battre contre un seul adversaire, voire deux ou trois hommes non entraînés, mais non contre une bande entière de guerriers endurcis. La mort aurait été une voie facile, mais il lui fallait vivre afin d'atteindre son objectif ultime : il s'entraînerait comme un forcené, relèverait toutes les épreuves s'offrant à lui et acquerrait tant de force et d'agilité que la prochaine fois qu'il se retrouverait face à eux, il serait mieux outillé.

Même un sombre dessein peut devenir une raison de vivre.

Ce soir-là, possédé par l'esprit du guerrier, Sergei Sergeievich Ivanov redevint le digne fils de son père. Armé d'une clarté, d'une patience et d'une détermination nouvelles, il acquit la conviction que la vie lui insufflerait le pouvoir dont il avait besoin. D'abord, il se mettrait à la recherche de maîtres susceptibles de guider sa quête. Et quand il serait prêt, il retrouverait Zakolyev et Korolev — et les expédierait directement en enfer.

QUATRIÈME PARTIE

La voie du guerrier

Je n'ai pas toujours cru
que la force peut jaillir d'un cœur brisé,
ou que derrière une tragédie
se cache parfois un but divin.
Mais j'en ai maintenant la conviction.

MAX CLELAND

. 23 .

C'est ainsi qu'au cours de l'été 1892, à l'aube de ses vingt ans, Sergei Ivanov entreprit une quête visant à faire de lui un invincible guerrier.

Progressant à pied en direction du sud, Sergei se remémorait les conseils qu'avait prodigués Alexei le Cosaque à son groupe de cadets captivés, tout en arpentant la salle de classe : « Un soldat intelligent n'essaiera pas de couper un arbre avec une hache émoussée, pas plus qu'il n'ira se battre sans s'y être préparé. Pour vaincre un ennemi, vous devez d'abord apprendre à vous connaître. Faites face à vos propres démons avant de vous précipiter sur le champ de bataille. »

Pour sa part, Sergei avait récemment fait intime connaissance avec ses démons : il avait encore du mal à se concentrer plus que quelques instants sur une tâche sans que les horreurs qu'il venait de vivre ne reviennent le hanter. Avant de commencer à s'entraîner sérieusement, il devait apaiser son esprit torturé et renforcer son corps émacié.

Reprenant donc à nouveau la route des bois, il s'aménagea un petit campement à proximité d'un ruisseau. Il installa quelques pièges, s'adonnant également à la pêche et à la chasse pour se nourrir. Il s'abreuvait de l'eau pure et fraîche des ruisseaux et y accomplissait religieusement ses ablutions matinales. Le soir, son regard se perdait dans la contemplation paisible des flammes de son feu de camp.

Les premiers temps, ses côtes saillaient sur sa poitrine, mais la fin de l'été lui apporta une profusion de fruits mûrs qui vinrent enrichir son alimentation, simple mais nutritive. Il commença à assouplir ses muscles de façon détendue mais rigoureuse, ajoutant peu à peu quelques exercices visant à renforcer ses abdominaux, son dos, ses jambes et ses bras. Au début, il s'en tint aux exercices qu'il avait appris à l'école; cependant, se fiant de plus en plus à son instinct, il en vint à inventer de nouvelles façons de mettre ses muscles à l'épreuve. La vigueur naît de l'effort, songeait-il en se rappelant les paroles de son instructeur cosaque.

Les collines boisées offraient au jeune homme de multiples possibilités d'entraînement. Il commença par parcourir la forêt en marchant, puis en courant, gravissant des pentes abruptes ou progressant dans le ruisseau avec de l'eau jusqu'à la taille. Graduellement, ses séances de jogging atteignirent une dizaine de kilomètres, parfois davantage; il sillonnait au pas de course les collines accidentées, effectuant quelques sprints quand l'envie lui en prenait.

Chaque jour, il imaginait qu'il affrontait le géant Korolev, puis Zakolyev, puis deux, trois, quatre hommes en même temps. Il s'attaquait à des fantômes, boxait contre son ombre, s'exerçant à esquiver des coups ou à rouler sur le sol, raffinant des mouvements qu'on lui avait déjà enseignés. Il se battait jusqu'à ce qu'il soit trempé de sueur — pendant dix, vingt, trente minutes ou même plus —, imaginant que surgissaient des ennemis tapis derrière les arbres ou les rochers, sur tous les fronts, munis de tous les types d'armes possibles. Il s'efforçait d'aiguiser ses réflexes — venant à bout de tous ses adversaires.

Il était relativement facile de vaincre des opposants imaginaires. Mais le moment venu, ses secondes seraient comptées. Pour se venger des renégats dont il voulait la peau, il devait maintenant se mettre à la recherche des meilleurs guerriers cosaques du pays et s'entraîner à leurs côtés.

Vers la mi-octobre, Sergei se sentit prêt à se remettre en route vers le sud.

Il voyageait à pied — marchant, courant ou s'acharnant à se battre contre des fantômes, saisissant la moindre occasion d'accroître sa vigueur et son endurance tout au long de son périple sur les rives du Don.

Quand se mirent à souffler les vents de décembre et que la neige s'amoncela sur le sol, Sergei prit conscience qu'il lui fallait une monture. Pour revendiquer le droit de s'entraîner parmi les Cosaques, il devait s'y présenter à cheval. En outre, il pourrait se déplacer plus rapidement, épargnant ainsi un temps précieux.

Ses trois pièces d'or restantes, ainsi que les deux cents roubles ou presque qu'il avait économisés, se trouvaient toujours dans la petite bourse glissée dans son havresac avec ses quelques autres possessions. Grâce aux pièces d'or, il pourrait se procurer une monture convenable; le reste servirait à combler les besoins qui surgiraient en cours de route. Quand un homme a appris à vivre sans argent, songea-t-il, quelques roubles peuvent le mener loin. Et c'est bien ainsi, car la route qui m'attend risque d'être longue. Sergei se reprocha également de ne pas avoir laissé d'argent à Valeria — mais à ce moment il n'avait pas eu la présence d'esprit de lui en offrir, et puis de toute façon elle ne l'aurait pas accepté.

Chaque fois qu'il passait devant une ferme, il demandait aux paysans s'ils avaient un cheval à vendre. Quelques jours plus tard, il échangeait ses trois pièces d'or plus cinquante roubles contre un robuste étalon, une couverture, une selle, une bride et un mors.

« Il est un peu ombrageux, et n'aime pas traîner ni charrue ni chariot », l'avertit le paysan quand ils conclurent l'entente.

Sergei ne tarda pas à s'apercevoir que son cheval n'acceptait guère davantage la charge d'un cavalier. Mais au cours de sa jeunesse de cadet, il avait acquis assez d'expérience avec les chevaux pour arriver à l'apprivoiser. Après quelques ruades et négociations, l'étalon se calma. Sergei le nomma Dikar, qui signifie « sauvage et fou ».

Au fil des semaines, il se créa un lien intime entre l'homme et l'animal. Sergei n'oubliait pas qu'il montait un être intelligent, infiniment plus précieux que ses autres possessions —

son sac à dos, son sabre ou les vêtements qu'il s'était procurés dans une ville voisine. Ils firent un accord : le cheval porterait Sergei, tandis que celui-ci veillerait à satisfaire les besoins de son coursier.

❖ ❖ ❖

L'hiver fut plus facile à cheval. Pour se protéger des vents qui menaçaient parfois de l'arracher de sa selle, Sergei portait le gilet typique des Cosaques, ainsi qu'une longue cape de feutre nommée *burka*. Et Dikar était robuste ; monture et cavalier pouvaient donc résister aux tempêtes.

Tout juste avant le dégel printanier, plusieurs mois après avoir pris la route du sud, le jeune homme parvint à un village établi près des rives du Don. De l'extérieur, celui-ci ressemblait à un village typique, mais seuls les brigands les plus ignorants se seraient aventurés parmi ces hommes et ces femmes qui avaient la réputation d'exceller au combat.

Quand Sergei fit son entrée dans le village, des flocons de neige tourbillonnants se mêlaient à la fumée des cheminées. Il passa entre les premières cabanes de rondins de bouleau, bâties sous une couverture clairsemée de bouleaux et de pins. La clairière où étaient blotties les habitations se trouvait à quelques centaines de mètres de la rive, à un endroit assez élevé pour être épargné par les crues. La forêt était suffisamment rapprochée pour offrir un pare-vent lors des tempêtes, mais pas trop pour éviter que des espions ennemis ne puissent s'y camoufler. À l'arrivée de Sergei, quelques gamins détalèrent. Un vieillard, emmitouflé dans un paletot de laine, fumait la pipe sur un petit banc.

Percevant un bruit de sabots derrière lui, Sergei se retourna ; quelques secondes plus tard, son cheval avançait côte à côte avec celui d'un autre cavalier. Sergei jeta un coup d'œil à l'habit traditionnel cosaque dont il était vêtu — des bottes de cuir souple, nommées *cheviaki*, et un manteau noir à longues manches, retenu par une ceinture, que l'on appelait *cherkesska*. La poitrine du cavalier était ornée d'une rangée d'étuis à cartouches. Sa *burka*, qui lui servait de couverture, de tente ou de protection contre le vent l'hiver ou le soleil brûlant l'été, était soigneusement repliée sur la selle de sa monture. Il portait également un sabre et une carabine en bandoulière.

Quelques femmes robustes vinrent accueillir les autres cavaliers qui suivaient non loin derrière. Plusieurs jeunes femmes portaient leur nourrisson sur leur dos, ce qui leur laissait les mains libres pour se battre en cas de besoin, comme le voulait la tradition.

Le Cosaque qui se tenait aux côtés de Sergei — plus âgé que lui d'une dizaine d'années, solidement baraqué et couronné par une épaisse chevelure claire en broussaille — inclina la tête en signe de bienvenue. L'évaluant sommairement, Sergei sentit que cet homme pourrait devenir un bon ami ou un adversaire redoutable. Le Cosaque s'adressa à lui avec un fort accent local : « Ne fais-tu que passer, étranger, ou cherches-tu un abri ? »

« Je viens apprendre. »

« Apprendre quoi ? » demanda le Cosaque.

« À me battre. »

L'homme éclata de rire et se retourna en souriant vers les cavaliers qui avaient entendu cette réplique. « Eh bien, tu as choisi le bon endroit. »

« Et le bon partenaire », ajouta un de ses compagnons.

Le Cosaque se présenta sous le nom de Leonid Anatolevich Chykalenko. Comme les hommes semblaient avoir envie d'un léger divertissement, ils organisèrent un combat cet après-midi-là dans la grange, sans ameuter tout le monde, prenant des paris entre eux. Sergei perdit le premier combat et remporta le second, prenant Leonid et les spectateurs par surprise et gagnant leur respect. Le troisième combat fut déclaré nul. Sergei avait trouvé en Leonid un opposant vif, habile et astucieux. Cependant, son propre entraînement physique avait également porté ses fruits. Cette rencontre — la première avec un véritable adversaire depuis sa défaite écrasante contre les hommes de Zakolyev — lui avait donné un regain de confiance. Il avait prévu faire pire impression.

Sergei complimenta Leonid, déclarant sans mentir qu'il était l'un des meilleurs combattants qu'il avait affrontés dans sa vie, et le remerciant pour son enseignement.

Leurs adieux se firent sur un ton amical, cette rencontre leur ayant rappelé à tous deux que le monde recelait d'autres âmes bienveillantes. L'espace d'un instant, Sergei eut envie de s'établir un moment dans ce village paisible, de s'intégrer à cette communauté. Ce désir, cependant, se dissipa aussitôt : il ne pouvait se permettre de se détourner de sa voie.

Sergei vécut une expérience semblable dans le village cosaque suivant, puis dans un autre encore. Chaque victoire lui révélait la force, la rapidité et l'agilité qu'il avait acquises au cours des derniers mois en luttant contre des ennemis invisibles. Toutefois, le jeune homme prit conscience que pour vaincre Zakolyev et sa bande de Cosaques, il lui manquait quelque chose. Les matchs amicaux contre un seul adversaire étaient utiles, certes, mais ils n'avaient rien à voir avec le combat mortel qui l'opposerait à plusieurs hommes. Sergei ressentait le besoin de recevoir l'enseignement d'un mentor comme Alexei, qui surpassait non seulement les hommes ordinaires mais également les autres guerriers cosaques.

Une conversation qu'il avait eue avec Leonid Chykalenko et quelques-uns de ses compagnons en partageant avec eux le repas du soir lui revint en mémoire. Tandis qu'ils contemplaient les flammes crépitant dans l'âtre, Leonid lui avait fait une confidence : « J'ai entendu des rumeurs à propos d'une fine lame, un homme qui vit en ermite dans la forêt au sud-est du Don — quelque part près d'un minuscule hameau formé de quelques huttes seulement, niché entre les collines dans les environs de Kotelnikovo. On m'a raconté que cet homme a beaucoup voyagé dans sa jeunesse… qu'il se serait entraîné avec les samouraïs du Japon… et qu'il aurait été reçu par leur dernier grand Ataman, le Shogun… il aurait désarmé l'un de ses samouraïs avant même que celui-ci ne puisse retirer son sabre de son fourreau. »

« Son nom ? » avait demandé Sergei.

« Personne ne le connaît avec certitude. Mais j'ai entendu dire qu'il se faisait appeler Razin. »

. 24 .

Par une journée venteuse du mois de mars 1893, Korolev revenait de la chasse, portant sur son dos une carcasse de cerf. En entrant dans leur camp temporaire, il vit une des nouvelles recrues, un grand buveur nommé Stachev, tituber en direction de sa hutte, puis s'écrouler face contre terre.

Étrangement, la façon dont il tomba rappela à Korolev le jour où l'Ataman avait retrouvé celui qu'il cherchait — Ivanov, en compagnie de sa femme. Il avait abandonné Ivanov le visage contre le sol, lui laissant la vie sauve. C'était une décision imprudente, mais peu importait maintenant — ils avaient parcouru une longue route vers le sud depuis, rejoignant les plaines plus clémentes s'étirant entre Kharkov et le fleuve Dniepr. Et d'ailleurs, Korolev considérait Ivanov comme un pauvre minable, qui ne méritait même pas qu'on se souvienne de lui.

Et pourtant, le géant ne l'avait pas oublié, car Stakkos avait bien changé à partir de ce jour-là. Non seulement avait-il pris un nouveau nom — Dmitri Zakolyev — mais son humeur s'était améliorée, comme s'il avait été soulagé d'avoir enfin réglé cette affaire. Sauf, se remémora Korolev, lors d'un incident qui s'était produit quelques jours plus tard.

Après un raid, par précaution, Zakolyev envoyait toujours Tomorov l'éclaireur derrière eux pour s'assurer qu'ils n'étaient pas poursuivis. À la suite de leur rencontre avec Ivanov, Tomorov était revenu faire son rapport : « Je n'ai vu qu'une famille voyageant en chariot… et un homme seul, qui avançait en trébuchant. »

Devant l'expression de Zakolyev, l'éclaireur avait rapidement ajouté : « Il ne pouvait s'agir du même homme,

Ataman — ses cheveux étaient blancs, et il semblait vieux et souffreteux… »

Zakolyev avait néanmoins ordonné à Tomorov de retrouver cet homme, de l'abattre et de ramener son corps.

Quand Tomorov était revenu bredouille, Zakolyev avait annoncé qu'ils levaient le camp immédiatement.

Un mois plus tard, ils s'étaient établis beaucoup plus loin au sud-ouest, près de la région montagneuse des Carpates et de la Roumanie. À partir de cet endroit, ils se mirent à patrouiller le long de la frontière comme le faisaient normalement les Cosaques. Ils reprirent également leur habitude de mener des raids dévastateurs de temps en temps, après quelques mois de patrouille. Tout était revenu à la normale — y compris les cauchemars de Zakolyev.

Korolev savait que l'Ataman avait un sommeil agité ; en fait, le manchot s'efforçait d'être au courant de tout. Grâce aux quelques hommes qui cherchaient à obtenir ses faveurs, ainsi qu'aux femmes qu'il terrifiait, tout renseignement digne d'intérêt lui était rapidement communiqué. Cependant, personne ne pouvait lui révéler ce qui se passait dans la tête de Zakolyev. Korolev aurait volontiers échangé sa longue tresse noire contre le secret qui troublait le sommeil de l'Ataman. Ce secret, en effet, devait valoir son pesant d'or. Le géant étudiait l'Ataman comme on observe un animal dans son habitat naturel. Mais Zakolyev demeurait une énigme, et Korolev n'aimait pas les mystères. Il s'efforçait de les résoudre ou les dissipait à grands coups de poing.

Au début, Zakolyev lui avait semblé infaillible. Il vivait frugalement, ne recherchant pas la compagnie des femmes. Il buvait rarement. En fait, il semblait être un modèle de vertu, à l'exception du plaisir qu'il prenait à massacrer les Juifs. Cela faisait partie de sa nature, présumait Korolev : aussi instinctivement que piquent les scorpions, Zakolyev s'en prenait aux Juifs.

Korolev ne voyait qu'une faille dans l'armure de Zakolyev : l'étrange affection qu'il portait aux enfants. L'Ataman *aimait* réellement ces petites bêtes, en particulier les jeunes morveux encore au sein qui ne connaissaient encore rien de la vie, et qui auraient souri et gazouillé devant le diable lui-même. Mais dès que ces bébés grandissaient, et que Zakolyev voyait surgir dans leurs yeux une lueur de peur, il cessait de s'y intéresser, sauf à titre de servants ou de descendants susceptibles de perpétuer sa dynastie.

Parmi les enfants nés ou adoptés au sein de la bande, l'Ataman semblait s'être particulièrement attaché à deux bébés nouvellement arrivés : un garçon, Konstantin, et une fille qu'il avait prénommée Paulina. Tout juste après l'arrivée de celle-ci — au moment où son cri avait déchiré la nuit —, il avait affirmé que l'enfant était sienne. Il avait déclaré qu'une femme nommée Elena était la mère de Paulina, mais que Shura, plus âgée et plus apte aux devoirs maternels, serait chargée de s'occuper de l'enfant.

Un jour, alors que la petite lui avait serré le doigt, l'Ataman avait fait remarquer avec une fierté toute paternelle : « Elle est vigoureuse, cette enfant ! » Shura avait acquiescé, comme toujours. Tout ce qui sortait des lèvres de l'Ataman faisait office de vérité.

Ayant franchi le cap de la quarantaine, Shura était la femme la plus âgée de la bande, et la première à s'y être ralliée. Des brûlures subies dans sa jeunesse lui avait laissé des cicatrices sur une joue, dans le cou et sur la poitrine. Le seul autre aîné de la bande, le grand Yergovich, l'avait prise en amitié et s'offusquait que les hommes plus jeunes assouvissent leurs instincts sur la pauvre femme, mais cette situation perdurait. Heureusement pour elle, elle était l'une des seules femmes qu'ignorait Korolev.

S'exprimant comme un charretier, Shura ne perdait pas une occasion de se lamenter devant quiconque lui prêtait oreille. La plupart du temps, cependant, elle se parlait à elle-même. Veillant à ne pas se plaindre devant l'Ataman, elle grommelait à propos de la température ou de vétilles comme les nœuds qu'elle devait démêler dans les cheveux des petites filles. Quand celles-ci la voyaient s'approcher, armée de son peigne de bois, elles détalaient dans l'autre direction.

Veuve depuis plusieurs années, son homme ayant été abattu lors d'une querelle d'ivrognes, Shura avait suivi son fils Tomorov quand il avait décidé de se joindre à la bande de Zakolyev. L'Ataman ne tolérait aucune faiblesse maternelle. « Si les enfants dont tu es chargée nous causent des soucis, lui avait-il dit, nous les abandonnerons derrière nous. » Elle comprenait la portée de cet avertissement, comme elle savait aussi que dès que les petites filles atteindraient l'âge de plaire aux hommes de la bande, elles seraient mises à leur disposition.

Toutes, sauf la petite Paulina.

L'autre favori de l'Ataman, Konstantin, était conscient des faveurs dont il faisait l'objet, et il regardait Zakolyev avec des yeux admiratifs de jeune chiot fidèle à son maître. Ce rôle seyait fort bien à ce petit garçon curieux, aux grands yeux sombres et aux cheveux ébouriffés. Parfois, Zakolyev le regardait en souriant; à d'autres moments, il portait sur lui un regard mélancolique — sans que Korolev ne réussisse à deviner pourquoi.

De son côté, Korolev trouvait absurdes les épanchements émotifs de l'Ataman — la façon dont il tapotait la tête de ses favoris, par exemple, ou dont il insistait pour qu'ils l'appellent « papa Dmitri ». Cela lui donnait la nausée. Mais malgré cela, il se réjouissait d'avoir trouvé cette faille chez Zakolyev : en sachant ce qui est cher aux yeux d'un homme, il devient plus facile de savoir où enfoncer le couteau.

Korolev méprisait aussi l'habitude de Zakolyev consistant à dépouiller les habitations des Juifs qu'ils massacraient. C'était une chose de tuer, mais autre chose de se comporter comme un vulgaire voleur. Et la façon dont il regardait ces souvenirs, une fois de retour au camp, était ridicule. Korolev aurait pu comprendre que l'Ataman se plaise à dérober l'argent, l'or et les bijoux, mais pourquoi collectionner des objets souillés, des carnets et des photographies ayant appartenu aux gens qu'ils venaient d'assassiner? Des babioles sentimentales? Le géant n'était pas superstitieux, mais il lui semblait évident qu'il était insensé de ramener ces objets au camp.

Bien que l'Ataman soit devenu un peu plus excentrique au fil du temps, il avait su préserver son autorité, et les raids se poursuivaient de la même façon : les éclaireurs partaient en mission de reconnaissance, à une distance d'au moins deux jours à cheval vers le nord, le sud, l'est ou l'ouest — jamais deux fois de suite dans la même direction. Ils s'efforçaient de repérer les huttes, les cabanes ou les petites fermes, épiant leurs habitants de loin jusqu'à ce qu'ils puissent déduire qu'il s'agissait de Juifs. Parfois, un éclaireur laissait son cheval aux autres et allait frapper à leur porte pour demander son chemin. S'ils voyaient des femmes, ils s'en réjouissaient.

Avec le temps, deux autres femmes blasées par la vie de leur village, Oxana et Tatyana, s'étaient ralliées au groupe de Zakolyev. Elena, Oxana et Tatyana avaient donné naissance à quatre des neuf enfants de la bande, mais personne se ne souciait plus guère de ces liens biologiques.

En dépit de leurs apparences normales, les femmes et les hommes guidés par Zakolyev étaient des marginaux et des hors-la-loi. Plutôt amicaux entre eux, ils devenaient de véritables bêtes sauvages lorsqu'ils se lançaient à la poursuite d'une proie. Donnant la mort sous les ordres de Zakolyev — certains à contrecœur, d'autres avec plaisir —, ils avaient donné leur âme à leur chef dont ils accomplissaient les quatre volontés.

. 25 .

À cheval sur Dikar, Sergei longea le Don vers le sud, puis bifurqua vers l'est où il trouva plusieurs autres campements cosaques. Il y entrevit la possibilité de se livrer à d'autres combats amicaux, mais l'écarta. Pour vaincre une bande de Cosaques, il devait s'élever au-dessus d'eux. Et pour y arriver, il devait trouver Razin. Le fait que Leonid Chykalenko ait évoqué cet homme ne lui semblait pas un hasard. Peu à peu, cette quête devint obsessionnelle.

Cependant, il ne s'avéra pas aisé de repérer les quelques huttes blotties dans l'ombre d'une forêt dont avait parlé Leonid. Sergei s'informa auprès de nombreux villageois, mais il n'obtint que de vagues renseignements contradictoires. Après trois mois, il commença à douter de l'existence de Razin. Après tout, il avait déjà eu vent de l'existence de plusieurs grands guerriers, mais il s'agissait la plupart du temps de simples légendes. Pourtant, il ne pouvait se résoudre à abandonner ses recherches.

Quelques semaines plus tard, Sergei sentit son pouls s'accélérer quand, sillonnant une forêt, il vit surgir quelques huttes devant lui. Il aperçut une vieille femme qui l'observait dans l'entrebâillement d'une porte branlante, et lui demanda si elle était au courant de la présence d'une fine lame dans les environs. Elle le fixa quelques instants, comme si elle tentait de discerner ses intentions, puis pointa le doigt vers un toit de chaume au loin, à peine visible entre les arbres. Avant même qu'il n'ait pu la remercier, elle avait déjà refermé sa porte.

Sergei conduisit son cheval jusqu'à la hutte, mit pied à terre et cogna légèrement à la porte. Pas de réponse. Il frappa un autre coup. Puis, soudainement, il sentit la pointe d'un sabre entre ses omoplates.

Il eut envie de se retourner brusquement pour désarmer l'attaquant, mais se ravisa. Si l'homme avait voulu le tuer, il l'aurait déjà fait. Il entendit une voix rauque dans son dos : « Qu'est-ce que tu veux ? »

« J'aimerais recevoir l'enseignement du maître Razin », expliqua-t-il. La pointe du sabre s'enfonça un peu plus dans sa peau.

« Qui t'a envoyé ici ? »

« Un… un Cosaque… qui avait entendu parler de votre habilité… »

« Je n'enseigne pas. Disparais ! » Abaissant enfin sa lame, l'homme contourna Sergei pour rentrer dans sa hutte, refermant la porte derrière lui.

Sergei frappa à nouveau.

« Disparais ! » répéta-t-il d'une voix gutturale et menaçante qui fit frissonner Sergei. Pourtant, il n'abandonna pas la partie.

« Laissez-moi vous expliquer — j'ai l'impression que le destin m'a conduit à vous… »

La porte s'ouvrit de quelques centimètres. « Ne me dérange plus ! » beugla Razin d'un ton bourru. Sergei ne fit qu'entrapercevoir un visage hâlé aux pommettes anguleuses et au regard féroce sous un crâne rasé — avant que la porte ne lui claque à nouveau au nez.

Sergei avait trouvé son maître — celui qui pourrait faire basculer le combat décisif en sa faveur. Il l'avait cherché trop longtemps pour rebrousser chemin. Il se souvint d'une parole d'Alexei — ou était-elle de son oncle Vladimir ? « Le guerrier doit savoir mener à terme toute action qu'il entreprend. »

Convaincu de la force inexorable de son destin, Sergei résolut de rester assis devant la porte de Razin jusqu'à ce que celui-ci l'accepte comme élève, ou que la mort vienne l'arracher à son attente.

Comme Dikar ne s'était pas porté volontaire pour une telle épreuve, Sergei le conduisit une vingtaine de mètres plus loin dans la forêt, près d'un ruisseau où il l'attacha sous de grands pins. Il faisait froid mais non glacial, et à moins d'une tempête tardive, le poil d'hiver de Dikar le garderait bien au chaud. Le cheval avait ingurgité une généreuse ration de foin dans une ferme la veille, et sa corde ne l'empêcherait pas de brouter sur les berges de la petite rivière.

Puis Sergei regagna la hutte de l'ermite et s'assit les jambes croisées, adossé contre un arbre. Une heure passa... puis deux... puis quatre. Le froid commença à gagner son corps, de plus en plus ankylosé et engourdi. Il en vint à ne plus sentir ses mains, ses bras ni ses jambes. De temps en temps, un frisson le parcourait, puis il fut pris de somnolence. Au cours de la nuit, il tomba sur le côté, mais se força à se rasseoir. Ce mouvement réactiva un peu sa circulation sanguine, ce qui lui redonna une conscience douloureuse de ses nerfs.

À un moment, la faim qui le tiraillait s'évanouit. Un nouveau jour clair et frisquet se leva,faisant jaillir un flot de souvenirs — dont certains le firent sourire, d'autres non : Anya et lui se baladant en riant dans les rues éclaboussées de soleil de Saint-Pétersbourg... puis l'horreur, le sourire sardonique de Zakolyev, Korolev déchirant la chemise d'Anya...

Tenaillé par ces souvenirs, Sergei se redressa avec une détermination nouvelle.

Tandis que le soleil se hissait dans le ciel, n'offrant qu'une chaleur insuffisante, une pensée lui traversa l'esprit : Razin savait-il qu'il attendait devant sa porte ? Il se pouvait que l'ermite ait décidé de quitter sa hutte. Au moment même où cette crainte l'effleurait, il entendit la porte s'ouvrir, puis des bruits de pas à peine audibles qui s'éloignaient dans la forêt, puis revenaient. Oui, Razin avait sûrement aperçu Sergei, mais il semblait l'ignorer délibérément.

À la tombée du deuxième jour, Sergei ne savait plus s'il était encore capable de bouger. Sa langue se frayait un chemin entre ses lèvres desséchées à la recherche d'humidité, cherchant à attraper quelques flocons. À l'aube, il perdit la notion du temps. Lumière et obscurité se succédaient. Une autre nuit, puis une troisième journée. Lors de ses moments de lucidité, entre deux visions qui envahissaient son esprit, Sergei se demandait s'il avait perdu la raison. Où se situait la frontière entre la détermination et l'obsession ?

Une fois de plus, le jour tira sa révérence et les ténèbres enveloppèrent Sergei, qui flottait entre la conscience et l'inconscience. Puis il aperçut un trait de lumière, et tout le reste sombra dans le néant.

Une voix lointaine lui fit reprendre ses esprits. « D'accord », entendit-il. Puis la voix, plus forte : « Je ne veux pas que ton cadavre empeste ma demeure ! Lève-toi ! »

Sergei s'efforça en vain de se hisser sur ses pieds. Il sentit des bras robustes le soulever, mais ses jambes refusaient de le porter. Razin le remit donc en position assise et revint avec un seau d'eau. Il en déversa la majeure partie sur la tête de Sergei — ce qui fit à celui-ci l'impression d'un divin déluge. Bientôt, il put remuer ses bras et ses jambes, mais il n'aurait pu dire si l'eau était chaude ou froide. Puis Razin lui fit boire une gorgée. « Pas trop ! » ordonna-t-il d'un ton cassant.

Graduellement, Sergei reprit le contrôle de ses muscles. Il frotta ses pieds avec une vigueur accrue, puis il roula sur le sol et parvint à se relever, encore faible et étourdi. Razin le fit entrer dans sa hutte et lui donna un abricot sec. « Mastique-le lentement ! » précisa-t-il en lui tendant une tasse de thé chaud et un cube de sucre pour qu'il boive le liquide à la manière russe.

« Assieds-toi là ! » lui dit-il en le conduisant près du grand foyer. Au-dessus du feu pendait une grande marmite de fer, dans laquelle fumait une soupe à base de grains et de légumes d'hiver, agrémentée d'un peu de viande. « Remue bien la soupe, puis remplis nos bols», commanda-t-il, laissant Sergei seul un instant.

Sergei fit ce qu'il lui avait demandé.

Quand Razin revint, il fit signe à Sergei de manger près du feu, tandis que lui s'installait à sa petite table. Puis il lui redonna à boire.

Quand Sergei eut terminé son repas, il lui ordonna de laver les deux bols, ajoutant : «Il se peut que je t'accepte comme élève. Nous verrons...»

Puis il désigna la marmite qui pendait dans l'âtre. «Très important — pour ma soupe tous les soirs.» Il montra à Sergei ses réserves d'orge, d'avoine et de kacha — du gruau de sarrasin — ainsi qu'un petit potager de légumes d'hiver auquel il lui faudrait veiller. Puis il lui indiqua la fosse qui faisait office de toilette. «Tiens cet endroit propre!» Sergei comprit qu'il devrait préparer les repas de Razin, laver ses vêtements, balayer le plancher et nettoyer les latrines.

Désignant la hutte de la vieille femme qu'avait rencontrée Sergei et la petite étable tout près, Razin ajouta : «Tu peux garder ton cheval là-bas. Va t'en occuper maintenant. Puis reviens et mets-toi à l'ouvrage.»

Sergei se leva pour aller donner une ration d'avoine et d'orge à Dikar, qu'il conduisit ensuite à l'étable où il enleva sa selle et sa couverture. Puis il revint à la hutte.

Au cours des jours qui suivirent, Sergei fit de son mieux pour plaire au vieux guerrier, en vain. Razin restait irritable, ne cessant d'aboyer de nouveaux ordres. Sans se plaindre ni riposter, Sergei préparait la soupe; il se servait d'une grande cuillère de bois pour mélanger légumes et céréales, puis couvrait la marmite avec un lourd couvercle de métal pour laisser mijoter le tout. La première fois, Razin ne fit que grommeler quand il goûta la soupe. Après avoir vidé son bol, il poussa un nouveau grognement pour signifier à Sergei qu'il pouvait se servir à son tour.

Entre ses multiples tâches, Sergei partait à la recherche de nourriture dans la forêt, ramassant des œufs et capturant quelques lièvres. Il réussit aussi à trouver le temps de monter Dikar, d'explorer les environs immédiats et de faire quelques exercices d'assouplissement.

Deux semaines passèrent, puis trois; Sergei, ne se limitant plus aux ordres de Razin, apporta quelques améliorations rudimentaires à la hutte — il répara la porte et une fenêtre qui claquait au vent. Cependant, même quand le jeune homme avait terminé de passer le balai, de faire le ménage, de plier les vêtements et de préparer les repas, Razin ne glissait pas un mot à propos de l'enseignement qu'il était venu recevoir.

Quatre autres semaines défilèrent. Ils étaient à la mi-mai, et Sergei ne pouvait attendre plus longtemps. Un soir, en servant la soupe, il prit la parole : « Maître Razin, j'espère... »

« Pas maître Razin », l'interrompit l'ancien guerrier. « Seulement Razin. »

Sergei hocha la tête, puis poursuivit : « J'ai accompli mes tâches le mieux possible... j'espère qu'elles vous donnent satisfaction. »

Razin émit un simple grognement.

« J'ai besoin de savoir si je me suis mérité le privilège de m'entraîner à vos côtés. » Razin dévisagea Sergei d'un air qui lui donna la chair de poule. Il se retourna sans répondre à sa question, ce qui poussa Sergei à ajouter : « J'ai une mission à accomplir; je ne peux la repousser plus longtemps. C'est une question de vie ou de mort. »

Razin fit face à Sergei : « C'est toujours une question de vie ou de mort avec vous, jeunes gens. »

Sergei décida de lui révéler l'objet de sa quête, car cela lui semblait l'unique façon d'inciter Razin à coopérer. « Des hommes qui se prétendent Cosaques ont assassiné ma famille.

Ils risquent de tuer de nombreux autres innocents. Je dois les arrêter. Vous m'avez promis de m'enseigner... »

« Je n'ai rien promis ! » rugit Razin avant de quitter la pièce comme une tornade.

Sergei était perplexe. Ce vieil homme était-il un charlatan qui exploitait Sergei en le traitant comme un imbécile ? Avait-il perdu tout ce temps pour rien ?

Ce soir-là, alors que Sergei était assis près du feu à remuer le ragoût, il reçut un tel coup à la tête qu'il en perdit presque connaissance. À demi assommé, croyant qu'une poutre était tombée du plafond, il fit volte-face.

Razin se tenait à ses côtés, une massue de bois à la main.

Son visage était neutre : aucune trace de colère, rien. Il se retourna calmement, se dirigea vers sa chaise, appuya le gourdin contre le mur et s'assit tranquillement. Puis il sortit un livre et se mit à lire. Sergei porta la main à son crâne ensanglanté, où il sentait déjà surgir une large bosse.

Donc, Razin était fou. Et sadique de surcroît. Sergei s'apprêtait à quitter la hutte quand quelque chose le retint. Il faisait déjà nuit, après tout ; ses pensées seraient plus claires le lendemain matin.

Dès qu'il se laissa gagner par le sommeil, *bam* ! Pris de panique, il se redressa dans son lit, battant l'air de ses mains. Il entrevit le dos de Razin qui retournait à son lit de camp.

Après avoir frotté son tibia endolori, Sergei replongea à nouveau dans un sommeil agité. Mais juste avant l'aube, il fut réveillé de façon semblable, récoltant un nouveau bleu. Réprimant un bâillement, il s'en fut faire sa trempette matinale dans le ruisseau. L'eau glacée engourdit son corps meurtri.

Ce jour-là, ainsi que tous les jours de la semaine qui suivit, Razin, aussi rapide et silencieux que le vent, frappa Sergei chaque fois qu'il était distrait ou préoccupé. Celui-ci aurait aimé se défendre, mais Razin profitait toujours d'un moment d'inattention de sa part. La douleur devint pour lui une compagne si habituelle qu'il en vint presque à oublier la sensation de n'avoir mal nulle part.

Chaque fois qu'il avait envie de mettre fin à ce harcèlement, Sergei se rappelait qu'il n'était pas un prisonnier — en tout temps, il pouvait quitter la hutte, enfourcher Dikar et disparaître. Cette pensée lui insufflait une force nouvelle. Un jour, une heure, une minute encore. Il pouvait s'agir d'une initiation visant à mettre à l'épreuve la détermination des élèves potentiels. S'il résistait, Sergei était convaincu que Razin lui transmettrait un précieux enseignement.

Jour et nuit, les coups continuaient de pleuvoir sur lui — dix, vingt, trente —, jusqu'à ce qu'il cesse de compter. Et pendant tout ce temps, il continuait de vaquer à sa besogne quotidienne et à dormir d'un seul œil.

Une nuit, Sergei se réveilla en sursaut sans savoir pourquoi. Comme il ne percevait pas la présence de Razin à ses côtés, il s'apprêta à se rendormir. Mais une idée lui traversa l'esprit : pourquoi ne pas renverser les rôles ?

Il mit presque vingt minutes à franchir les cinq ou six mètres séparant son petit matelas du lit de camp de Razin, se déplaçant à tâtons dans l'obscurité totale. Se réjouissant de la surprise qu'il allait provoquer, il brandit au-dessus de sa tête l'oreiller de paille qu'il avait traîné et l'abattit sur le lit —

Celui-ci était vide. *Où était donc Razin ?*

Sergei eut à nouveau la chair de poule en imaginant que Razin pourrait chercher à le surprendre dans l'obscurité — et non pas avec un simple bâton mais avec un sabre. Il se retourna vivement —

Il n'y avait personne derrière lui. Dérouté, il réintégra son propre lit, où il trouva Razin endormi.

Sergei ne dormit pratiquement pas du reste de la nuit. Et le jour venu, il demeura dans un état d'alerte et d'anxiété constant, s'attendant à recevoir un coup à tout moment, tournant les coins avec précaution, prêt à lever la main pour se protéger.

Puis cela se produisit, au moment où il s'y attendait le moins : un soir, alors qu'il était en train de soulever le couvercle de la marmite pour remuer le ragoût, il fit un brusque mouvement juste à temps pour parer le coup de Razin, qui fit résonner le couvercle de métal. Surpris, Sergei se retourna et aperçut son maître qui le regardait.

Un large sourire illumina le visage de Razin.

S'enhardissant, Sergei demanda : « Est-ce que cela signifie que mon entraînement peut commencer ? »

« Non », répondit Razin. « Ton entraînement est terminé. »

Ce n'est qu'à ce moment que Sergei saisit toute la portée de l'enseignement de Razin. Toutes ces attaques… tout ce temps… le maître lui avait appris à réagir instinctivement. Voilà la sagesse qui se cachait derrière son apparente folie.

Son initiation terminée, Sergei pouvait maintenant reprendre sa route.

Le lendemain matin, Sergei avait sellé Dikar et s'apprêtait à l'enfourcher quand il sentit une présence derrière lui. Il pivota sur ses pieds et vit apparaître Razin.

Son maître poussa un grognement d'approbation. « Bravo. Tu ne m'as pas fait perdre mon temps. »

« Vous pensez donc que je suis prêt à affronter ces hommes ? »

« Évidemment que non ! Mais tu es peut-être prêt à apprendre… »

Razin était un homme peu loquace, et Sergei crut qu'il avait prononcé ses dernières paroles. Mais lorsqu'il se mit en selle, le vieux guerrier ajouta : « Il existe un maître — bien meilleur que moi. »

« Au sabre ? »

« En tout. En n'importe quoi. En rien. Je l'ai vu se battre contre une centaine d'adversaires… il n'a jamais été vaincu. Il pourrait projeter un homme sur le sol sans même y toucher. »

Razin fit une pause, puis poursuivit : « Il vivait autrefois sur l'île de Valaam… dans le lac Ladoga. Il y est peut-être encore… »

Le maître s'interrompit, jugeant qu'il en avait assez dit. Après un dernier signe de tête, il se retourna et s'enfonça dans la forêt.

. 26 .

Tandis que Dikar le portait vers l'ouest en direction du Don, Sergei songeait aux deux grands voyages qui l'avaient mené dans le sud de la Russie — quand il s'était enfui de l'école militaire, et maintenant qu'il poursuivait Zakolyev et sa bande. Il était probable que ceux-ci effectuaient des raids dans cette région, dans le territoire imposé aux Juifs plus à l'ouest.

En route, Sergei se remémora les derniers mots de Razin. Toutefois, il n'avait pas l'intention de regagner le nord à cheval, de parcourir un millier de kilomètres une fois de plus pour se lancer à la recherche d'un mystérieux guerrier qui avait vécu jadis sur une île dans les eaux du lac Ladoga — un autre maître qui, de toute façon, ne voudrait sans doute pas lui prodiguer son enseignement.

Mais la mention du lac Ladoga — situé à moins d'une centaine de kilomètres du pré où reposaient sa femme et son enfant — lui fit l'effet d'un coup de poignard au cœur. Non, il ne ferait plus de détours. Il tira la bride de son cheval vers l'ouest.

Au cours du mois de mai 1893, Sergei traversa le fleuve Don avant de prendre la direction du sud, vers l'Ukraine, le bassin du Dniepr et les territoires juifs.

Deux jours plus tard, l'énormité de sa tâche lui sauta aux yeux. Il avait glissé son doigt de quelques centimètres sur sa carte : ainsi, qu'il était facile de traverser collines, mers, prairies, forêts et terres agricoles ! Mais en levant les yeux vers le paysage qui s'étalait devant lui — strié de rivières qu'il lui faudrait franchir à gué, de pentes rocailleuses à escalader et d'immenses étendues à parcourir —, il prit conscience des faibles chances qu'il avait de retrouver Zakolyev. Il ne pouvait se fier qu'à des rumeurs : c'était comme essayer d'attraper une mouche que quelqu'un aurait entendu bourdonner dans une pièce trois jours plus tôt.

Après des mois passés à sillonner la région, traversant Kharkov, Poltava, Kiev et les territoires environnants, Sergei n'était guère plus avancé. Un commerçant juif avait entendu parler de brigands cosaques frappant plus à l'ouest; d'autres villageois étaient convaincus qu'une bande semblable avait été aperçue pour la dernière fois à l'est… au nord… ou au sud. Un paysan rapporta qu'un ami d'un ami avait entendu parler de fantômes qui attaquaient à cheval pendant la nuit, massacrant et brûlant tout sur leur passage avant de se volatiliser avant l'aube.

Une autre année passa, une éternité où l'espoir de Sergei s'amenuisait chaque jour au fil des heures et s'éteignait au coucher du soleil pour renaître le matin. En août 1894, chevauchant sous un soleil de plomb, Sergei songea avec nostalgie aux neiges hivernales en essuyant son front baigné d'une sueur qui lui brûlait les yeux. Dikar était assoiffé et impatient, tirant sur ses rênes et baissant la tête au moindre signe d'eau. L'été ne fut guère plus fructueux que le printemps.

L'automne venu, Sergei atteignit l'âge de vingt-deux ans au beau milieu des vastes plaines russes, menant son cheval d'un hameau à l'autre. Il découvrit les décombres de plusieurs fermes, mais rien d'autre. À son arrivée, il ne restait aucune trace des brigands. Peut-être le paysan avait-il raison : il poursuivait des fantômes.

Au cours de l'été, Sergei avait dormi sous le ciel étoilé, mais avec l'arrivée des vents d'automne, Dikar et lui trouvaient refuge dans l'étable d'un paysan quand ils le pouvaient.

En décembre, après avoir marqué sur sa carte l'emplacement des décombres rencontrés et indiqué d'un point les endroits associés à des rumeurs d'attaques, il tenta d'y découvrir des constantes ou d'autres indices, en vain. Découragé, il poursuivit sa route. Que pouvait-il faire d'autre ?

Tandis que quelques flocons voltigeaient dans l'air au-dessus du fleuve Boug, au sud-ouest de Kiev dans les environs de Vinnitsa, un paysan informa Sergei de la mort du tsar Alexandre III, auquel succédait Nicolas II. Entre-temps, le jeune homme poursuivait inlassablement sa quête.

À la fin d'un long hiver, Sergei fut envahi par des doutes croissants qui le plongèrent dans une profonde dépression. Il s'était entraîné. Il s'était battu contre d'impressionnants Cosaques. Razin avait aiguisé ses instincts. Pourtant, il ne semblait pas plus près de retrouver Zakolyev que le jour où il avait perdu sa piste trois ans auparavant. Avait-il gaspillé ces années ? Perdrait-il de la même façon les trois suivantes, ou même six ou dix autres ?

Même Dikar semblait marcher avec apathie, tel un cheval sans cavalier. Le pâle soleil était encore trop faible pour dégeler les rivières ou réchauffer le sang de Sergei. Mais celui-ci s'acharnait à avancer malgré l'effritement de ses espoirs, sous des ciels maussades et des rafales chargées de neige. Parfois, il lui semblait qu'ayant déjà rendu l'âme, il errait dans un purgatoire peuplé d'âmes perdues. Une nuit, laissant ses pensées s'envoler vers Anya, il plongea sa tête entre ses mains et sanglota.

Toutefois, le printemps revint, suivi de l'été, et ces saisons plus clémentes lui apportèrent sinon de l'espoir, du moins une douce chaleur. Puis, par un après-midi d'octobre, tandis que le vent soufflait en bourrasques, annonçant de froides averses, Sergei décida d'établir son camp dans une forêt près d'un village. Il entrava Dikar pour qu'il puisse brouter dans les environs, puis partit se dégourdir les jambes en direction du bourg où il pourrait peut-être dénicher un indice, une bribe d'information ou simplement un visage amical.

Tout juste à l'extérieur des murs de la ville se tenaient quatre hommes d'apparence peu soignée, qui flânaient comme s'ils étaient ivres. Sergei continua à regarder droit devant lui, mais l'un des hommes lui barra la route et l'accosta : « Que cherches-tu dans notre village, étranger ? As-tu besoin de nourriture, de vodka ou de femmes ? »

« Ici, la vodka est de meilleure qualité que les femmes ! » plaisanta un autre homme en donnant un coup de coude au premier, qui semblait le chef du groupe. Les quatre hommes éclatèrent de rire.

Sergei sourit. Mais quand il tenta de les contourner, leur humeur changea brusquement. Un deuxième homme l'intercepta. Puis le chef expliqua : « Il y a un péage pour entrer dans cette ville par cette route. »

Pour ne pas s'attirer d'ennuis, Sergei haussa les épaules et fit mine de s'éloigner, mais les autres lui bloquaient la voie. « Cette route te coûtera encore plus cher », l'avertit l'un d'entre eux, le plus costaud.

« Je ne veux pas vous embêter », expliqua Sergei. « Je suis seulement à la recherche d'une bande de… »

Le chef l'interrompit, prenant le ton courtois de Sergei pour un signe de faiblesse ou de peur. « As-tu compris ? Tu dois nous payer. Et tout de suite ! »

Il était clair que ces voyous avaient l'intention de le dépouiller et de lui flanquer une raclée par la même occasion. Il les observa calmement tandis qu'ils tentaient d'évaluer les forces de ce passant solitaire aux cheveux blancs.

« Je ne veux pas d'ennuis », répéta Sergei. « Laissez-moi passer et je vous souhaiterai simplement le bonjour. »

« Pas sans le péage », répondit le chef, dégainant le couteau qui pendait à sa ceinture. Il s'approcha de Sergei, suivi par ses compagnons. Au même moment, Sergei lui décocha un coup de pied à l'intérieur du genou, lui faisant perdre l'équilibre, puis il l'agrippa par les cheveux et lui arracha son couteau. Après l'avoir désarmé, il l'expédia sur le sol. L'effet de surprise qu'il avait créé lui donna le temps de se charger des deux hommes les plus rapprochés. Il assomma le premier de trois coups de poing et fit reculer l'autre grâce à un coup de pied. Cependant, le quatrième réussit à atteindre Sergei par derrière, lui assenant un violent coup de poing sur le côté de la tête — l'espace d'un instant, il fut plongé dans l'obscurité, et il s'effondra. Il reçut un coup de pied dans les côtes, puis un autre.

Étalé sur le sol, couvrant sa tête de ses mains, Sergei vit surgir devant ses yeux des images du passé, du jour où il avait été écrasé par les hommes de Zakolyev. Pris d'une rage soudaine, ce qui lui sauva peut-être la vie, il roula brusquement à l'écart de ses adversaires et revint leur faire face. Il projeta sur le sol le premier homme à l'attaquer, puis mit le deuxième hors d'état de nuire en lui donnant un violent coup de pied à la cuisse. Le troisième tenta un faible coup de pied oblique, mais Sergei saisit sa jambe et la tordit — il entendit un craquement, suivi d'un cri de douleur. Puis il leva instinctivement la main pour parer un coup qu'il n'avait même pas vu venir. Enfin, décochant un coup de pied arrière, il atteignit un autre homme à l'aine. À ce moment, le dernier voyou encore debout prit peur — et ils reculèrent tous, boitant et grommelant.

Essoufflé, Sergei fit le bilan : sa tête le faisait souffrir et ses oreilles bourdonnaient — il s'en ressentirait encore le lendemain — mais il n'avait subi aucune blessure importante. Il se secoua et entra dans le village pour mener son enquête habituelle. N'ayant rien appris de nouveau, il rejoignit Dikar dans la forêt pour passer une autre nuit paisible en sa compagnie, comme il l'avait fait tant de fois.

Ce soir-là, installé sous un abri de fortune, Sergei contempla longuement les flammes crépitantes de son feu de camp. Il songeait aux quatre fanfarons à moitié ivres qui l'avaient presque vaincu. « Ne jamais sous-estimer un adversaire », maugréa-t-il, se rappelant le conseil que lui avait prodigué

Alexei dans le passé. Puis un autre dicton lui revint à l'esprit : « J'entends et oublie; je vois et me rappelle; je fais et comprends. »

Sergei comprenait maintenant que même s'ils étaient ivres, ces hommes avaient probablement déjà été soldats; ils avaient été endurcis par leurs batailles passées. Il les avait sous-estimés — une erreur presque fatale et une leçon qu'il n'oublierait pas de sitôt.

Sa propre expérience de combat était limitée aux matchs de lutte entre cadets, auxquels s'ajoutaient quelques batailles, son affrontement avec Zakolyev le jour où il s'était évadé de l'école, et enfin sa défaite absolue contre les hommes de celui-ci.

Sous ses paupières de plus en plus lourdes, des images de son entraînement des dernières années défilèrent : ses combats contre des ennemis imaginaires, puis Leonid et Razin. Les derniers mots de celui-ci résonnèrent dans sa tête, à propos d'un maître habitant une île au cœur du lac Ladoga…

Il sombra dans un sommeil agité, rêvant qu'il livrait combat à des fantômes… cinq Zakolyev, dix Korolev, puis encore d'autres et d'autres…

Puis ces apparitions s'évanouirent dans l'air et il se retrouva sur son matelas de paille dans la hutte de Razin, incapable de bouger, fixant le vieux guerrier qui, penché au-dessus de lui, s'apprêtait à le frapper non pas avec un bâton mais avec un sabre. Sergei, paralysé, les yeux écarquillés, le vit plonger sa lame…

Réveillé en sursaut par un craquement qui ressemblait à un coup de pistolet, encore à demi plongé dans son rêve, Sergei fit un bond de côté pour éviter le coup de Razin, au moment même où une grosse branche s'écrasait sur le sol avec un bruit sourd, détruisant l'abri où il était allongé quelques secondes plus tôt. La terre trembla sous l'impact. Sergei sauta sur ses pieds, confus, s'attendant presque à apercevoir Razin avant de distinguer son rêve de la réalité.

Il prit une profonde inspiration, tandis qu'une résolution nouvelle émergeait dans son esprit. Puis il se retourna vers son cheval, ce qui lui fit prendre brutalement conscience que rêve et réalité s'étaient à nouveau confondus : le corps de Dikar était écrasé sous le poids du tronc d'arbre tombé. Sergei se précipita vers l'étalon, mais il ne trouva chez lui aucun signe de vie.

À l'aide de sa pelle, Sergei creusa le sol pendant une demi-journée, accablé de chagrin. Quand il eut obtenu une tombe assez grande, il y fit basculer son fidèle coursier. Puis il le recouvrit de terre et lui rendit hommage : « Tu m'as porté bien loin, valeureux ami, sans jamais te plaindre. »

Sergei sentit ensuite un grand vide l'envahir. Il avait perdu trop d'êtres chers dans sa vie — ses parents, son grand-père, sa femme et son enfant, et maintenant cet animal innocent, ce bon et loyal compagnon. Cet angoissant sentiment de perte raviva en lui la conscience de sa quête, bien qu'il n'eût nul besoin de ce rappel. Après avoir retiré ses vêtements trempés de sueur, il plongea dans le ruisseau glacé puis se rhabilla rapidement. Il avala ensuite ses dernières réserves de nourriture et repartit à pied, après avoir déposé la selle de son cheval sur sa tombe pour en marquer l'emplacement. Longeant le Don, il reprit la direction du nord.

Razin avait raison, pensa-t-il. Je ne suis pas prêt à affronter Zakolyev et ses hommes. Pas avant d'avoir retrouvé le maître de Valaam. S'il existe, évidemment.

En traversant collines onduleuses et vastes plaines, Sergei eut une nouvelle révélation : pour vaincre Zakolyev et ses compagnons, il ne lui suffirait pas de s'entraîner auprès d'un maître. Il devait en devenir un.

Sergei mit six mois pour atteindre Saint-Pétersbourg à pied. Au long de cette expédition d'un millier de kilomètres, il dut faire appel à toutes ses techniques de survie, à toute sa volonté. Luttant contre les vents glacés de l'hiver, il arriva en ville fourbu, avec un air de vagabond débraillé qu'accentuaient sa barbe et ses longs cheveux blancs.

Il était hors de question de rendre visite à Valeria et Andreas; il n'avait pas envie de rouvrir de vieilles blessures. Il était plus sage de ne pas troubler la paix qu'ils avaient peut-être retrouvée à la suite de cette épreuve. Sergei décida de ne pas louer de chambre non plus. Il aurait besoin de ses derniers roubles pour payer son transport par bateau jusqu'à l'île de Valaam, dans le lac Ladoga.

Un peu avant le crépuscule, il parvint au fameux pré où se trouvait la tombe de sa famille, sur les rives de la Néva. La végétation s'était épaissie, mais le site était toujours visible. Avant de s'endormir, Sergei s'adressa à Anya, assis près de la petite butte érodée par les intempéries. Il renouvela en pensée leurs vœux de mariage et lui promit à nouveau que sa mort servirait un but élevé. Il répéta également le serment qu'il avait fait de sauver des vies innocentes en débarrassant le monde de Dmitri Zakolyev et de ses hommes. Puis il souhaita une douce nuit à Anya comme de son vivant : « Mon amour », lui murmura-t-il, se penchant pour toucher la terre où elle reposait.

Cette nuit-là, ses rêves furent paisibles et mélancoliques, empreints de tendresse et de désir. Il sentit à ses côtés la présence d'Anya, sa main lui caresser les cheveux et ses baisers se mêler au vent nocturne pour rafraîchir son front.

Le lendemain, en ce printemps 1896, Sergei se rendit sur les quais de la ville pour s'embarquer sur le premier bateau qui mettrait le cap sur l'île au monastère.

CINQUIÈME PARTIE

L'île au monastère

La douceur triomphe de la dureté et de la force.
La souplesse surpasse la rigidité.
Voilà le principe qui nous incite à contrôler les choses
en suivant leur cours,
l'art de la maîtrise fondée sur l'adaptation.

LAO TSEU

. 27 .

Pendant les douze heures que mit la goélette à atteindre l'île, fendant les flots houleux, Sergei eut l'occasion de discuter avec plusieurs pèlerins en route vers le monastère. Il apprit que Valaam était la plus grande parmi les nombreuses îles du lac Ladoga, mais qu'elle ne mesurait que sept kilomètres de longueur. Quelques îles plus petites se dressaient tout près de sa côte, bordée par des forêts touffues et des falaises escarpées. Toutefois, quand la goélette eut contourné un cap rocheux, Sergei vit apparaître une petite baie, puis la plus haute tour du monastère principal — une immense forteresse d'une blancheur éclatante, vieille de huit siècles, dotée de flèches d'un bleu étincelant aux pointes dorées. La baie lui sembla irréelle, comme surgie d'un rêve.

Un autre pèlerin lui parla de lacs paisibles à l'intérieur de l'île, sertis dans un écrin de forêts vierges, de caps et de clairières. Outre le monastère principal, centre de la vie communautaire, précisa-t-il, il existait de petits ermitages retirés qu'on appelait *sketes*, disséminés dans l'île. Ils étaient habités par des moines qui aspiraient à un isolement plus profond. Encore plus à l'écart se trouvaient les huttes et les cavernes d'ermitage où des moines travaillaient et priaient dans une solitude absolue; certains se contentaient même de trous creusés dans le sol. Le pèlerin ajouta : « On raconte que dans de tels lieux n'habitent que le moine et Dieu, jusqu'à ce qu'il ne reste plus que Dieu. »

Un frère qui réintégrait le monastère lui confia que celui-ci avait été détruit à plusieurs reprises dans le passé, les moines pacifistes ayant refusé de se battre, et ce même quand la Suède avait annexé l'île avant que Pierre le Grand n'en revendique à nouveau la propriété. Étrange, songea Sergei, de rechercher un guerrier au sein d'une communauté de moines non violents. Il se disait qu'un tel homme se distinguerait sans doute aisément des autres dans ce type d'environnement. Quoi qu'il en soit, si ce maître habitait toujours l'île, Sergei le retrouverait.

Si le maître était d'accord.

Ce printemps-là, Sergei s'aménagea donc un campement temporaire dans une partie retirée de la forêt tapissée de mousses, de fougères et de fleurs en boutons. Au cours des jours qui suivirent, il sillonna l'île, remarquant au passage la petite ferme qui fournissait lait et légumes aux insulaires, ainsi que des *sketes* isolés et de petites huttes d'ermitage disséminées dans la forêt.

Au fil des semaines, Sergei observa attentivement les moines en soutane noire. Il tenta également d'apercevoir les ermites, cherchant à reconnaître parmi eux l'homme qu'il cherchait.

Comme Razin avait rencontré ce guerrier de nombreuses années auparavant, il devait être âgé d'au moins quarante ou cinquante ans maintenant, peut-être davantage. Si ce maître vivait toujours ici, qu'il soit moine ou ermite, il révélerait peut-être son identité à Sergei simplement par sa façon de se déplacer.

Après quelques semaines, certains visages lui devinrent plus familiers parmi les moines ou les pères plus âgés qui vaquaient à leurs tâches quotidiennes. L'un de ces aînés à la longue tunique noire retint l'attention de Sergei : il l'aperçut un jour dans le monastère principal, le visage encadré d'une barbe et de longs cheveux blancs, prodiguant les derniers sacrements à un moine cloué au lit à l'infirmerie. Quelques minutes plus tard, de retour dans le même couloir, il le vit à nouveau, les yeux clos et les mains posées sur la poitrine et le front d'un autre patient. À un moment — pendant quelques secondes, quelques minutes ? —, le moine leva les yeux et les plongea dans ceux de Sergei, qui fut transpercé par ce regard.

Le charme se rompit quand un moine plus jeune l'effleura en entrant dans la pièce. Captant au passage l'expression de Sergei, il sourit. « Ce père se nomme Serafim. C'est un *starets.* »

Sergei apprendrait plus tard que le mot *starets* faisait référence aux pères à la sagesse et à la personnalité exceptionnelles. Il résolut d'essayer d'aborder le père Serafim, qui était peut-être assez âgé pour avoir rencontré le guerrier dont avait fait mention Razin.

Entre-temps, il continua d'interroger d'autres moines. Sur cette île de pacifistes, il ne pouvait déclarer ouvertement qu'il recherchait un maître de combat, et il formula donc sa question autrement : « J'ai entendu parler d'un homme qui habitait cette île. Il était un habile soldat avant de trouver la paix. Connaissez-vous quelque chose à son sujet ? » Son enquête ne suscitait que des regards perplexes. Personne ne semblait capable de le renseigner, et il ne trouvait nul autre indice de la présence d'un tel guerrier.

Doucement, l'été céda la place à l'automne, et de froides bourrasques se mirent à agiter le lac. Sergei commençait à douter sérieusement de l'existence du maître — du moins sur Valaam.

Pendant qu'il observait les ecclésiastiques, ceux-ci avaient eux aussi prêté attention à ce jeune pèlerin à la chevelure blanche qui errait dans l'île en posant des questions. Peu après, un moine qui se présenta sous le nom de frère Yvgeny lui transmit le message suivant : « Les aînés sont au courant de ta présence ici, sans connaître ta quête spirituelle. Comme tu sembles guidé par un appel intérieur, tu peux séjourner ici temporairement si tu es prêt à offrir tes services. Est-ce là ta volonté ? »

« Oui », répondit simplement Sergei.

Satisfait, frère Yvgeny poursuivit : « Étant donné que tu ne peux vivre à l'extérieur pendant l'hiver, tu habiteras et travailleras au *skete* de Saint-Avraam Rostov. Cet ermitage est situé à cinq kilomètres d'ici, plus au sud, et il est séparé de l'île principale par un étroit chenal. »

« Je connais cet endroit », affirma Sergei.

« Bien », fit le moine, ajoutant : « Tu pourras d'abord demeurer là-bas pendant sept jours seulement. Quand le père reviendra, tu pourras lui demander la permission d'y rester et de servir les frères de l'ermitage. Sinon, tu devras bientôt quitter l'île, car d'ici quelques semaines, des vents violents et des blocs de glace rendront le lac impraticable jusqu'à l'été. »

Sergei n'avait qu'une seule question : « Le père à qui je dois demander cette permission… comment s'appelle-t-il ? »

« Père Serafim », répondit le moine. Puis, il prit congé avec un hochement de tête.

Après avoir rassemblé ses affaires, Sergei effaça toute trace de son camp et se fraya un chemin jusqu'aux falaises rocheuses de la côte. Il descendit les marches de pierre et grimpa à bord d'un cotre qui le fit traverser le chenal. Il arriva à l'ermitage vers la fin de l'après-midi, à un moment où tous les moines s'étaient retirés dans leur cellule pour plusieurs heures de prières. Pendant ce temps, Sergei parcourut tranquillement l'ermitage — la petite cuisine, les sombres couloirs et la salle commune, temporairement vide. Un bel endroit et une période propice pour s'entraîner, songea-t-il.

Le cinquième matin après son arrivée au *skete* de Saint-Avraam Rostov, Sergei, occupé à balayer et à nettoyer l'ermitage, demanda à l'un des frères s'il pourrait s'entretenir bientôt avec le père Serafim.

« Il devrait revenir dans quelques jours », répondit le moine. Puis il retourna vaquer à ses occupations tandis que Sergei se remettait à l'ouvrage — jusqu'à ce que soit venu le moment de son entraînement quand les frères se retirèrent en fin d'après-midi.

Dans la lumière du crépuscule, Sergei passa devant la cellule du père Serafim en se dirigeant vers la salle commune. Curieux, il jeta un coup d'œil par la porte ouverte dans la pièce assombrie plongée dans la pénombre. Il n'y vit aucun meuble, à l'exception d'une petite table et d'une chaise. Mais dans un coin de la cellule, où aurait dû se trouver le lit, il aperçut un cercueil ouvert.

Saisi d'un frisson, Sergei continua à longer le couloir.

Mis à part le craquement du tonnerre au loin, qui annonçait l'arrivée d'une tempête, le silence était si profond dans le *skete* de Rostov que la respiration de Sergei lui sembla anormalement sonore. La faible lueur des éclairs donnait une dimension onirique à cette soirée d'hiver.

Tandis que Sergei accomplissait ses échauffements de routine, s'exerçant à décocher des coups de pied et de poing dans les airs, un homme apparut dans l'embrasure de la porte plongée dans une semi-pénombre, une bougie à la main. Saisi par cette apparition subite, Sergei reconnut le visage du père Serafim. Il voulut parler, mais il en était incapable.

L'immobilité du vieux moine, ainsi que la façon dont il le regardait, lui fit penser à un léopard des neiges qui observe sa proie avant de bondir dessus. Puis, la lumière crue et éblouissante d'un éclair illumina la pièce, transformant le visage du moine en une tête de mort — un crâne couronné d'une crinière de cheveux blancs dont les orbites vides fixaient le vide.

En proie à une angoisse viscérale, Sergei fixa cette apparition dans l'obscurité grandissante, jusqu'à ce que le père Serafim lève sa chandelle à la hauteur de son visage. Sergei ne perçut plus que les traits sereins du vieux moine, éclairés par la flamme vacillante de la bougie.

Quelques secondes plus tard, il n'y avait plus personne. Le père n'avait pourtant pas tourné le dos à Sergei, et il n'avait pas non plus reculé dans l'obscurité. Il avait simplement disparu comme il avait surgi. Sergei n'entendit aucun bruit de pas s'éloignant dans le couloir.

J'ai dû fermer les yeux, ou détourner le regard un instant, se dit-il. Toutefois, il ne se rappelait pas l'avoir fait.

Deux heures plus tard, dans la pièce éclairée à la chandelle, Sergei servit le repas aux six moines qui habitaient l'ermitage. Il s'attendait à voir arriver le père Serafim, mais sa place demeura inoccupée.

À la fin du repas, Sergei s'adressa au frère Yvgeny à mi-voix : « J'ai aperçu le père Serafim cet après-midi. Pourquoi n'est-il pas... »

« Tu l'as vu ? » s'étonna le frère.

« Oui, il était dans l'encadrement de la porte. »

Secouant la tête, le frère Yvgeny déclara : « Tu as dû voir quelqu'un d'autre. Le père Serafim ne sera pas de retour ici avant demain. »

Quand le père revint le lendemain, comme prévu, il convoqua Sergei dans sa minuscule cellule et lui fit signe de s'asseoir sur la seule chaise de la pièce. Une douce aura émanait de lui. Sa barbe abondante et ses longs cheveux blancs lui donnaient un air majestueux, imposant. Sergei, envahi par un sentiment de respect mêlé de crainte, n'avait jamais rencontré un homme qui dégageait une telle puissance spirituelle.

« Je suis le père Serafim », fit doucement le moine en souriant. « Mais je crois que nous nous sommes déjà rencontrés... à l'infirmerie, n'est-ce pas ? »

Après s'être raclé la gorge, Sergei parvint à articuler quelques mots. « Oui... en effet. Je suis heureux de vous rencontrer à nouveau, Père. Et j'aimerais vous demander la permission de demeurer dans l'ermitage cet hiver. »

Le père ferma les yeux et inspira profondément. Il resta immobile presque une minute entière, puis rouvrit enfin les yeux et déclara : « Il est rare qu'un laïc séjourne dans un *skete*, mais… j'y ai réfléchi. Tu peux rester ici cet hiver — et peut-être même plus longtemps… »

Voyant le regard de Sergei glisser vers le cercueil, le père sourit. « Cette boîte me sert de lit, mais elle me rappelle aussi d'employer à bon escient le temps que m'accorde Dieu. Et le matin où je ne me relèverai pas, je causerai moins de tracas aux autres. »

Le moment ne semblait guère propice pour demander au père Serafim s'il avait déjà rencontré un grand guerrier dans les environs.

. 28 .

C'est ainsi que s'amorça le séjour officiel de Sergei Ivanov dans le *skete* d'Avraam Rostov. Adoptant le mode de vie des autres ascètes de l'ermitage, il partageait leur alimentation essentiellement végétarienne et observait le silence pendant les repas, sans oublier sa quête du grand maître qui ne se manifestait toujours pas. Pendant longtemps, il n'eut pas d'autre occasion de s'entretenir avec le père Serafim. Celui-ci s'absentait souvent, soit pour se rendre au monastère s'occuper des malades ou répondre aux besoins des moines résidants, ou encore pour prier en solitaire. En raison du silence qui régnait lors des repas, ainsi que de ses tâches qui l'occupaient avant et après, le jeune homme croisait rarement le père Serafim à un moment propice à une conversation.

Entre-temps, chargé à l'occasion de commissions qui l'obligeaient à se rendre au monastère principal, Sergei continuait à chercher la piste de l'insaisissable guerrier. Avait-il réellement existé ?

Environ six semaines après leur brève rencontre, il aperçut le père Serafim qui admirait par la fenêtre le paysage enneigé. Il s'approcha doucement de lui, pour ne pas le déranger, et pendant un moment il se perdit dans la contemplation de cette scène d'hiver, qu'il observait à travers les yeux du vieux moine… les pins vert émeraude… les arbustes aux petits fruits rouges saupoudrés de neige…

Quand Sergei se ressaisit, le moine s'éloignait déjà. « Père ! Père Serafim ! » cria-t-il, surpris par le volume de sa propre voix.

Le vieillard se retourna. « Oui, Sergei ? »

« Je voulais vous demander — mais je ne sais pas par où commencer. Vous êtes ici depuis longtemps, n'est-ce pas ? »

Le père Serafim hocha la tête.

« Eh bien, pendant ce temps, il y a plusieurs années... avez-vous connu, ou rencontré... quelqu'un — un moine ou un pèlerin — qui était un habile combattant ? Un maître en ce domaine ? »

Sergei se sentit soudainement insignifiant et ridicule devant le vieux *starets* qui le dévisageait avec un regard neutre.

« Un combattant, dis-tu ? Un soldat ? Je... ne fréquente pas ce type d'individus », déclara le père avant de se retirer.

Sergei ne savait plus quoi faire, ni qui interroger, pour faire avancer ses recherches. Néanmoins, il travailla assidûment tout l'hiver, offrant le meilleur de lui-même et continuant à partager deux fois par jour le repas des moines, composé de porridge, de pain, de bouillie et de légumes, parfois agrémentés de poisson et de fines herbes. Ils buvaient du *kvass*, un breuvage à base de pain, et du thé lors des jours saints. Sergei menait donc une existence simple et frugale, consacrée au travail, à la contemplation et à l'entraînement.

Pendant un de ses nombreux moments de réflexion, Sergei prit conscience avec un pincement de remords qu'il n'avait jamais pris le temps d'écrire à son oncle Vladimir — ce qui s'imposait d'autant plus que Zakolyev avait détruit sa lettre d'adieu. N'ayant reçu aucune nouvelle, son oncle en avait peut-être déduit qu'il était mort.

Il rassembla donc ses idées qu'il jeta sur le papier :

Cher instructeur en chef Ivanov,

Je vous écris enfin cette lettre pour vous exprimer mes regrets d'avoir quitté votre école sans votre permission — et de ne pas vous avoir écrit plus tôt. J'ai agi comme cela s'imposait, et je ne sens pas le besoin de m'en excuser. Je vous remercie pour la bonté et l'attention que vous m'avez portées pendant mon enfance. Je ne vous oublierai jamais.

Je vous renvoie la carte — légèrement endommagée — que j'ai empruntée à votre bibliothèque. Elle m'a bien servi, et je vous remercie pour ce « prêt ». En ce qui concerne le couteau, la pelle, la boussole et les provisions, je vous les retournerai un jour ou vous les rembourserai.

J'ai maintenant vingt-trois ans. Au cours de mes longs périples en Russie, les techniques qui m'ont été enseignées à l'école militaire Nevskiy m'ont permis de survivre dans la nature dans des conditions ardues. En dépit des circonstances de mon départ, je voulais que vous sachiez que, tant les soins que l'entraînement que vous m'avez prodigués, serviront peut-être un but élevé.

J'éprouve un profond respect pour vous en tant qu'instructeur en chef, mais je vous ai toujours considéré d'abord et avant tout comme mon oncle et un membre de ma famille. Vous avez été un père pour moi plus que quiconque. Vous demeurerez toujours vivant dans ma mémoire et mes prières.

Votre neveu,
Sergei Sergeievich

En scellant sa lettre avec la cire d'une bougie, Sergei revit en pensée le visage sévère de son oncle. Il ne ressentait plus à son égard ce mélange d'admiration et de crainte qu'il éprouvait enfant, mais plutôt une profonde affection envers cet homme bon, Vladimir Borisovich Ivanov.

Cette lettre bouclait une partie de son passé ; une autre, beaucoup plus importante, demeurait en suspens.

Tandis que les journées s'écourtaient, de plus en plus glaciales, la routine de Sergei ne changeait guère : travail, méditation, entraînement, repas et sommeil. Son existence lui rappelait celle qu'il menait à l'école militaire Nevskiy — comme s'il était revenu à son point de départ. Et chaque jour, sa frustration s'accentuait.

Plus de trois mois s'étaient écoulés depuis que Sergei s'était installé à l'ermitage. Il songea à sa vie à l'école militaire où, parmi les soldats, il aspirait à un sentiment de paix. Et maintenant qu'il se trouvait en un lieu de paix, il recherchait un guerrier.

Entre-temps, il continuait à s'entraîner en solitaire, répétant les mêmes exercices sans avoir le sentiment de faire des progrès. L'hiver sévissait, tant à l'extérieur qu'à l'intérieur de lui. Sergei commençait à se dire qu'il devrait bientôt quitter l'île, ayant gaspillé une autre année de sa vie.

Puis, brusquement, le vent tourna.

Comment expliquer ce revirement ? Était-ce une question de synchronisme ou de bonne fortune, ou le fruit de la décision d'un maître ? Le dernier jour du mois de mars 1897, alors que Sergei était en train de terminer sa séance d'entraînement par une position de garde, il s'aperçut que le père Serafim l'observait.

Le vieux moine avait croisé les bras sur sa large poitrine. Il secouait la tête comme pour exprimer que la démonstration de Sergei ne valait absolument rien. « Que fais-tu ? » lui demanda le père d'un air perplexe.

« Je m'entraîne… je me prépare », répondit Sergei.

« Dans une vraie bataille », rétorqua le père Serafim, « il n'y a ni séance d'échauffement, ni règles, ni techniques à appliquer. » Il secoua à nouveau la tête. « Je ne crois pas que de tels mouvements te prépareront à affronter les hommes que tu recherches. »

Pendant un moment, Sergei demeura perplexe : comment le père connaissait-il l'existence de ses ennemis ? Se pouvait-il que cet homme…

« Oui », dit le père Serafim, répondant aux questions de Sergei avant même que celui-ci ne les formule. « Je suis celui que tu cherches, et je connais l'objet de ta quête. Contrairement à toi. »

« Comment ? »

« Tu crois encore que c'est Razin qui t'a envoyé ici, alors que c'est Dieu. Et quand tu repartiras, tu ne seras plus le même homme. »

Il parlait avec une autorité qui semblait plonger ses racines dans l'éternité. Ces mots allaient marquer le début d'un enseignement martial et philosophique radicalement différent de tout ce qu'avait connu Sergei à ce jour.

Sans plus d'explication, Serafim se glissa dans le rôle du maître comme si cela avait été aussi naturel qu'inévitable. Tous les jours, il faisait irruption dans la salle commune pour regarder Sergei s'entraîner. Un jour, peu après, le jeune homme s'arrêta pour lui poser une question : « Père Serafim… »

Le vieillard leva la main pour interrompre Sergei. « Ne m'appelle plus "Père", sauf en présence d'autres moines. "Serafim" suffit. »

Avant que Sergei ne puisse lui demander pourquoi, Serafim poursuivit : « Le fait de t'entraîner à combattre d'autres hommes n'a rien à voir avec ma vocation de moine. J'ai prononcé un vœu de non-violence, et je mourrai avant de tuer un autre être humain. J'ai vu et commis assez de meurtres. » Il n'en dit pas plus, mais il regarda intensément Sergei. Celui-ci se sentit mis à nu. Serafim ajouta : « Je vois que tu as un autre nom, toi aussi. En privé, je t'appellerai donc… Socrate. »

Sergei, bouche bée, parvint enfin à bégayer : « C-comment pouvez-vous savoir… ? »

« Je l'ai vu », répondit Serafim.

« Si vous… voyez de telles choses, et si vous saviez ce que je recherchais ici, pourquoi donc avez-vous tant attendu avant de vous manifester ? »

Après un moment de silence, Serafim déclara : « J'avais besoin de t'observer, de sonder ton cœur et ton caractère. J'ai donc attendu que le bon moment soit venu. »

Sergei voyait maintenant le vieux moine sous un éclairage complètement nouveau. Comme s'il avait contemplé la surface ridée du lac Ladoga, il ne pouvait apercevoir ce qui se cachait sous les vagues, mais il y pressentait de grandes profondeurs.

Malgré la présence exceptionnelle de Serafim et la puissance de son intuition, Sergei avait du mal à le considérer comme un grand combattant. Par le passé, peut-être — quand il était jeune et fort. Mais maintenant, pensait Sergei, malgré la force de ses paroles, Serafim ressemblait davantage à un bon grand-père qu'à un maître de combat.

Serafim dut pressentir les doutes de Sergei. Lors de la séance d'entraînement suivante, il lui dit : « Attaque-moi, de n'importe quelle façon. Mais vas-y franchement. Fais de ton mieux pour me frapper. » D'après le ton de sa voix, Sergei comprit que le vieil homme ne tolérerait pas de demi-mesure. Il déploya donc toute sa force.

Rapidement, cependant, il se rendit compte qu'il ne pouvait même pas effleurer le vieux moine. Pire encore, il ne réussissait même pas à voir comment celui-ci s'y prenait pour déjouer ses attaques; il constatait seulement qu'il lui était impossible de l'atteindre, ou même de le *trouver*.

Chaque fois que Sergei tentait de lui donner un coup de pied ou de poing, de le faire trébucher, de le coincer ou de l'agripper, il se retrouvait sur le sol, encore et encore, sans comprendre ce qui s'était passé. Et Serafim l'y maintenait avec une seule main, une seule jointure, un seul doigt. Sergei se sentait physiquement incapable de se relever. Une fois, après être retombé sur le sol, il s'aperçut que Serafim ne l'avait même pas touché.

Razin avait raison : Sergei avait trouvé un grand maître. Et c'était là l'une des rencontres les plus frustrantes de sa vie. Quand le vieux moine le mit au défi de lui faire perdre l'équilibre, il s'y efforça à plusieurs reprises, en vain. Il se rappelait la fois où il avait essayé de faire tomber Alexei le Cosaque — il avait eu l'impression d'essayer de renverser une montagne. Avec Serafim, il lui semblait plutôt tenter de faire tomber une plume sans y parvenir.

Le vieil homme esquivait les coups de Sergei, le faisait trébucher, lui infligeait des torsions, le retournait et le projetait sur le sol avec ses mains, ses pieds et même par la simple force de son esprit, semblait-il. Il ne frappa pas Sergei avant la fin de la séance, où il lui administra un léger coup qui étourdit et immobilisa le jeune homme pendant plusieurs minutes. Sergei osait à peine imaginer ce qui se serait passé si Serafim avait eu l'intention de le blesser.

Le lendemain, Serafim demanda à Sergei de l'accompagner pour une balade dans la neige en direction d'un petit verger près de la ferme. Tout en marchant, le vieux moine prit la parole : « J'ai examiné ta situation… ta quête… » Il fit une pause, puis poursuivit : « Tu connais cette phrase de la Bible où il est dit que la vengeance appartient à Dieu ? »

Sergei hocha la tête.

« Et toi, où prends-tu le droit de jouer à l'ange vengeur ? »

« Je ne revendique pas ce droit » répondit Sergei. « Et j'ignore si j'aiderai ainsi l'âme de ma femme à reposer en paix. Je sais seulement que cela apaisera la mienne. »

« C'est ce que tu crois… »

« Oui, je le crois. »

« Tu ne peux défaire ce que ces hommes ont fait… »

« Mais je pourrais les empêcher d'anéantir d'autres vies. »

Sergei ne crut pas bon d'ajouter qu'en tentant de respecter son serment, il risquait la mort; peut-être obtiendrait-il ainsi le salut de son âme et pourrait-il rejoindre sa bien-aimée et son enfant dans un endroit meilleur, s'il existait un tel lieu.

« Puis-je espérer te détourner de cette voie d'action ? » l'interrogea Serafim.

Lentement, Sergei secoua négativement la tête.

Le vieux moine soupira. « Dans ce cas, je te guiderai dans les ténèbres. Je te donnerai ce que tu veux pour l'instant; et un jour tu accepteras peut-être... ce que je désire vraiment t'offrir. »

« Et de quoi s'agit-il ? » demanda Sergei.

« La paix. »

« Il n'y a qu'un seul moyen pour moi de trouver la paix. »

« Par la mort. »

« La leur ou la mienne, ou peut-être les deux », répondit Sergei. « Et je ne pourrai plus attendre longtemps encore. Il me faut les retrouver bientôt — dans trois mois, six mois, un an tout au plus. »

Serafim plongea à nouveau son regard dans celui de Sergei. « Il ne nous appartient pas de déterminer le cours des événements. »

« Vous croyez que cela pourrait prendre davantage de temps ? »

Serafim fit un signe de tête affirmatif.

« Combien de temps ? »

Serafim observa un moment de silence, puis répondit : « En un instant, la vie peut changer de cap; il est possible qu'un cœur s'ouvre en un moment de grâce. Mais il faut parfois toute une vie pour se préparer à ce moment... » Le moine reprit sa marche en poursuivant : « L'apprentissage peut s'accomplir rapidement. Il peut être beaucoup plus long de désapprendre. Si tu es disposé à tout reprendre du début... eh bien, cela pourra prendre moins de dix ans... »

« Je n'ai pas des années à perdre ! »

Les yeux de Serafim s'embrasèrent. « Tu dois être un homme très important pour adresser de telles requêtes à Dieu, et extrêmement sage pour connaître le temps qu'il lui faudra pour les exaucer… »

Ils quittèrent le verger et reprirent la direction de l'ermitage. Sergei, calmé, changea de sujet : « Combien d'élèves avez-vous eus avant moi ? »

Serafim poussa un soupir. « Aucun n'a encore appris de moi ce que tu recherches. »

« Et pourquoi acceptez-vous de me servir de maître ? Dois-je subir une initiation ? »

« Tu as déjà été initié — par Razin et… par ta vie. »

« Que connaissez-vous réellement de ma vie ? »

« J'en sais assez. »

Sergei secoua la tête d'un air étonné, encore mystifié par le vieux moine. « Vous acceptez donc de me prodiguer votre enseignement, tout simplement, sans rien attendre en retour ? »

« Ce serait une erreur de considérer mon enseignement comme une faveur personnelle, Socrate. Je ne le fais pas pour toi ; je ne fais que servir la volonté de Dieu. Et je le fais car… en t'aidant, je servirai peut-être un but plus élevé, que ni toi ni moi ne discernons encore. »

. 29 .

La plupart des hommes de Zakolyev, ainsi que toutes les femmes qui s'étaient ralliées à eux au fil du temps, souhaitaient s'établir dans un camp plus permanent — semblable aux villages dont venaient certains d'entre eux. Cependant, leur chef leur donnait invariablement la même réponse : « Il est plus difficile d'atteindre une cible en mouvement. »

Tous furent donc surpris le jour où, après avoir rassemblé ses hommes près du feu dans leur campement temporaire à proximité de la frontière roumaine, l'Ataman leur annonça : « Préparez-vous ! Demain, nous partirons vers le nord pour nous construire un camp fixe. Il y a longtemps, j'ai découvert un site dans les profondeurs de la forêt au nord de Kiev. Cette fois, plus de huttes mais de véritables cabanes. Et écoutez bien ma prophétie ! Notre bande comptera de plus en plus de femmes et d'enfants, qui nous permettront de fonder une nouvelle dynastie de Cosaques. L'heure a sonné ! De notre camp, nous enfourcherons nos montures pour aller frapper chez les Juifs, puis disparaîtrons. Nous n'épargnerons aucun témoin vivant sauf, chaque année, un enfant trop jeune pour garder des souvenirs, que nous élèverons parmi les nôtres. Au fil des ans, nous deviendrons une légende. À cheval, au service de l'Église et du Tsar ! »

Cette dernière exclamation, qui suscita des cris d'enthousiasme et une levée des sabres, était destinée aux croyants de la bande. Les hommes de Zakolyev avaient besoin de sentir qu'ils servaient une cause supérieure. L'Ataman, lui, ne croyait qu'en lui-même.

C'est ainsi que Zakolyev mena sa bande grandissante d'aspirants Cosaques vers le nord jusqu'à l'endroit choisi, au cœur d'une grande forêt. À l'aide d'outils de différentes provenances, les hommes commencèrent par abattre des arbres et ériger de solides cabanes. Ce travail s'accomplit dans une bonne humeur générale. Les femmes se réjouissaient et les enfants s'amusaient, et pendant un certain temps les hommes abandonnèrent leurs habitudes de massacre et de pillage. Ils se plaisaient à s'installer. Même Korolev, d'un naturel nerveux, s'accommodait bien de ce labeur simple.

Quand les hommes eurent terminé la construction des cabanes, l'Ataman déclara que la mère de Paulina, Elena, viendrait habiter avec lui pour s'occuper de l'enfant. Elena obéit sans discuter.

Ce soudain revirement domestique chez Zakolyev était pour le moins surprenant. Mais pour la première fois de sa vie, il ressentait quelque chose qui ressemblait à de l'amour. Non pas à l'égard d'Elena, mais envers l'enfant. Le rôle d'Elena sous son toit n'était qu'utilitaire; elle ne partageait pas sa couche mais dormait plutôt sur un matelas de paille dans la même pièce que Paulina. Cette pièce, d'ailleurs, était toujours désignée comme la chambre de Paulina, et celle-ci restait — avec le petit Konstantin — le principal objet de l'affection de Zakolyev.

Il est bon que les pères racontent des histoires à leurs enfants. Un soir, donc, papa Dmitri confia à la petite Paulina une histoire issue de son passé. « Un jour, il n'y a pas si longtemps, vivaient un homme et sa femme. Ils étaient bons et heureux, et ils donnèrent naissance à une belle petite fille. Cet homme, c'était moi, et toi tu étais la petite fille. »

« Et ma mère était Elena », ajouta Paulina.

L'Ataman secoua la tête tristement. « Elena n'est pas ta véritable mère, mais tu ne dois divulguer ce secret à personne. »

Cette révélation ne surprenait pas vraiment la petite fille, car elle ne s'était jamais réellement sentie comme l'enfant d'Elena. « Est-ce Shura, ma vraie mère ? »

« Tu as la chance de côtoyer la vieille Shura, mais elle n'est pas ta maman non plus. »

« Alors qui… »

Dmitri l'interrompit brusquement. « Ne coupe pas la parole à ton père ! » Puis, d'une voix plus douce, il ajouta : « Tu dois m'écouter jusqu'au bout, Paulina. Ta véritable mère — ma femme bien-aimée — a été assassinée par un monstre… »

Paulina écarquilla les yeux d'horreur. Sur les ordres stricts de l'Ataman, on n'avait jamais parlé devant elle de violence ou de mort, ni fait allusion aux raids de Zakolyev. Elle savait seulement que son père et ses hommes faisaient des patrouilles au service d'un homme que l'on appelait le tsar.

« À quoi… à quoi ressemble ce monstre ? » questionna-t-elle, à la fois effrayée et fascinée par cette sombre révélation.

« Il a les traits d'un homme normal — d'environ mon âge, mais avec des cheveux blancs, des cheveux de sorcier. Et ce sorcier détient le pouvoir de charmer par sa voix, de murmurer de doux mensonges avec lesquels il trompe les gens avant de les tuer. La seule façon d'abattre ce monstre, c'est de frapper rapidement, avant qu'il ne puisse parler et déployer ses sortilèges. »

L'histoire de papa Dmitri, racontée d'une voix tremblante, était si convaincante qu'il en vint à y croire lui-même.

Tous les enfants font des cauchemars. À partir de ce jour-là, ceux de Paulina prirent la forme d'un monstre aux cheveux blancs qui vivait dans un corps d'homme.

La nouvelle attitude paternelle de l'Ataman laissait les hommes de la bande perplexes, et les femmes s'étonnaient de trouver une qualité attachante chez un homme qu'elles craignaient. Certaines femmes demandèrent à Elena si leur chef s'était également transformé en véritable mari.

Celle-ci demeura muette à ce sujet.

❖ ❖ ❖

À partir du soir où l'Ataman s'était découvert un nouvel intérêt pour la vie domestique, sa bande connut une période de normalité relative, car les hommes se concentrèrent sur la construction plutôt que sur le massacre de Juifs. Et chose curieuse, Zakolyev se mit à introduire au campement des chiens, qui vinrent ajouter la dernière touche à cette atmosphère sédentaire.

Avant que la bande ne s'aménage un camp permanent, Zakolyev tuait les chiens en même temps que leurs maîtres. Maintenant, il tolérait la présence de ces animaux dont la loyauté pouvait s'acheter avec quelques bouchées de nourriture. À l'occasion, on vit même Zakolyev gratter un chien derrière les oreilles. Ils étaient de parfaits compagnons, toujours prêts à lécher la main de l'Ataman et à lui obéir aveuglément. Les enfants les plus brillants agissaient de la même façon.

Zakolyev laissait les plus jeunes enfants s'amuser à leur guise et courir librement comme les chiens. Dès qu'ils atteignaient un certain âge, cependant, ils étaient soumis à des corvées comme le nettoyage des cabinets ou la lessive dans la rivière — à n'importe quelle tâche, en fait, que les adultes trouvaient désagréable ou ennuyante.

Et comme les enfants, les chiens devaient mériter leur pension : ils montaient la garde, aboyant sauvagement à l'approche de tout étranger. Ils cernaient également les chevaux égarés et gardaient les moutons hérités de Juifs récemment décédés. Peu à peu, les chiens en vinrent donc à faire partie intégrante du camp, accompagnant les hommes à la chasse ou fixant les femmes en train de préparer les repas, dans l'espoir qu'un morceau de nourriture ne s'égare en direction de leur mâchoire.

Donc, dans le camp de Zakolyev comme dans tout autre village cosaque, les chiens aboyaient et se précipitaient à la poursuite de bâtons lancés par les gamins, les hommes construisaient des foyers dans de robustes cabanes et les femmes cuisinaient et s'occupaient des enfants. Toutefois, les feux n'y étaient autorisés que la nuit, quand la fumée se dissipait dans l'obscurité, ou lors des journées de pluie ou de neige, où elle passait également inaperçue.

Peu de membres de la bande ignoraient la préoccupation croissante de l'Ataman à propos de la sécurité — mais à ce jour, personne n'avait encore décelé en lui les germes d'une véritable obsession. Zakolyev, en effet, imaginait à tout moment Sergei Ivanov tapi dans l'ombre d'un arbre, caché derrière la grange en train de l'épier, ou debout au pied de son lit à le dévisager, tard le soir.

Bientôt, les cauchemars de Zakolyev commencèrent à se manifester même en plein jour — par un tic à l'œil, une crispation de la tête ou un grommellement lancé dans le vide. Parfois, il semblait distrait ; il interrompait alors ses activités ou sa conversation pour fixer un monde que lui seul pouvait percevoir. Des cernes apparurent sous ses yeux, et il se mit à se tenir de plus en plus à l'écart des autres. À ce moment, l'Ataman en vint à se considérer comme un personnage mythique, endurci par ses souffrances qui l'élevaient au-dessus des autres hommes. Ne fraternisant plus qu'avec un cercle de plus en plus restreint de compagnons, il transmettait maintenant ses ordres par l'intermédiaire de Korolev, qui les imposait avec une efficacité brutale.

Entre-temps, au campement, la vie suivait son cours. Quand les hommes revenaient de la chasse — traquant gibier ou Juifs —, ils s'assoyaient près d'un feu de camp pour y raconter des histoires et y porter des toasts. Toutefois, ils veillaient à censurer leurs propos en présence de leur chef, ou même en son absence. Zakolyev avait déclaré que quiconque minerait son autorité ou contribuerait à divulguer la location de leur camp était passible de la peine de mort.

Pourtant, ils ne risquaient guère d'être découverts. Leurs cabanes étaient bien camouflées dans une petite clairière perdue dans une vaste forêt, à une centaine de mètres d'une rivière. Un peu plus loin, celle-ci formait une chute qui jaillissait au-dessus d'une falaise et tombait en trombes une vingtaine de mètres plus bas, sur des rochers et dans des bassins peu profonds. En aval de la chute, la rivière devenait un torrent d'eau vive, parsemé d'escarpements et de rapides. Il ne s'agissait pas d'une voie navigable, et même un petit bateau ne pouvait accéder à leur camp, également situé loin de tout sentier battu. Personne ne viendrait les y déranger.

Les neuf enfants du camp — quatre filles et cinq garçons —, ravis de s'établir tout près d'une véritable chute, prenaient plaisir à aller s'ébattre dans les bassins, jusqu'à ce qu'un des garçons s'approche trop près du ravin, perde pied et soit entraîné dans la chute puis projeté contre les rochers.

Après cet accident mortel, l'Ataman interdit à Paulina et Konstantin d'aller jouer en haut des chutes. Le gamin qui avait trouvé la mort, déclara-t-il, n'avait ni intelligence ni chance. Il ne manquerait à personne, sauf peut-être à Shura.

Comme les autres garçons de son âge, Konstantin se plaisait à explorer les bois, à vivre des aventures imaginaires et à monter à cheval quand on lui en offrait l'occasion. Il ne raffolait pas de l'idée de passer du temps avec une fillette, même si la petite Paulina le révérait. Toutefois, depuis leur premier contact, plusieurs années auparavant, il s'était pris pour elle d'une affection qui l'enchantait et l'embarrassait à la fois.

Il se souvenait encore, le jour où Shura lui avait demandé de prendre Paulina dans ses bras pendant qu'elle-même s'occupait d'un autre enfant, de la façon dont elle avait tendu sa petite menotte — aussi vivement qu'un guerrier bien entraîné — pour saisir la manche de sa chemise de laine. Puis, avec un doux gazouillement, elle avait levé la tête vers lui. En plongeant son regard dans les grands yeux du bébé, Konstantin avait vu le monde tel qu'il le percevait en son for intérieur — comme un endroit plein de mystères, où tous les êtres étaient bons et où tout était possible.

Le charme de cet instant lumineux s'était rompu quand un garçon plus âgé était passé à ses côtés en le traitant de « nourrice ». Konstantin s'était libéré le plus rapidement possible, se précipitant pour aller donner un coup de main aux hommes.

Plus tard, quand Paulina eut appris à marcher et à baragouiner quelques mots, elle se mit à suivre Konstantin en courant sur ses petites jambes, tentant de le rattraper en criant « Kontin ! Kontin ! » parce qu'elle ne réussissait pas à prononcer son nom au complet. À partir de ce moment, il devint son Kontin, qui la regardait d'un air protecteur.

L'Ataman avait donné à Elena des ordres stricts pour que Paulina ne s'amuse pas avec les autres petites filles mais plutôt avec les garçons. Il exigeait également que sa fille s'habille comme un garçon et s'entraîne à la lutte sous la supervision du grand Yergovich et des meilleurs combattants de la bande. Entre-temps, s'il arrivait quelque chose à la petite, la responsabilité en incomberait entièrement à Elena et Konstantin. Autrement dit, s'il se produisait un accident, leur peau ne vaudrait plus très cher.

Bien que la grande favorite de papa Dmitri restât Paulina, celui-ci semblait se soucier également du sort de Konstantin — mais il portait parfois sur lui un regard si étrange que le petit garçon s'en effrayait, troublé.

Konstantin se réjouissait du fait que Paulina habite une vraie demeure avec des gens qui se préoccupaient de son bien-être, ou du moins de son confort. Parfois, il se demandait qui étaient ses parents à lui, mais comme ces questions demeuraient sans réponse, il ne s'y attardait pas outre mesure. Néanmoins, il restait à l'affût des conversations des hommes dans l'espoir d'en tirer des indices au sujet de son passé.

Le soir, il s'assoyait souvent dans un coin de l'étable où certains hommes de la bande venaient boire et discuter. Il faisait des dessins ou taillait de petits morceaux de bois, tout en tendant l'oreille. Il ne perdait rien de leurs paroles, aussi invisible à leurs yeux que les chiens blottis contre lui.

Plus jeune, il désirait ardemment partir en patrouille avec les hommes. Après les avoir entendus parler à mi-voix de leurs massacres, toutefois, cette aventure le tentait moins. Le temps viendrait où il devrait faire un choix : s'intégrer aux autres hommes de la bande, ou… ou…

Dans sa tête d'enfant, il ne pouvait imaginer d'autre option. Il ne connaissait que la vie qu'il avait menée jusqu'à ce jour : tout le reste n'était que rêves.

. 30 .

Quelques semaines plus tard, tandis que Sergei s'échauffait pour une nouvelle séance d'entraînement, Serafim lui décocha un coup de poing au visage. Ce mouvement le prit complètement par surprise, mais il réussit à l'esquiver, comme il l'avait appris dans le passé. Serafim lui donna un autre coup qu'il para à nouveau.

« Tu dois te mouvoir naturellement », lui expliqua le moine, le saisissant par les épaules et le remuant de tous côtés. « Moins comme un soldat, davantage comme un enfant. Tu es beaucoup trop crispé. Même lorsque tu te déplaces, détends-toi… détends-toi en tout temps. »

« Je suis détendu. »

« Il y a détente et *détente* », rétorqua Serafim.

« Même lors d'un combat mortel ? »

« Surtout à ce moment », confirma le moine en poursuivant ses attaques. « Plus d'hommes meurent d'épuisement qu'en raison d'un manque d'habileté. Pour être capable de te battre longtemps et vivre vieux, tu dois apprendre à te détendre malgré les pressions qui s'exercent sur toi, quel que soit le mouvement que tu accomplis. Ne perds aucune occasion de t'y exercer — dans la cuisine ou la salle de lessive, par exemple. *Laisse* le mouvement se produire plutôt que de chercher à le provoquer. » Après un bref moment de silence, Serafim lui sourit : « Sois patient, Sergei. Les vieilles habitudes sont tenaces, et les guerriers tendus meurent jeunes. »

Au cours des semaines qui suivirent, Sergei se mit à répéter le mot *détente* une centaine de fois par jour, prenant une profonde inspiration et tentant de relâcher toute tension inutile — particulièrement en accomplissant des tâches physiques ou en s'entraînant. « Ton entraînement ne consiste pas uniquement à te pratiquer à donner des coups de pied ou de poing », lui rappela Serafim. « Il concerne tout ce que tu fais. N'oublie pas : ici et maintenant… respiration et détente… en combat comme dans la vie. »

Exaspéré, se sentant plus tendu que jamais, Sergei l'implora : « Par pitié, Serafim, je n'ai pas besoin que tu me rappelles constamment de relaxer et de respirer. Je comprends l'idée ! »

« La compréhension passe par l'action », répliqua Serafim.

En parcourant les sentiers de l'île, Serafim demanda à Sergei d'inspirer et d'expirer en comptant ses pas — inspirant pendant vingt pas et expirant pendant vingt autres. Serafim, lui, pouvait tenir dix pas de plus — ses poumons étaient aussi puissants que d'énormes soufflets.

Un autre hiver glacial s'écoulait, les faisant basculer dans la nouvelle année, et l'entraînement de Sergei lui semblait de plus en plus frustrant. Serafim ne cessait de lui adresser des reproches. « Tu t'accroches encore au familier, Socrate; tu accomplis machinalement des techniques que tu as répétées des milliers de fois. Mais tu ne peux pas tout prévoir. La réalité te surprendra sans cesse. »

Au cours de cette phase d'apprentissage, Serafim se mit à l'attaquer à l'improviste, comme l'avait fait Razin. Le vieux moine frappait le jour ou la nuit, au moment où Sergei s'y attendait le moins : quand il courait faire des commissions sur un terrain glissant ou accidenté, sur les berges d'un lac ou au cœur de la forêt, et parfois même dans les couloirs de l'ermitage. Sergei ne se sentait en sécurité nulle part. Un jour, le moine l'attaqua même lorsqu'il était en train de soulager sa vessie.

Finalement, Serafim réussit à faire passer son message : « Chaque situation est unique, Socrate. Ton adversaire t'attaquera de façon imprévisible; tu dois adopter la même attitude pour te défendre. Les combats peuvent se dérouler dans des conditions chaotiques, détrempées, glissantes, instables, déroutantes, non orthodoxes. Tout est possible : ton adversaire aura peut-être une arme cachée ou des compagnons prêts à bondir à sa rescousse. Il peut sembler ivre, puis redevenir soudainement très alerte. Certains seront plus forts ou plus rapides que toi. Ne prends rien pour acquis, ne présume de rien, n'essaie pas de prévoir comment ton adversaire agira. Reste simplement à l'affût et réagis naturellement à ce qui se présente. »

« Es-tu en train d'affirmer que je devrais réagir sans réfléchir ? »

« Lors d'un combat, tu n'auras pas le temps de penser. Avant le moment décisif, tu pourras élaborer des plans et des stratégies, mais ceux-ci seront ensuite façonnés par l'impulsion du moment. Peu importe le déroulement du combat, il n'existe qu'une certitude : les choses ne se passeront pas exactement comme prévu. Ne nourris pas d'idées préconçues, mais reste prêt à tout. Détends-toi et fais confiance à la sagesse de ton corps. Elle l'aidera à réagir. »

« Je crois en avoir fait l'expérience… avec Razin. »

Serafim hocha la tête. « Tu l'as expérimenté, mais maintenant tu dois l'assimiler — pour pouvoir t'en servir même lorsque tu seras blessé, écrasé par les événements ou dans une forme médiocre. Cela signifie que tu dois te débarrasser de tout préjugé au sujet de la personnalité ou des sentiments de ton adversaire. Ceux-ci n'importent guère. Qu'il s'agisse d'un poing, d'un pierre, d'un sabre ou d'un cheval au galop, tu te trouveras en présence d'une force — tu bougeras, tu respireras — et à tout moment, ton corps saura comment réagir. »

« Plus facile à dire qu'à faire », rétorqua Sergei.

Serafim sourit : « Je crois que tu commences à comprendre. »

Serafim amorça une nouvelle étape de l'entraînement le jour où il ramassa un caillou gros comme le poing et, se tenant à trois mètres de Sergei, lui ordonna : « Lève la main et attrape cette pierre ! ». Il la lança avec une telle force qu'elle faillit fracturer la main de Sergei. « Souviens-toi de cette douleur », expliqua le moine. « Elle s'appelle *résistance*. Dans la vie, la tension surgit quand on résiste. Même chose lors d'un combat. Peu importe ce qui vient dans ta direction, le choc sera douloureux si tu te contractes. Ne réagis jamais à la force par la force. Tente plutôt d'absorber cette force et de t'en servir. À ce stade, tu pourras comprendre comment la souplesse et une attitude d'abandon apparent peuvent vaincre même une force supérieure. »

Serafim commença par lancer mollement des cailloux de la taille du poing, visant la poitrine de Sergei. « Fais un bond de côté et attrape-les en douceur, dit-il, en t'ajustant à la vitesse de la pierre de façon à la capter sans bruit... »

Plus tard, le moine se présenta avec un lourd gourdin de chêne et, se tenant aux côtés de Sergei, il le balança vers lui. D'abord, il demanda à Sergei d'adopter une posture rigide, tel un mur de pierre, et d'évaluer la force de l'impact. Ensuite, il ordonna au jeune homme de le frapper avec la massue. Il lui démontra aussi comment il pouvait absorber le choc et réduire la force de celui-ci au moins de moitié simplement en se déplaçant et en se penchant au dernier moment, un peu comme l'avait fait Sergei en attrapant en souplesse les pierres de sa main.

« Cela fonctionne bien si quelqu'un m'attaque avec une massue », réagit Sergei, « mais que faire s'il s'agit d'un sabre ? Je ne pourrai pas absorber le tranchant de la lame. »

Serafim se gratta la barbe, comme s'il se penchait sur cette question. « Dans ce cas, je te conseille de ne pas rester dans la trajectoire de la lame. »

La semaine suivante, et l'autre encore, Serafim continua à lui lancer des pierres, de plus en plus rapidement. Sergei apprit à s'éloigner de la ligne de tir et à attraper la pierre en silence, absorbant sa force. Avec le temps, les pierres furent remplacées par des couteaux — projetés doucement au début, puis plus vivement. De la même façon, Serafim lui enseigna à esquiver et absorber des bourrades ainsi que des coups de poing, de pied et de massue en se déplaçant avec fluidité.

« Ces jeux sont intéressants et utiles », s'exclama un jour Sergei, saisi par un soudain accès d'impatience. « Mais quand serai-je prêt à apprendre des techniques plus avancées — et à m'exercer au maniement des armes ou à m'inspirer des combats d'animaux, comme le font les moines chinois ? »

« D'abord, il n'existe pas de technique avancée ; seule l'aisance du mouvement importe. Le fait d'imiter le tigre, le singe ou le dragon comporte un certain intérêt esthétique, mais je te conseille d'apprendre plutôt à te battre comme l'animal le plus dangereux de la planète — l'humain, qui emploie à la fois l'instinct et la raison. Ton arme la plus puissante se trouve entre tes deux oreilles. Ceux qui ne comptent que sur leur force seront déjoués par l'intelligence, l'imprévisibilité, la flexibilité et la ruse. »

Au début de l'automne, tandis qu'un vent froid recommençait à malmener l'île, Serafim conduisit Sergei au faîte d'une falaise de granit contre laquelle venaient se briser des vagues une vingtaine de mètres plus bas. « Tiens-toi debout, dos au lac, les talons tout près du vide, ordonna-t-il. Il se peut qu'un jour tu aies à te battre au bord d'un précipice, sur un pont ou près d'une falaise comme celle-ci. Au moment précis où la peur t'envahit et où la tension monte en toi, tu dois appendre à te détendre, à respirer, à absorber les coups et à les esquiver. Car en te contractant, tu t'exposes à une chute. »

Sergei jeta un coup d'œil derrière lui et faillit perdre l'équilibre. « Si je tombe… »

« Tu n'en mourras probablement pas », le rassura Serafim. « Mais cela risque d'être… désagréable. »

Tandis que Serafim exerçait sur lui une légère poussée, Sergei pivota, cédant sous cette pression. Serafim le poussa à nouveau, visant l'épaule droite, puis la gauche, les hanches ou le torse. Sergei esquivait les coups, maintenant son équilibre malgré les poussées de plus en plus robustes.

Il fit de même quand Serafim pointa vers lui la pointe d'un couteau.

Enfin, le moine lui demanda de se retourner face aux vagues, qui léchaient la falaise tout en bas. Le jeune homme ne pouvait plus voir venir les coups ; il devait les pressentir et les éviter aussitôt. Une seconde de tension, et il tomberait dans le précipice...

Serafim l'attaqua d'abord lentement, délicatement, tout en lui soufflant des conseils : « La peur est un serviteur extraordinaire... mais un terrible maître... Elle est source de tension ; n'oublie donc pas de respirer et de te détendre. Tu n'as pas à te défaire de la peur... apprends simplement à réagir différemment. »

Fixant le vide devant lui, Sergei devait constamment se rappeler les raisons qui l'avaient incité à rechercher cet enseignement, tandis que les poussées de Serafim prenaient de la force, se transformant lentement en coups. Puis vint le couteau, dont la lame le harcelait, le piquait, perçait sa peau. Sergei continuait à réagir avec fluidité.

Mais soudain, Serafim le frappa sur l'omoplate. Le coup le prit par surprise et le fit basculer dans le précipice.

Pendant un moment affolant, tout se mit à tourbillonner autour de lui... puis son instinct reprit le dessus, et il parvint à se redresser dans les airs en battant des bras et des jambes. Il les referma tout juste avant de frapper l'eau dans un grand bruit d'éclaboussures.

Il ressentit le choc de l'impact dans ses jambes, ses hanches, sa colonne vertébrale et son cou. Puis, seuls le silence et la morsure de l'eau glaciale. Son estomac se noua, comme s'il avait reçu un coup de pied à l'aine.

Se débattant en direction de l'air et la lumière, il refit surface en haletant, assourdi par le bruit des vagues et le cri des goélands. Levant les yeux, il aperçut Serafim, tout en haut de la falaise. Le moine indiquait du doigt la droite de Sergei. Celui-ci nagea dans cette direction et y trouva une petite plage fort bienvenue, car il ne sentait plus ses bras ni ses jambes. En escaladant la falaise pour aller rejoindre Serafim, il se dit qu'il avait encore beaucoup à apprendre.

Une semaine plus tard, alors que Sergei était en train de s'échauffer, Serafim l'attaqua avec un couteau qui lui sembla arriver de nulle part : à peine un instant auparavant, le vieux moine était debout, souriant, les mains vides. Une seconde plus tard, une lame volait en direction de sa gorge. Instantanément, Sergei leva les mains et fit un mouvement de côté. Pas très impressionnant comme défense, pensa-t-il, mais au moins avait-il réagi impulsivement, comme Razin le lui avait enseigné.

« Tout le monde réagit différemment à une attaque », expliqua Serafim. « Certains sursautent et se retournent; d'autres se penchent ou reculent. Nous devons d'abord observer notre propre réaction instinctive. Attends, je t'explique. » Il tendit le couteau à Sergei. « Lance-le en visant mon cou. » Sergei s'exécuta sans conviction. Serafim envoya valser le couteau d'un mouvement si brusque qu'il s'enfonça dans une poutre de bois à trois mètres d'eux. Puis il gifla Sergei. « Une vraie attaque ! » ordonna-t-il.

Quand Sergei l'attaqua à nouveau avec plus de vigueur, Serafim se pencha en arrière vers le côté, portant les mains à sa gorge. « C'est ainsi que j'ai réagi la première fois qu'on m'a mis à l'épreuve », précisa-t-il. « Maintenant, regarde comment j'enchaîne à partir de ce point de départ. »

Sergei brandit le couteau une fois de plus, et Serafim l'esquiva de la même façon mais y ajoutant une légère torsion du coude, ce qui lui permit de saisir la main armée de Sergei.

Puis le moine pivota doucement, lui tordant le poignet et lui arrachant le couteau qu'il pointa en direction du jeune homme. « Tu vois ? À partir de sa réponse initiale, il s'agit de laisser notre corps choisir la voie de la moindre résistance pour régler le problème. Il n'existe pas de mauvais mouvement. La seule erreur possible consiste à ne pas réagir du tout. »

Presque tous les après-midi, à moins qu'il ne soit occupé ailleurs, Serafim venait assister à l'entraînement de Sergei et lui prodiguer des conseils — le reprenant, effectuant des démonstrations, lui conseillant de nouveaux exercices et se mesurant à lui pour évaluer ses progrès, lents mais réguliers.

Le moine enseigna à Sergei d'astucieuses façons de se déplacer de biais pour désarmer et vaincre un assaillant muni d'un pistolet ou d'un sabre, corrigeant les erreurs du jeune homme non pas verbalement mais à l'aide de poussées, d'effleurements ou de légers coups. Préférant travailler en silence, il s'adressait directement au corps de Sergei, sans se servir de concepts abstraits.

À un moment, toutefois, il prit la parole pour lui faire un simple rappel : « Lors d'un combat fatal, peu importeront les brillantes idées qu'aura assimilées ton esprit. »

Au fil des mois, Sergei franchit plusieurs stades d'apprentissage. Il s'entraînait même quand il jeûnait, ou lorsqu'il se sentait malade ou fatigué. En s'exerçant malgré la fatigue, il découvrit qu'il pouvait se débrouiller même dans les pires situations. Quand force physique et rapidité lui faisaient défaut, il tentait d'améliorer sa capacité de détente, son équilibre, le synchronisme de ses mouvements ou la précision de ses prises.

Près d'un an s'était écoulé depuis le début de son entraînement. Chaque fois que l'épuisement ou la frustration lui donnaient envie de tout lâcher, Serafim l'encourageait à sa façon : « En gravissant une colline, tu as le droit d'abandonner… pourvu que tes jambes continuent à avancer. » Parfois, la seule force qui le portait était le souvenir d'Anya, ainsi que sa propre promesse de venger sa mort.

Sergei songeait souvent à Zakolyev et ses hommes. Chaque mois de plus passé à l'ermitage permettait peut-être la mort d'autres innocents — toutefois, s'il se lançait à l'attaque avant d'être prêt, il perdrait toute chance de réussite.

Plus le temps — si précieux — s'écoulait, plus ce dilemme hantait Sergei.

. 31 .

Lorsque Paulina atteignit l'âge de huit ou neuf ans — personne ne comptait vraiment les anniversaires dans le camp de Zakolyev —, elle était toujours, et même plus que jamais, l'amie et la fervente admiratrice de Konstantin. Toutefois, son quotidien s'était profondément transformé depuis qu'elle avait commencé son entraînement sous la supervision du vieux Yergovich. Maintenant qu'elle avait ses propres activités, elle ne pouvait plus passer autant de temps avec Konstantin, sauf quand elle réussissait à profiter d'une pause pour s'éclipser. Plus rares, leurs rencontres étaient devenues plus précieuses encore.

La vie de Konstantin avait changé, elle aussi. Son esprit vif était assoiffé de défis, et sa curiosité ne cessait de s'accroître. Il comprenait des choses qui restaient obscures aux yeux des autres garçons de la bande. Et ce qu'il ne comprenait pas, il le devinait. Il puisait à même les connaissances de ses aînés; l'un des quelques hommes du clan qui savaient lire, flatté par l'admiration du garçon, lui enseigna l'alphabet cyrillique. Ensuite, Konstantin apprit à lire par lui-même. Il dénicha plusieurs livres dans une pile d'objets mis au rebut, qui provenaient de ces gens que les hommes de la bande appelaient « Juifs ».

L'un de ces livres, rédigé par un certain Abram Chudominsky, racontait une traversée de l'océan vers un lointain territoire, l'Amérique. Mot par mot, Konstantin découvrit le plaisir du voyage au fil des pages; puis il relut le bouquin encore et encore. Il se disait qu'un jour, il franchirait l'océan dans un grand bateau pour aller explorer une telle contrée. Qu'il aurait aimé faire connaissance avec l'homme qui avait écrit cette merveilleuse histoire!

Pour pouvoir lire et rêver en toute quiétude, Konstantin s'était aménagé un repaire — une petite caverne camouflée par un dense feuillage de l'autre côté du ruisseau, près du sommet des chutes. Un peu plus tard, il révéla sa cachette à Paulina, et ils couraient s'y rencontrer chaque fois qu'ils en avaient l'occasion. Isolés du reste du monde, ils chuchotaient et riaient ensemble. Konstantin lui lisait des extraits de son livre, lui enseignait l'alphabet et lui apprenait à déchiffrer des mots et à reproduire des lettres.

Puis, la veille de l'an 1900, le camp de Zakolyev fut plongé dans une agitation et un malaise nouveaux. Certains hommes, chez qui l'éducation bigote de leur enfance avait dégénéré en superstitions naïves, craignaient le Jugement dernier, se préoccupant du salut de leur âme. Ils croyaient toujours que leurs raids étaient justifiés, mais le sang et les cris de leurs victimes revenaient les hanter. Seul Korolev dormait toujours paisiblement.

L'Ataman continuait de maintenir son autorité avec la même courtoisie tranquille entrecoupée d'accès de violence. Pour qui lui plaisait, il savait se montrer généreux. Cependant, quiconque le trahissait risquait de payer cher cet affront. Malgré ses sautes d'humeur, toutefois, Zakolyev était loin d'être un fainéant. Il s'assurait le respect de ses hommes en s'entraînant plus fort que la plupart d'entre eux. Son véritable pouvoir, cependant, ne reposait pas sur sa rapidité ou sa force, mais sur sa capacité de déstabilisation. Si Korolev se montrait parfois plus impitoyable que l'Ataman Dmitri Zakolyev, nul n'était aussi imprévisible que ce dernier. Personne — ni homme, ni femme, ni enfant — ne pouvait réellement prévoir ses réactions.

Un soir qu'il était ivre, plusieurs mois auparavant, un homme nommé Brukovsky avait marmonné des reproches à propos du comportement étrange de l'Ataman au cours des dernières années, et il avait laissé entendre qu'il pourrait diriger la bande aussi bien que lui — et peut-être même mieux. Il espérait sans doute que certains renchériraient, mais tout le monde était resté coi. Konstantin avait saisi ses paroles, en même temps que quelques hommes silencieux qui fixaient obstinément leurs mains, faisant mine de n'avoir rien entendu pour se dissocier de ce discours. Mais l'Ataman, qui réussissait à percer tous les secrets, eut vent de l'incident. Certains croyaient que Zakolyev avait le don de lire dans les pensées d'autrui, ce qui plongeait la plupart de ses hommes dans un constant état d'anxiété.

Peu après, Konstantin fut autorisé à accompagner les hommes en patrouille en tant qu'assistant — un autre privilège que lui accordait papa Dmitri. Il était donc présent le soir où l'Ataman et douze de ses hommes prirent place autour d'une large table pour étancher leur soif et manger à satiété, et où Zakolyev, qui semblait d'humeur agréable, fit observer : « On croirait voir le Christ et ses disciples lors de la Cène, à la seule différence près que je ne risque pas de me faire crucifier de si tôt. » Puis il balaya la pièce du regard, cherchant à établir un contact visuel avec chacun de ses hommes.

Tandis qu'ils levaient tous leur verre pour souhaiter une longue vie à l'Ataman, Zakolyev fit le tour de la table, posant une main approbatrice sur les épaules de certains. Mais quand il atteignit Brukovsky, qui venait d'avaler une grande rasade de vodka, l'Ataman lui trancha la gorge si profondément que la vodka jaillit en même temps que son sang.

Zakolyev scruta un à un les visages blêmes de ses hommes, laissant tomber nonchalamment le cadavre de Brukovsky sur le sol. Il prit la place de celui-ci et termina son repas. « Inutile de gaspiller de la nourriture », observa-t-il en chef de clan responsable.

Malgré l'inquiétude croissante que suscitaient le comportement et l'état d'esprit de l'Ataman au sein de sa bande, il n'y eut plus aucun indice de rébellion. Pendant une longue période à la suite de cet incident, en fait, les hommes ne tinrent plus entre eux que de brèves conversations, choisissant soigneusement leurs mots qu'ils prononçaient à mi-voix.

Même Korolev n'échappa pas à la colère de l'Ataman. Par un soir frisquet de février, Zakolyev rejoignit dans l'étable le manchot, de retour de la chasse. Il jeta un coup d'œil à l'intérieur des stalles et aux quatre coins de la pièce pour s'assurer qu'ils étaient seuls, puis il demanda à son second : « Te rappelles-tu cet homme, Sergei Ivanov, que nous avons laissé face contre terre il y a quelques années ? Tu avais cassé le cou à sa femme, si cela peut te rafraîchir la mémoire. »

Le géant avait assisté à tant d'événements semblables, et vu tant de visages qui avaient sombré dans l'oubli depuis. Pourtant, il se souvenait clairement d'Ivanov, et de l'ordre absurde de l'Ataman qui l'avait empêché de l'achever.

Mais Korolev fut brutalement arraché à ses souvenirs par la voix tranchante de Zakolyev. « Dis-moi donc, Korolev, crois-tu qu'il était encore en vie quand nous l'avons abandonné ? »

« Tu m'as demandé de le laisser ainsi, et je t'ai obéi », répondit le manchot. « Oui, je crois qu'il respirait encore, mais il avait la tête ensanglantée... »

« Je ne te demande pas de te perdre en conjectures, mais de te rappeler les faits ! »

Zakolyev se sentait de plus en plus angoissé. Ses visions de Sergei Ivanov, qui le hantaient jour et nuit, s'étaient intensifiées. Maintenant, il regrettait amèrement l'impulsion qui l'avait poussé à le laisser en vie. Cette peur le minait ; chaque fois que la pensée d'Ivanov surgissait, il ressentait une douleur lancinante à la tête et son estomac se nouait. Korolev avait eu raison : le chagrin d'Ivanov se transformerait en colère, et il reviendrait se venger. En attendant, le monstre continuait à poursuivre Zakolyev dans ses rêves.

. 32 .

À l'orée du siècle nouveau, un climat de paix et de célébration régnait dans l'ermitage de Saint-Avraam Rostov, où les frères profitaient de ce passage pour unir leurs vœux, priant pour l'avènement d'un monde plus humain. Puis le premier jour de l'année se leva comme tous les autres : un pâle soleil fit irruption à l'horizon, éclairant leur routine habituelle marquée par la prière et les tâches monacales — et, pour Sergei, par sa séance d'entraînement quotidienne.

Puis vint le printemps, avec le retour des oiseaux migrateurs, le dégel graduel des ruisseaux et l'éclosion de fleurs de toutes les couleurs. L'île renaissait. Les travaux qu'accomplissait Sergei dans les champs, la salle de lessive et la cuisine l'imprégnaient d'un sentiment d'appartenance à la communauté, tout en équilibrant sainement son entraînement martial.

Jour après jour, ponctuées de ces occupations journalières, quatre années s'étaient envolées sur l'île intemporelle de Valaam, où les changements semblaient se mesurer en siècles. Au monastère parvinrent des rumeurs de la révolte des Boxers qui faisait rage en Chine : des guerriers chinois avaient expulsé les Japonais et les Occidentaux de leur pays, et la Russie avait envoyé des soldats pour occuper la Mandchourie. Quand cette nouvelle atteignit le *skete* d'Avraam Rostov, les moines l'accueillirent par de brefs hochements de tête puis reportèrent leur attention vers les sphères supérieures de leur existence.

Entre-temps, Sergei avait fait des progrès : Serafim lui avait enseigné à mouvoir ses bras, ses jambes, ses hanches et ses épaules de façon indépendante. « Laisse ton esprit se concentrer sur un point unique, tout en demeurant présent à tout ce qui se passe autour de toi », lui avait conseillé son maître.

« Détends ton corps et relâche ton esprit. En cultivant une attitude de fluidité et d'ouverture, tu pourras réussir à frapper un opposant de face tout en décochant un coup de pied à un autre derrière toi, et ce en continuant de bouger et de te déplacer. Tes adversaires auront l'impression de se battre contre une pieuvre. »

Serafim rappela également à Sergei que peu importe le nombre de ses opposants, il n'aurait jamais à s'en prendre à plus d'un homme à la fois. « Même si dix ou vingt hommes t'attaquent, ils s'entraveront mutuellement. Parmi les trois ou quatre qui te menacent, tu dois t'avancer vers le plus près — n'attends pas qu'il t'atteigne. »

Ce jour-là, Serafim apprit à Sergei à jongler avec deux pierres, puis trois. « Apprendre à affronter de multiples adversaires s'apparente beaucoup à l'art de la jonglerie, lui confia-t-il. Tu lances des objets dans les airs, un à la fois mais de sorte qu'ils se succèdent rapidement. Si ton attention faiblit pendant que tu jongles, tu échapperas une pierre ; si ta concentration te fait défaut lors d'un combat, tu perdras la vie. Tu dois donc rester extrêmement détendu, attentif et en mouvement constant en faisant face à un homme… puis un autre… et encore un autre… gardant ton esprit libre et tes mouvements fluides… avec un cœur paisible et l'esprit du guerrier. »

Bien que Sergei soit venu chercher en premier lieu un enseignement martial sur l'île de Valaam, Serafim et lui devaient remplir d'autres obligations essentielles au bon fonctionnement de l'ermitage. Serafim était fort occupé, partageant son temps entre ses fonctions de guide spirituel auprès des autres moines et les soins qu'il prodiguait aux malades et aux blessés. Mais la plupart du temps, leur après-midi était consacré à l'entraînement.

Même si ces leçons s'avéraient souvent frustrantes, Sergei attendait avec impatience chacune d'entre elles, car il ne pouvait jamais prévoir ce qu'elle lui apporterait. Un jour, et pendant plusieurs semaines ensuite, Serafim lui enseigna à lancer des couteaux de la main droite et de la gauche — par-dessus, par-dessous, debout ou allongé, et même en courant ou roulant sur lui-même.

Puis le jeune homme apprit à appliquer une pression sur des points stratégiques pouvant paralyser une jambe ou un bras, à frapper deux ou trois hommes à la fois en tournoyant comme un fouet et à rediriger le coup de pied ou de poing d'un assaillant vers un autre.

À ce stade de son apprentissage, Serafim brandit une hache directement vers Sergei, qui gardait les yeux rivés sur l'arme. Le vieux moine le remit à l'ordre : « Détends ton regard, lui conseilla-t-il. Plutôt que de fixer les bras, les jambes ou les yeux de ton adversaire, reste à l'affût de tout ce qui se passe autour de toi. Un tel regard élargira ta conscience et transmettra un puissant message à ton opposant, c'est-à-dire qu'il ne représente à tes yeux qu'un ennui temporaire dont tu ne tarderas pas à te débarrasser. Tu dois regarder *à travers* l'assaillant, comme si tu te souciais peu de cette attaque, tout en restant profondément conscient de sa présence. »

« Est-ce réellement possible ? » demanda Sergei.

« Tu le découvriras bientôt », lui assura Serafim.

Au fil des mois, Sergei prit conscience que ses tâches monacales — les heures qu'il consacrait au service des autres et à la contemplation — n'étaient pas que de simples distractions : elles faisaient partie intégrante de son apprentissage. Son entraînement martial et le reste de sa vie se fondaient l'un dans l'autre, formant un véritable tout. Presque à son insu, il était en train d'assimiler non seulement une philosophie de combat mais un art de vivre.

« Comment pourrait-il en être autrement ? » fit le vieux moine. « Pourquoi aurais-je perdu mon temps à t'enseigner uniquement à vaincre tes ennemis ? Nous découvrons ensemble la vie, beaucoup plus que le combat. Et je continue de prier pour que tu te détournes un jour de tes idées de vengeance. »

Sergei ne trouva rien à lui répondre.

Vers le milieu de sa cinquième année sur l'île de Valaam, l'entraînement de Sergei s'intensifia considérablement. Parce que Serafim le poussait sans cesse aux limites de ses capacités, il s'aperçut qu'il était non seulement de plus en plus à l'aise lors d'un combat, mais également qu'il avait acquis une grâce nouvelle qui se manifestait même quand il balayait le plancher, ouvrait une porte ou nettoyait les bols et les ustensiles. Il s'ouvrait à une nouvelle conscience de son corps, qu'il pouvait difficilement décrire. Évidemment, son habileté au combat s'était améliorée, mais il avait en outre tissé des liens profonds avec l'ermitage, un peu comme les arbrisseaux faisaient partie intégrante de l'île. Aux yeux du monde extérieur, pris dans un tourbillon de préoccupations, peu importait pourtant qu'un jeune homme nommé Sergei Ivanov ait enfin appris à se mouvoir comme un enfant.

Quelques semaines auparavant, Serafim le lui avait rappelé : « Un jeune enfant réagit spontanément en tout temps, sans nourrir d'attentes. C'est ainsi que nous devrions nous battre… et vivre. » Peu à peu, Sergei avait entrepris une autre quête, un retour à l'innocence. Il avait même oublié dans quel état physique et psychologique il était arrivé à Valaam, au moment où il était obsédé par la recherche d'un maître mystérieux. Évidemment, il était loin d'égaler Serafim, mais il avait acquis la capacité de *percevoir* les réactions de son mentor, qui l'intriguaient plus que jamais.

Sergei gardait en tête une histoire que Serafim lui avait contée à propos d'un homme qui, accablé de fatigue, implorait Dieu tous les jours de lui donner des forces. Ses prières n'étant jamais exaucées, il fut un jour saisi d'un accès de désespoir et s'écria : « Par pitié, Dieu, emplis-moi d'énergie ! » Et Dieu répondit : « Je ne cesse de te remplir, mais il y a une fuite ! »

En Sergei, il n'y avait plus de fuite — plus autant, du moins. Son énergie semblait s'accroître chaque jour tandis qu'il se préparait à affronter la tâche qui l'attendait.

Au cours des semaines qui suivirent, Serafim ne cessa de harceler Sergei au moyen de bourrades, de coups, de torsions et de pressions sur des points stratégiques de son corps, afin de susciter en lui un inconfort croissant. « Observe bien », lui ordonna-t-il. « Quand je presse ce point, tu ressens de la peur ; quand je touche celui-ci, tu ressens du chagrin. Personne ne réagit exactement de la même façon. Mais quelles que soient les émotions qui surgissent en toi, tu dois les laisser passer sans cesser de te concentrer sur ton but premier. »

Le vieux moine se mit également à gifler Sergei au visage pour l'étourdir, jusqu'à ce que le jeune homme réussisse à garder sa concentration et à se déplacer malgré la douleur. Peu après, un moine le complimenta sur l'éclat de son teint, tandis qu'ils travaillaient ensemble dans la cuisine. « Ton entraînement doit être revigorant », présuma le frère.

Sergei lui répondit par un sourire, songeant que le moine serait surpris s'il apprenait la nature de ses dernières leçons.

Un jour, en fin d'après-midi, le père Serafim demanda l'aide de quatre frères pour un exercice. En tant que pacifistes convaincus, les moines de l'île n'approuvaient pas de telles pratiques martiales, mais ceux-ci consentirent à s'en remettre à la sagesse de Serafim dans ce cas particulier. Ils acceptèrent de retenir fermement au sol les jambes, les bras et la tête de Sergei qui s'était allongé sur le dos. Obéissant aux ordres de Serafim, chacun lui tira ou lui tordit un membre dans différentes directions, lui infligeant un certain degré de douleur. La tâche de Sergei consistait à rester détendu. Il trouva cet exercice étonnamment ardu — peut-être parce qu'il lui rappela son impuissance quand il avait été cloué au sol lors de cette horrible journée plusieurs années auparavant. Cependant, en relâchant ses muscles et en faisant preuve de créativité dans ses mouvements, il réussit chaque fois à se libérer.

« Si tu conserves ton calme et ta mobilité », lui fit observer Serafim, « tu ne resteras plus jamais prisonnier même si plusieurs mains te retiennent. »

À ce moment, Sergei songea au jour où il avait finalement raconté à Serafim les événements qui l'avaient incité à entreprendre sa quête. Le moine avait hoché la tête, et Sergei avait eu l'impression étrange que ses mots ne faisaient que confirmer ce que son vieux maître savait déjà…

Tandis qu'il s'extirpait de sa rêverie, il entendit Serafim qui poursuivait : « Plutôt que d'essayer de te libérer immédiatement, maintiens le contact physique ; celui-ci te permettra de mieux situer ton opposant. S'il t'empoigne, la partie sera gagnée pour toi : tu sauras comment te mouvoir pour projeter son corps afin de te dégager. »

Jour après jour, l'apprentissage se poursuivait. L'hiver revint en force, et Sergei prit douloureusement conscience de toutes ses faiblesses, déséquilibres et points de tension. Quand il confia à Serafim qu'il lui semblait s'empirer, le moine sourit. « Mais non, tu ne fais que reproduire tes erreurs habituelles, mais à un degré moindre. La vie n'est pas une question de perfection, mais de perfectionnement. Et tu as encore du pain sur la planche à cet égard. »

L'entraînement de Sergei n'était pas dénué d'humour. Le lendemain, tandis que Serafim lui enseignait à l'aide d'une lanière de cuir à apprivoiser la douleur, l'un des frères de l'ermitage passa près d'eux. Il secoua la tête en marmonnant : « Au Moyen-Âge, ils auraient fait la file pour avoir droit à ce traitement. »

Quand le frère eut disparu, ils s'esclaffèrent tous deux. Puis, plus sérieusement, Serafim ajouta : « Une personne saine ne recherche pas la douleur, Socrate — et je ne prends pas non plus plaisir à l'infliger. Mais un tel entraînement, accompli avec rigueur, diminuera l'emprise de la souffrance physique sur toi et l'empêchera de te surprendre, de te décourager ou de te ralentir lors d'un combat. »

Par la suite, chaque fois que Sergei sentait sur son corps la morsure du fouet, il pensait à Zakolyev.

Au cours du printemps 1903, Serafim se mit à bander les yeux de Sergei pendant une partie de chaque séance d'entraînement afin d'accroître sa sensibilité et d'aiguiser sa conscience. Il conduisit Sergei dans la forêt, lui disant : « Même si tu es temporairement aveuglé, tu devras continuer à te battre en te servant des sens qui te restent. »

Après quelques chutes et contusions, Sergei apprit à se frayer un chemin à tâtons malgré les obstacles, affûtant son ouïe. En outre, transcendant ses sens habituels, il réussissait parfois à percevoir le champ énergétique des objets qui l'entouraient. Pendant ce temps, Serafim ne cessait de le pousser de tous côtés, le forçant à se détendre instantanément afin de s'écarter ou de rouler sur lui-même. Quand il perdait la trace de son maître, celui-ci lui rappelait sa présence en lui assenant un coup de bâton sur la tête. À leur retour à l'ermitage, Serafim mena Sergei dans une pièce où il dut deviner combien de moines étaient présents.

Parfois, Serafim demandait à Sergei de fermer les yeux et de décrire les alentours avec le plus de détails possible. Cela l'incitait à porter toute son attention à son environnement plutôt que de se laisser distraire par ses pensées. « Tu es en train d'apprendre à penser avec ton corps — à te libérer de ton intellect et à t'ouvrir à tes sens », lui expliqua le moine.

Un jour, Serafim noua des cordelettes à la cheville et au coude de Sergei, lui faisant constamment perdre l'équilibre tandis qu'il luttait contre des assaillants imaginaires. Il attacha également une main de Sergei derrière son dos, puis les deux, l'obligeant ainsi à se battre avec les épaules, le menton, les hanches, la tête, les pieds, les genoux et le torse. « Si tout ton corps est paralysé », lui conseilla son maître, laisse ton intelligence venir à ta rescousse. Tu pourrais être surpris du résultat, même si tu t'opposes à des forces supérieures. »

Sergei apprit aussi de nouvelles façons de se libérer de différentes prises — torsions, étranglements, clés de bras et autres — en décochant des coups précis sur des cibles variées. Serafim lui enseigna ensuite à maîtriser un ou plusieurs opposants tout en demeurant debout ou allongé sur le dos, le côté ou le ventre, ou encore en bondissant sur ses pieds, afin qu'il puisse se défendre même blessé, coincé dans une position inconfortable ou sur une terrain difficile.

Tandis que ses pensées s'orientaient vers sa mission, ainsi que vers les hommes qu'il devrait affronter, Sergei expliqua à Serafim : « Certains de mes adversaires sont plus grands et plus costauds que moi. L'un d'entre eux est un géant. »

« Peu importe », répondit le moine. « Les hommes grands et forts peuvent être de bons combattants à une certaine distance, mais la souplesse, la fluidité et la rapidité peuvent en venir à bout. Il sera plus facile pour un homme plus petit de travailler de l'intérieur, de plus près. Chaque corps a ses forces et ses faiblesses : tu dois t'efforcer de minimiser tes faiblesses et de mettre tes forces à profit. Tu peux même vaincre un assaillant plus rapide que toi en pressentant son attaque plutôt que d'attendre qu'elle soit amorcée. »

Cet été-là, quand Serafim décida que Sergei était enfin « prêt à apprendre », ils se donnèrent rendez-vous dans une clairière au milieu de la forêt, et le moine lui enseigna d'excellentes tactiques visant à esquiver et à désarmer un homme armé d'une épée. Un sabre tranchant comme un rasoir à la main, fendant l'air et se déplaçant lestement sur le sol, Serafim lui expliqua : « En apprenant à te servir de l'épée, tu apprendras à te défendre contre cette arme. »

Après que Sergei eut pratiqué pendant des semaines diverses stratégies d'escrime à la manière des samouraïs japonais, Serafim lui demanda de tirer un sabre de son fourreau aussi vivement que possible et de l'attaquer.

Alors que Serafim se tenait debout à environ trois mètres de lui, détendu et alerte, Sergei se prépara à saisir l'arme et à la brandir vers le vieux moine, comme celui-ci le lui avait ordonné. Dès qu'il esquissa son geste, cependant, Serafim bondit à ses côtés, bloquant sa main de façon à l'empêcher de tirer le sabre du fourreau. Il lui démontra ensuite comment il pourrait le mettre hors d'état de nuire de diverses façons.

« Ne crains jamais l'arme elle-même, mais plutôt l'homme qui la porte. Mets l'accent sur ton assaillant tandis que celui-ci se concentre sur son couteau, son sabre ou son pistolet. Il rassemble son pouvoir dans son arme, négligeant souvent le reste de son corps. Au moment où tu pourrais avoir tendance à reculer sous la menace d'une arme, fonce sans hésiter ! Réduis la distance qui te sépare de ton adversaire et désarme-le avant qu'il ne puisse t'agresser. Tu dois contrer son attaque avant qu'elle n'ait lieu. »

Sergei mit plusieurs semaines à apprendre à se rapprocher de son assaillant en une fraction de seconde.

Puis, soudainement, l'entraînement de Sergei prit une tout autre direction. Tandis qu'ils revenaient à pied vers le *skete* dans l'air vif de cette fin de septembre, Serafim l'entretint de la patience et de l'aspect éthique du combat. « Tu t'es bien débrouillé au cours des dernières années, Socrate, mais l'apprentissage des techniques martiales n'est qu'un début. Si les mouvements des plus grands guerriers sont si amples et détendus, c'est parce qu'ils servent une cause supérieure. La seule façon de trouver la victoire au combat et la sérénité dans sa vie consiste à s'en remettre à Dieu. »

Serafim se mit à marcher de long en large, comme il le faisait lorsqu'il voulait insister sur un point. « Le véritable guerrier, Socrate, fait preuve d'humanité même en pleine bataille. Même si une victoire écrasante t'est accordée, tu risques encore ton âme. Celui qui combat le dragon s'expose à devenir dragon à son tour. »

Ces paroles, ainsi que la philosophie qui s'en dégageait, imprégnaient non seulement l'esprit de Sergei mais son cœur. Il regardait ce vieux moine, ce guerrier pacifique qui avait été pour lui un mentor au cours des sept dernières années. Il lui semblait paradoxal de ne pas pouvoir l'appeler « Père », car c'est ce qu'il était devenu à ses yeux, remplaçant la figure paternelle dont il avait été privé depuis l'enfance.

Cette nuit-là, après avoir murmuré une prière d'amour en mémoire d'Anya et de son fils, il rendit grâce pour la générosité, l'humanité et la simplicité de Serafim.

Sergei savait depuis le début que Serafim n'approuvait guère sa quête de vengeance ; pourtant, chaque jour sans exception — à moins que ses fonctions ecclésiastiques ne l'appellent ailleurs —, il lui transmettait des bribes de sa vie et de son expérience, sans recevoir d'autre récompense que la gratitude de Sergei. Dans l'esprit du vieux moine, il était simplement gratifiant de servir la mystérieuse volonté divine.

Évidemment, tout cela intensifiait l'amour de Sergei à son égard.

. 33 .

Sa séance d'entraînement matinale avec Yergovich terminée, Paulina traversa la forêt en direction de la rivière en riant aux éclats, échappant de justesse à l'étreinte de Konstantin. Celui-ci aurait peut-être pu la rattraper, mais il choisit de la laisser prendre les devants. Étant donné les récents progrès de la jeune fille, cependant, elle risquait de le surpasser bientôt à la course.

Konstantin, qui n'était plus un petit garçon mais un grand jeune homme, était resté le protecteur et l'ami de Paulina. Non pas qu'elle eût réellement besoin de sa protection : pour ses onze ans, elle se débrouillait de façon surprenante. Et d'ailleurs, aucun garçon de la bande n'aurait osé brutaliser la favorite de Zakolyev. Paulina s'était livrée avec un abandon sauvage à toutes les cascades imaginables, prenant plaisir à escalader les plus hautes branches des arbres ou à marcher sur des troncs glissants au-dessus de profonds fossés. Elle était devenue aussi agile et vive que n'importe quel garçon de son âge, et beaucoup plus habile au combat.

En fait, elle surpassait même en technique et en rapidité plusieurs garçons du clan plus âgés qu'elle. Yergovich lui enseignait les rudiments du combat selon la tradition cosaque, misant beaucoup plus sur la fluidité du mouvement, l'équilibre et l'agilité que sur la force brute ou la taille. Et tous les membres de la bande s'entendaient pour affirmer que la petite était douée, bien que personne n'osât demander pourquoi Zakolyev insistait pour que tous les hommes lui transmettent leurs connaissances. Seul Korolev refusait de se mêler à ces « jeux d'enfant ».

Zakolyev chérissait Paulina plus que jamais; dès que l'entraînement martial de la petite fille était en cause, cependant, sa sentimentalité se transformait en sévérité paternelle. Il exigeait d'elle le meilleur d'elle-même chaque jour, lors de ses trois séances d'entraînement quotidiennes. Paulina, quant à elle, ne se plaignait jamais et se montrait énergique et déterminée. Tirant une grande fierté de ses progrès, elle faisait preuve d'une concentration et d'une assiduité qui impressionnaient tous ceux qui observaient son évolution.

La plupart du temps, Konstantin fuyait la compagnie des autres, rêvant, lisant et traçant des images dans la terre ou sur un parchemin à l'aide d'un morceau de charbon. Il songeait aussi beaucoup à Paulina. Il éprouvait une certaine nostalgie à l'égard de sa douceur et de son innocence, des qualités qu'il avait perdues quelque part en chemin. Passer du temps avec elle lui donnait l'impression de s'évader d'une hutte sordide pour aller se balader dans une forêt parfumée. Parfois, il se tapissait dans l'ombre pour observer l'entraînement de son amie sous la supervision du grand Yergovich.

Yergovich était un personnage impressionnant, plus grand que tous les autres hommes de la bande à l'exception du géant Korolev. Assez corpulent, il évoquait aux yeux de Konstantin un ours, ressemblance accentuée par son épaisse barbe brune ainsi que son cou et sa poitrine velus. Il possédait également la puissance de l'ours, et bien qu'il ne fût pas aussi vif que certains hommes plus jeunes, il savait anticiper leurs attaques.

Plusieurs années auparavant, il avait travaillé comme maçon. Puis un jour, dans une auberge, il en était venu aux coups avec Tomorov. Une minute plus tard, Tomorov et les compagnons qui étaient venus à sa rescousse s'étaient retrouvés étalés sur le sol, sans blessure grave sauf celle infligée à leur ego. Quand Zakolyev avait fait irruption, Yergovich lui avait dit : « Je pourrais enseigner à ces jeunes freluquets à se battre convenablement. » Après s'être joint à la bande, il s'était montré digne de ses prétentions. Personne ne pouvait le vaincre sauf Korolev, qui un jour lui avait pratiquement cassé le cou. Mais le géant avait récolté de cette bagarre quelques ecchymoses, qui avaient fait naître en lui un respect bourru envers l'ancien maçon.

Par la suite, les hommes du clan avaient commencé à l'appeler le « grand Yergovich ». Obéissant et fiable, il ne posait pas de questions, ce qui en faisait un bon professeur pour Paulina. Fier de son rôle d'instructeur, il prenait plaisir à observer les progrès de la jeune fille. Le grand Yergovich n'avait pas de famille ; il n'entretenait qu'une amitié pour Shura, la seule femme de son âge dans le camp. Dans un sens, c'est Yergovich et Shura qui avaient servi de véritables parents à Paulina.

Yergovich s'entendait relativement bien avec tous les hommes de la bande sauf Korolev. Il n'aimait pas la façon dont le manchot zieutait sa protégée. Korolev était assez avisé pour la laisser tranquille, mais Yergovich ne faisait pas confiance à cet homme-tigre qui, d'un air faussement soumis, attendait sournoisement son heure.

L'ours et le tigre respectaient donc une espèce de trêve, plutôt ardue.

Tous les jours, Yergovich imposait à Paulina un programme rigoureux de jeux martiaux et d'exercices — dont la course, la natation et l'escalade —, lui enseignant des techniques de combat que certains hommes de la bande n'avaient même jamais observées. Il lui avait réservé ses secrets. Il était résolu à offrir à Paulina le meilleur entraînement possible pour qu'en cas de besoin, elle ait au moins une chance de se défendre contre le manchot si lui-même n'était pas là pour la protéger.

Pendant ce temps, Konstantin était constamment affamé, et sa chemise et ses souliers étaient devenus trop étroits pour lui. Il dut marcher pieds nus un bon moment avant de dénicher une vieille paire de bottes dans un tas de vêtements mis au rebut. Il se sentait gauche et maladroit, et parfois sa voix muait. Il songeait souvent aux femmes plus matures et à ce qu'elles faisaient avec les hommes — et qui lui arriverait peut-être un jour. Puis ses pensées revenaient à Paulina et il avait honte ; après tout, elle n'était encore qu'une enfant.

Dans ce tourbillon de changements, Paulina était une constante rassurante — la jeune fille le chérissait de façon inconditionnelle. Avec le temps, il ressentait cependant une animosité et une jalousie croissantes envers Dmitri, que Paulina admirait tant. Elle ne connaissait qu'une facette de l'Ataman : à ses yeux, il était un père protecteur et attentif, qui s'intéressait fortement à ses progrès. Zakolyev n'avait jamais donné à Paulina de raison de le craindre. Elle ignorait la véritable nature de l'Ataman, et Konstantin n'osait pas la lui révéler.

Parallèlement, Konstantin dissimulait à Paulina l'attachement de plus en plus passionné qu'il ressentait à son égard. Il avait été jadis un frère pour elle, mais ses sentiments avaient évolué et s'étaient approfondis. Il savait qu'il aurait dû se montrer reconnaissant envers l'Ataman qui ne s'opposait pas à leur amitié — pourvu que le jeune homme ne distraie pas Paulina de son entraînement.

Son rôle au sein de la bande, qui ne dépassait jamais celui de garçon de service, avait été établi plusieurs années auparavant, quand l'Ataman lui avait demandé d'aider les femmes à prendre soin de Paulina. Il n'était donc guère surprenant qu'aucun des hommes ne l'encourage à s'initier au combat.

En fait, il était soulagé de rester à l'écart des raids et des massacres ; il avait d'autres intérêts, d'autres talents. Dans la pile grandissante où s'entassaient les biens pillés aux Juifs assassinés, il découvrit un précieux ensemble de pinceaux et de pigments. Pendant que Paulina s'entraînait, il cultivait ses propres dons, un morceau de charbon ou un pinceau à la main, sur du papier ou toute autre surface s'y prêtant. Quand il dessinait ou peignait — des arbres, des huttes, des chevaux et des oiseaux, et parfois même des images tirées de ses rêves —, les heures filaient comme l'éclair.

Ce n'est que lorsqu'il songeait à son avenir que Konstantin se sentait accablé de chagrin. Il ne pouvait s'imaginer mener une telle existence des années encore — attendant au camp avec les femmes et Yergovich le retour de patrouille des « vrais hommes ». Et les autres garçons de son âge, dont certains chevauchaient dorénavant aux côtés des adultes, le trouvaient pour le moins étrange.

Seule Paulina le comprenait.

Maintenant, toutefois, il commençait à douter de tout. Quand ils réussissaient à se retrouver, Paulina et lui, il se sentait embarrassé, incapable de s'exprimer, alors que cela lui était si facile auparavant. Il se contentait donc de lui poser des questions sur son entraînement, et elle lui répondait avec un tel enthousiasme qu'il ne pouvait mettre en doute leur amitié.

Konstantin aimait la façon dont les cheveux courts de Paulina, d'une riche couleur de terre, rebondissaient quand elle courait. Elle était très jolie, même habillée à la garçonne. Un jour, il avait tenté de faire son portrait; ils avaient ri ensemble de cette première tentative. Il l'avait dessinée encore et encore sans être capable de rendre pleinement honneur à sa beauté. Si elle n'avait pas été la protégée de papa Dmitri, elle aurait certainement été en danger auprès de certains hommes de la bande.

Père Dmitri. Quand Konstantin songeait à lui, une bouffée de colère l'envahissait à la pensée de la duperie, de l'hypocrisie, des secrets et des mensonges entourant Zakolyev. Paulina ne voyait encore que ce qui lui plaisait chez lui — et ce que les autres lui laissaient savoir : la vie disciplinée de l'Ataman et les patrouilles au service d'un tsar lointain. Elle ignorait tout des cadavres carbonisés qui jonchaient le sillage des hommes du clan.

Konstantin savait qu'il aurait dû lui dévoiler la vérité, mais chaque journée de silence rendait ces révélations plus pénibles. Elle ne le croirait pas; il perdrait sa confiance. Peut-être même en viendrait-elle à le détester. Et si elle affrontait Dmitri, le résultat pourrait s'avérer catastrophique pour les deux jeunes gens.

Il attendrait qu'elle découvre la vérité par elle-même.

❖ ❖ ❖

Dotée d’un esprit et d’un cœur empreints de bonté, Paulina attribuait également ces qualités à ses proches. Elle avait été témoin des sautes d’humeur et des accès de colère de Dmitri, évidemment, mais un enfant pardonne facilement à son père ses petites manies. Isolée du reste du monde par ses ordres et fort occupée par la vie qu’il lui avait destinée, Paulina n’avait guère le temps de s’arrêter à des considérations plus vastes. Elle avait accepté le fait qu’en tant que fille de l’Ataman, elle recevait un entraînement particulier auquel étaient associées certaines responsabilités. Et d’ailleurs, elle n’enviait aucunement l’attitude effacée et soumise des autres femmes occupées à faire le ménage et la cuisine, porter de l’eau et servir les hommes.

Mais parfois, le soir, avant de s’endormir paisiblement, elle se demandait si elle aimerait mener une existence ordinaire en compagnie d’autres femmes.

Au moins j’ai mon vieil ours, soupirait-elle. Et mon Kontin sera toujours là.

. 34 .

C'était le printemps 1905. Neuf ans avaient passé depuis l'arrivée de Sergei sur Valaam. Neuf années de travail, de contemplation et d'entraînement qui lui avaient fourni de précieux outils, tant pour le combat que la vie en général. Sergei avait maintenant trente-deux ans. Son tempérament juvénile s'était estompé devant une personnalité plus réfléchie, empreinte d'une maturité, d'une humilité et d'une sagesse nouvelles. Il sentait en lui les premiers frémissements de la transformation qu'avait jadis prédite Serafim.

Depuis la mort de sa femme, Sergei avait consacré plus d'une décennie à se préparer pour un seul acte de châtiment. Parfois, cela lui semblait tenir de la folie ; à d'autres occasions, il avait l'impression de servir une noble cause. Si un homme assassine la famille d'un autre, il est juste que ce dernier l'envoie en enfer. C'était aussi simple que ça.

L'élève de Serafim était devenu un guerrier exceptionnel, ayant surpassé sans s'en rendre compte Alexei le Cosaque et même Razin. Une énergie et une puissance en constante expansion circulaient en lui, indices d'une maîtrise de soi et d'un sentiment d'invincibilité tempérés uniquement par les raclées que lui administrait encore régulièrement son maître.

La métamorphose de Sergei s'accompagnait cependant d'accès d'impatience de plus en plus fréquents. Une éternelle question revenait sans cesse le hanter : combien de temps encore laisserai-je Zakolyev fouler le sol de cette planète ? Ses pensées le ramenaient sans cesse au sud du pays, au territoire peuplé de Juifs où ces hommes continuaient sans doute à faire couler le sang d'innocents.

À un moment, Sergei conclut que le temps était venu pour lui de partir. Ses adieux, toutefois, seraient loin d'être aisés.

Il admirait et enviait Serafim pour la paix que celui-ci avait trouvée — un état de grâce que lui-même risquait de ne jamais connaître. Il avait pourtant acquis l'impression qu'un jour, il comprendrait peut-être ce que le patriarche de l'île avait voulu lui transmettre.

Il communiqua sa décision à son maître au cours de leur rencontre suivante : « Serafim, il est temps pour moi de poursuivre mon chemin. »

Serafim se gratta la barbe, puis répondit simplement : « Eh bien, tu as peut-être raison… mais je me demande, Socrate, comment tu penses vaincre tous ces hommes si tu n'es même pas capable de venir à bout d'un vieux moine fatigué ? »

« Voulez-vous dire que je dois vous battre avant de pouvoir prendre congé ? »

« Tu peux quitter cet endroit n'importe quand. Il s'agit d'un ermitage, et non d'une prison. »

« Mais je désire partir avec votre bénédiction. »

« Je te l'ai offerte dès le jour de notre première rencontre. Et même avant… »

« Je crois que vous comprenez ce que je veux dire, Serafim. »

Le vieux moine sourit. « Après toutes ces années, nous commençons en effet à nous comprendre. Je laissais simplement entendre qu'une victoire de ta part lors d'un match amical constituerait un bon indice de la valeur de ton entraînement. »

Ils s'étaient affrontés à plusieurs reprises dans le passé, évidemment, mais ce combat-là serait différent des autres, où Sergei avait eu l'impression d'être un enfant s'attaquant à un géant. Maintenant, il possédait comme atouts non seulement sa jeunesse et sa rapidité, mais les fruits d'un entraînement constant. Entre ses séances officielles, il continuait en effet à s'entraîner mentalement en mangeant, travaillant, s'assoyant — et même pendant son sommeil. Oui, il se sentait prêt.

Sergei fit un signe de tête, auquel Serafim répondit de même.

Face à face, ils se mirent à se déplacer lentement en tournant. Sergei prit une profonde inspiration et tenta une feinte. Celle-ci ne trompa pas Serafim, qui se tenait debout, détendu, pendant que Sergei dansait autour de lui. Puis le vieux moine fit un pas en avant en balançant la main. Cela fit presque perdre l'équilibre à Sergei, mais il se ressaisit aussitôt, demeurant concentré et bien campé sur ses pieds. Après avoir réussi à saisir la tunique de Serafim, il s'avança pour l'attaquer.

Son maître sembla se dissiper dans l'air comme un véritable coup de vent.

Tandis que Sergei lui décochait des coups de pied, de coude et de poing, ou tentait de lui faucher le bas du corps, Serafim ne cessait de l'esquiver si subtilement qu'il semblait n'offrir aucune résistance à son élève. Celui-ci ne parvint pas à l'atteindre une seule fois. Le moine ne se trouvait jamais à l'endroit que prévoyait Sergei — qui finit donc par renoncer à toute attente. À partir de ce moment, il put voir et ressentir pleinement tout ce qui l'entourait : Serafim, le ciel, la terre. Sergei réussit à projeter le vieillard sur le sol, mais celui-ci l'entraîna dans sa chute et ils roulèrent simultanément sur leurs pieds. Le combat se poursuivit, mais tout affrontement s'était estompé. Sergei et Serafim n'étaient plus deux entités distinctes, mais une seule masse d'énergie en mouvement.

Puis, au moment où Sergei esquissait un pas en avant, Serafim sembla se volatiliser pour réapparaître ailleurs, et il faucha du pied l'arrière du mollet de Sergei, qui se retrouva vautré sur le dos. Serafim s'agenouilla au-dessus de lui, prêt à lui assener le coup décisif. Le match était terminé.

Ils ne s'étaient jamais affrontés ainsi auparavant, pratiquement en égaux. Serafim ne pouvait plus se permettre de s'amuser avec Sergei comme un chat avec une souris. Sergei, de son côté, venait de prendre conscience de certaines qualités que possédait son maître et que lui-même n'avait pas encore assimilées. Malgré son issue prévisible, ce combat avait donc été d'une importance capitale : Sergei y avait appris davantage qu'au cours de longs mois d'entraînement. Ils en étaient tous deux conscients. Mais pour l'instant, il n'était plus question de départ. L'enseignement devait se poursuivre.

Et il était sur le point de prendre une direction que Sergei n'avait jamais imaginée auparavant.

Au début de la séance qui suivit, Serafim s'adressa sans ambages à son élève : « Tout ton entraînement passé n'était qu'une préparation pour ce que je m'apprête à t'enseigner. Il s'agira pour toi d'une renaissance, de l'apprivoisement d'une pratique dont découlent directement les modestes capacités que j'ai acquises à ce jour. Tu aurais pu y être initié dès notre première rencontre, mais cela t'aurait pris vingt ans pour l'assimiler. Grâce à toutes ces années de préparation, je t'ai offert le raccourci que tu désirais si ardemment. Étant donné l'état actuel de tes connaissances, tu ne devrais pas mettre plus d'un an à apprivoiser cette dernière pratique. Mais nous verrons… »

C'est ainsi que s'amorça l'initiation de Sergei à la technique de combat la plus radicale qu'il ait connue. Serafim commença par six mots : « Prépare-toi. Je vais te frapper. »

Sergei détendit ses muscles, se plongeant dans un état de conscience et d'ouverture extrêmes comme il avait appris à le faire. Il attendit, prêt à se défendre. Mais l'attente se prolongeait. Serafim se tenait droit devant lui, immobile comme une statue.

Sergei prit une lente et profonde inspiration, puis une autre. Finalement, il se lassa : « Alors ? Allez-vous m'attaquer bientôt ? »

« Je suis en train de le faire », répondit Serafim.

« Je ne comprends pas… »

« Chut. Silence, s'il te plaît. Les mots ne font qu'activer ton intellect, détournant ton attention de ce qui se passe autour de toi. »

Dans le silence qui suivit, Sergei perçut enfin le mouvement de Serafim : celui-ci déplaçait en effet son bras et le reste de son corps vers le jeune homme, mais si lentement qu'il lui semblait immobile.

Une autre minute s'écoula. « S'agit-il d'une plaisanterie ? » demanda Sergei. « Quel est le but de cet exercice ? »

« Porte attention à chaque instant », expliqua doucement Serafim. « Concentre-toi sur ton corps, des orteils aux oreilles en passant par le bout de tes doigts. Harmonise le rythme de ta réaction avec celui de mon mouvement. »

Sergei soupira et obéit de son mieux, se déplaçant plus lentement et plus consciemment que jamais auparavant. Tout cela lui semblait aussi inutile que frustrant. Néanmoins, il suivit docilement le geste de son vieux maître au fil des nombreuses minutes que celui-ci mit à compléter le crochet qu'il avait amorcé.

Grâce à la lenteur de son mouvement, Sergei décela en lui de subtiles tensions et fit un effort pour détendre ses cuisses, son ventre, ses épaules.

Son premier mouvement terminé, Serafim fit mine d'en commencer un autre. À ce moment, Sergei brisa le silence. « Serafim, je comprends la valeur du travail au ralenti. Mais pourquoi si lentement ? À ce rythme, je pourrais bloquer n'importe quel coup — et même aller nettoyer la cuisine et revenir avant que tu ne m'atteignes. »

« Détends-toi... respire... observe », répéta Serafim. « Accorde-toi à mon rythme... »

Ils poursuivirent donc cet exercice jusqu'au crépuscule, aussi lents et silencieux que le soleil qui sombrait doucement vers l'horizon.

❖ ❖ ❖

Tandis que se poursuivait l’apprentissage de Sergei, le temps sembla se figer. Plusieurs semaines s’écoulèrent avant que les mouvements de Serafim ne s’accélèrent réellement. Ils continuaient à se battre comme s’ils étaient englués dans une épaisse mélasse, mais au moins leurs mouvements se faisaient peu à peu plus perceptibles.

Sergei en profita pour corriger en lui certains points de déséquilibre qu’il n’avait jamais remarqués auparavant, apprenant à se détendre plus profondément que jamais tout en se déplaçant. Son corps, empreint globalement d’une nouvelle conscience, réagissait maintenant spontanément à n’importe quelle attaque, sans effort apparent.

Le jeune homme commençait à percevoir la relation unissant toutes les parties de son corps, y compris ses organes internes, ses os et ses articulations, ainsi que les courants d’énergie qui jaillissaient de la terre pour imprégner ses membres et ceux de Serafim, lesquels devenaient le prolongement de leurs centres d’énergie.

Parfois, Serafim lui soufflait des conseils : « Bouge comme une algue… flottant… t’élevant… retombant… tournant sur toi-même. » La plupart du temps, cependant, ils travaillaient en silence, car les mots étaient inutiles. Leur mouvement devint une profonde méditation — et parfois même une forme de prière, quand l’énergie affluait au cœur de Sergei.

Au cours des mois qui suivirent, Serafim continua d’attaquer Sergei au ralenti, avec des mouvements aériens : l’un après l’autre, il esquissait des coups de poing… de pied… de coude… de la main gauche… puis de la droite… un crochet… en croisé… un autre coup de pied… puis une prise. Sous tous les angles possibles. Entre-temps, le soleil poursuivait sa course dans le ciel, les ombres se déplaçaient et les saisons défilaient.

Vers le milieu de l’été, après des milliers d’attaques, chaque coup ne durait plus qu’une minute, et leurs mouvements devinrent de plus en plus coulants et vifs. Sergei ne se laissait plus distraire par ses pensées; il se consacrait totalement à cette danse de l'énergie. Son corps y réagissait de plus en plus naturellement. Il aurait même pu continuer à s'exercer en dormant, mais ce nouvel état se situait à l'opposé du sommeil : il se caractérisait par une conscience pure, où l'ego disparaissait. Serafim et Sergei ne formaient alors plus qu'un, comme le vent qui traverse et unit les saisons.

Quand vint l'automne, chaque mouvement fut complété en une quinzaine de secondes seulement, puis dix, puis cinq, sans que Sergei ne prenne vraiment conscience de cette progression. Leur rythme n'était plus qu'un flot d'énergie. Toute force qui surgissait était absorbée et redirigée ; Sergei était en train d'assimiler profondément des techniques avancées, presque à son insu.

L'automne tira sa révérence, et les attaques gagnèrent en rapidité. En restant simplement conscient, Sergei parait chaque coup sans effort apparent.

Dans un moment d'illumination, il comprit le secret de l'efficacité et de la grâce exceptionnelle des mouvements de Serafim. Plus surprenant encore, il s'aperçut qu'il avait acquis la même aisance.

S'étant libéré de toute résistance tant physique que psychologique, Sergei était devenu un réceptacle, un canal où circulait librement l'énergie vitale. Il avait appris depuis longtemps à faire confiance à Serafim, puis à son propre corps, et enfin à toute chose.

Le printemps surgit à nouveau, bouclant un autre cycle des saisons. Les attaques de Serafim étaient maintenant rapides comme l'éclair, mais cela ne faisait aucune différence. Ses mouvements étaient si vifs qu'à peine un an auparavant, Sergei aurait eu du mal à les percevoir, et encore plus à y réagir. Mais au stade qu'ils avaient atteint, les notions de vitesse et de temps n'importaient plus.

Un jour, Serafim s'immobilisa soudainement.

Sergei en perdit presque l'équilibre. Tout son corps vibrait, et il se sentait entraîné par des vagues d'énergie étincelante qui tourbillonnaient autour d'eux.

« Nous avons créé tout un émoi », constata Serafim.

Sergei hocha la tête en souriant, tandis que le soleil printanier plongeait derrière les collines à l'ouest.

« Et maintenant ? » demanda-t-il.

« Plus rien », répondit Serafim. « Notre pratique commune est terminée. »

Pendant un moment, Sergei n'entendit plus que le vent qui sifflait dans les arbres. Il n'était pas certain d'avoir bien compris. « Êtes-vous en train de me dire que j'ai terminé mon entraînement ? »

« L'entraînement n'a pas de fin », fit Serafim. « Il évolue sans cesse, façonné par nos objectifs de vie. Tu as maintenant saisi l'essence du mouvement, de la relation, de la vie. Tu as aussi appris les rudiments du combat. Tu as accompli ce pourquoi tu étais venu ici. Demain, nous irons nous balader et discuterons de ton désir de vengeance. Une autre voie plus élevée s'ouvre à toi. »

« Serafim… vous savez que… »

« Demain », l'interrompit le moine. « Nous en reparlerons demain. »

Le lendemain, Sergei prit la parole dès qu'il se retrouva en présence de Serafim : « Vous savez que j'ai prêté serment sur la tombe de ma famille… »

« Tu t'es fait une promesse à toi-même, et non à Dieu. En vérité, Socrate, tu n'as d'autre véritable ennemi que toi-même. Quand tu trouveras la paix, il n'y aura plus personne qui pourra te vaincre. Ni d'ailleurs personne que tu souhaiteras vaincre. »

Ils firent quelques pas en silence, puis Sergei répondit : « J'ai eu jadis un professeur qui m'a enseigné que la volonté consiste à atteindre les buts que l'on s'est fixés ou à mourir en tentant d'y arriver. » Se retournant pour faire face à Serafim, Sergei s'adressa au père spitiruel en lui. « Je me suis engagé dans cette voie, père Serafim — je dois affronter ces hommes. »

Le vieux moine eut un regard empreint de lassitude. « Ne veux-tu pas rester parmi nous, ne serait-ce que pour quelques années encore ? »

« Pendant que ces hommes continuent de frapper sauvagement ? »

« Il y a des hommes sauvages partout sur la planète, Socrate. La nature elle-même se déchaîne parfois — cela se manifeste par des ouragans, des tremblements de terre, des fléaux et des épidémies de sauterelles. Encore aujourd'hui, des dizaines de milliers d'innocents continuent de succomber à la violence et à la famine aux quatre coins de la planète. Mais toi, qui t'a confié ce rôle ? Qui t'a doté de la sagesse de décider de la vie ou de la mort d'autrui, et des circonstances de cette mort ? Comment peux-tu prétendre connaître la volonté de Dieu ? »

Ne trouvant rien à répondre, Sergei rétorqua par une question : « À quel Dieu faites-vous référence, père Serafim ? Au Dieu de la miséricorde et de la justice qui a cru bon, dans sa sagesse infinie, de m'enlever ma famille ? Est-ce là le Dieu que vous implorez dans vos prières ? »

Serafim haussa d'un air perplexe ses sourcils broussailleux, blanchis par l'âge. « Enfin, Socrate, tu fais face au fardeau qui t'accable depuis si longtemps. J'aimerais pouvoir trouver les mots capables d'apaiser ton cœur. Mais pour moi aussi, Dieu demeure un mystère. Un jour, un homme nommé Hillel, l'un des pères de l'hébraïsme, a dit : “Il existe trois mystères dans le monde : l'air pour les oiseaux, l'eau pour les poissons, et l'humanité pour elle-même.” À mes yeux, Dieu est le plus vaste de tous les mystères, et pourtant il est aussi présent que le battement de notre cœur, que notre prochaine respiration... il nous entoure comme l'air, comme l'eau. Toutefois, seul le cœur, et non l'esprit, peut pénétrer son mystère. C'est là que tu trouveras la foi. »

« J'ai cessé de croire en Dieu il y a plusieurs années. »

« Dieu veille même sur les non-croyants. Comment pourrait-il en être autrement ? » Serafim riva ses yeux à ceux de Sergei. « Plonge dans le mystère, Socrate. Garde confiance. Renonce à juger le cours des événements, et tu retrouveras la foi. »

Sergei secoua la tête. « Vos paroles ont toujours un parfum de vérité, Père. Pourtant, il m'est difficile de saisir leur portée. »

« À un moment, tu avais même du mal à saisir ma tunique. Et regarde comment la situation a évolué, avec un peu de patience… »

« Et beaucoup de pratique. »

« Oui. Et le temps est peut-être venu de t'entraîner… d'une autre façon. » Il fit une pause, choisissant soigneusement ses mots. « Ton entraînement t'a déjà montré les limites de l'esprit. L'intellect est une échelle qui permet de se hisser vers le firmament, mais elle n'atteint pas les cieux. Seule la sagesse du cœur peut éclairer ta voie. Ton homonyme de l'Antiquité, le grand Socrate, rappelait aux jeunes d'Athènes que la sagesse naît de l'émerveillement. »

« Mais au-delà de ces nobles paroles, Serafim, comment dois-je agir ? »

« Que doit faire chacun d'entre nous? Placer un pied devant l'autre ! Tu n'es qu'un acteur dans une pièce de théâtre si vaste qu'elle n'a pu être conçue que par Dieu… et parfois, je me demande même si le Créateur lui-même y trouve un sens ! » admit Serafim en riant. « Nous ne pouvons qu'y jouer le rôle qui nous a été assigné. Comprends-tu ? Les gens qui font irruption dans ta vie — qu'ils soient là pour t'aider ou te faire du mal — sont tous envoyés par Dieu. Accueille-les tous avec un cœur paisible, mais également avec un esprit de guerrier. Tu connaîtras de nombreux échecs, mais par tes erreurs tu apprendras et finiras par trouver ta voie. Entre-temps, accepte la volonté divine, ainsi que cette vie qui est la tienne, un jour à la fois. »

« Comment puis-je connaître la volonté de Dieu, Serafim ? »

« La foi ne repose pas sur la connaissance ni sur la certitude », expliqua le vieux moine. « Elle demande seulement le courage d'accepter le fait que tout événement, heureux ou douloureux, sert un but supérieur. »

Méditant ces paroles, ils atteignirent l'ermitage.

. 35 .

Au fil des années, Dmitri Zakolyev avait grandement souffert du passage des jours, et plus encore des nuits qui le minaient. Jadis mince et musclé, il était devenu un être émacié et crispé, aux joues creuses qui lui donnaient un air de cadavre ambulant. Ses yeux brillants laissaient deviner sinon sa folie, du moins une obsession maladive. On aurait dit que sa vision, autrefois vaste et grandiose, s'était rétrécie au point de se concentrer en une préoccupation unique, soit Paulina et son entraînement.

En cet été 1906, Paulina était toujours une jeune fille vive et élancée, dont l'énergie, l'ouverture d'esprit et la maturité ne cessaient de s'accroître. Ses progrès au combat s'étaient également intensifiés, sous les yeux ébahis de tous ceux qui assistaient au déploiement de son talent exceptionnel.

Le grand Yergovich l'avait entraînée avec brio. Zakolyev, toutefois, ne lui faisait plus confiance ; en fait, il se méfiait dorénavant de tous sauf de sa fille. Même Korolev lui semblait louche ; l'Ataman n'aimait pas la façon dont le géant ricanait en se détournant de lui à son arrivée. D'ailleurs, cela ne se produisait pas uniquement avec Korolev, mais avec d'autres de ses hommes également. Zakolyev les avait entendus chuchoter derrière son dos.

Son dernier espoir, il le plaçait en sa fille. Elle lui permettrait de regagner honneur, autorité et respect ; elle lui procurerait la paix. Presque tous les jours, il allait la regarder s'entraîner, mais il replongeait invariablement dans ses propres pensées ; le monde qui l'entourait se dissipait alors, happé par un tourbillon de sons et d'images — des mots, des gémissements, des cris et du sang.

Son esprit oscillait entre le passé et le présent; quand il se ressaisissait, il prenait conscience de sa lassitude profonde, de son incapacité à se protéger contre ses cauchemars, contre ce monstre qui découpait sa mère en lambeaux de chair. Et à ses cris à elle faisaient écho ceux des fantômes de Juifs qui, sans pitié, revenaient se venger.

L'Ataman continuait à mener avec ses hommes des raids frénétiques, multipliant les massacres. Mais même dans le feu de l'action, ses pensées revenaient vers Paulina, gardienne de tous ses espoirs, de sa vie même — cette petite fille qui peu à peu devenait femme, et redoutable guerrière. Paulina était son poignard, son salut, son sabre, dont la victoire pourrait enfin faire taire les cris qui le torturaient.

. 36 .

Au cours des quelques jours qui suivirent, Sergei se plongea dans la contemplation et la méditation, dont il ressentait un profond besoin. En compagnie de Serafim, il fit plusieurs balades dans l'île. Parfois, ils savouraient ensemble le silence qui les entourait ; d'autres fois, ils discutaient. Toutefois, ils n'abordaient plus le sujet du combat.

Les questions que se posait Sergei étaient maintenant plus vastes : Devrait-il rester fidèle à sa promesse ? Cela représenterait-il une preuve de volonté ou plutôt de rigidité ? Entre la guerre et la paix, laquelle choisir ? Existait-il une voie plus élevée ? Et enfin, Anya se réjouirait-elle de la mort de ses assassins, ou s'il perdait la vie en tentant de la venger ? Les réponses ne pouvaient venir de Serafim : elles devaient surgir du plus profond de son être.

Confus, Sergei se reprochait son ambivalence. Peut-être Zakolyev avait-il eu raison en le traitant de mauviette et de lâche. S'il n'affrontait pas son ennemi, à quoi aurait servi l'entraînement auquel il avait consacré tant d'années ? Il se sentait comme un fusil chargé, prêt à faire feu.

Pourtant, il reste toujours possible d'enlever la charge du fusil ou de replacer un sabre dans son fourreau. Voilà ce qu'aurait dit Serafim.

Une histoire que le moine lui avait contée quelques mois auparavant — peut-être en prévision de ce moment — lui revint à l'esprit. C'était celle d'un jeune samouraï au tempérament fier et bouillant, qui avait l'habitude de faucher net tout paysan qui lui portait offense. À cette époque, les samouraïs imposaient leur propre loi, et un tel comportement était légitimé par la tradition.

Un jour, cependant, après un nouveau meurtre, essuyant le sang qui souillait son sabre avant de le glisser dans son fourreau, le samouraï commença à craindre que les dieux ne désapprouvent ses actes et l'expédient en enfer. Désirant en apprendre davantage sur l'éternité, il visita l'humble demeure d'un maître zen nommé Kanzaki. Avec la courtoisie de mise, le samouraï se délesta de son *katana*, tranchant comme un rasoir, et le déposa à ses côtés. Il s'inclina profondément devant le maître et lui demanda : « S'il vous plaît, parlez-moi du ciel et de l'enfer ! »

Kanzaki regarda le samouraï en souriant. Puis son sourire se transforma en un rire tapageur. Il pointa le doigt vers le jeune guerrier comme s'il avait dit quelque chose d'hilarant. Balançant la main dans sa direction, riant toujours aux éclats, il dit : « Espèce de rustre ! Tu oses venir demander à un maître empreint de sagesse de te parler du ciel et de l'enfer ! Ne me fais pas perdre mon temps, idiot ! Tu es beaucoup trop stupide pour comprendre de telles notions ! »

Le samouraï sentit la colère l'enflammer. En temps normal, il aurait tué quiconque aurait simplement pointé le doigt vers lui de cette façon. Maintenant, il luttait pour contrôler ses ardeurs malgré les insultes de Kanzaki.

Mais le maître en rajoutait. Il lui fit tranquillement remarquer : « Il me semble évident que personne dans votre lignée de rustres et d'imbéciles ne pourrait comprendre un mot... »

Une rage meurtrière s'empara alors du jeune guerrier. Il saisit son *katana*, bondit sur ses pieds et brandit son sabre pour trancher la tête du maître zen.

À ce moment, le maître Kanzaki leva le doigt vers le samouraï et affirma calmement : « Voici que s'ouvrent les portes de l'enfer. »

Ces paroles figèrent le guerrier sur place. Un éclair illumina son esprit, et il comprit la nature de l'enfer. Ce royaume n'existait pas dans l'au-delà mais en lui, en cet instant même. Il tomba à genoux, déposant son sabre derrière lui, et s'inclina devant Kanzaki. « Maître, je ressens une gratitude infinie envers cette courageuse leçon que vous m'avez prodiguée. Merci, merci ! »

Le maître zen sourit, brandit son doigt à nouveau : « Voilà que s'ouvrent les portes du ciel. »

Ce samouraï, c'est peut-être moi, songea Sergei en labourant le potager de l'ermitage de Saint-Avraam Rostov.

Le lendemain, lors d'une promenade, Sergei raconta à Serafim l'histoire de sa vie, à partir de ses premiers souvenirs d'enfance jusqu'à son arrivée sur l'île de Valaam. Quand il eut terminé, Serafim déclara : « Ton histoire, Socrate, ne fait que commencer. Et n'oublie pas ceci : ton avenir ne sera pas nécessairement déterminé par ton passé — et pourtant tu portes ton histoire comme un sac de pierres pendu à tes épaules. » Serafim fit halte pour attirer l'attention de Sergei sur un vieux pèlerin qui travaillait dans un jardin non loin. « Plusieurs vieillards sont courbés non seulement par l'âge, mais par le poids de leurs souvenirs. »

« Me conseillez-vous d'oublier mon passé ? »

« Les souvenirs eux-mêmes ne sont que des tableaux défraîchis. Certains nous sont chers, alors que d'autres restent douloureux. Il n'y a aucune raison de s'en défaire. Il suffit d'enfouir ceux que l'on désire préserver dans un endroit sûr, pour les visiter à sa guise. Le passé ne doit pas envahir le présent. Je me préoccupe moins de ton parcours passé que de la direction que tu t'apprêtes à emprunter. »

« Et quelle est-elle ? » demanda Sergei. « L'avez-vous vue ? »

Serafim posa sur lui un regard pénétrant. « J'ai perçu quelque chose… mais nous en reparlerons bientôt. Et de toute façon, rappelle-toi qu'il n'existe jamais de destination réelle. Le *présent* est tout ce qui importe. Où que tu ailles, tu seras toujours *ici*. »

« Mais même ici et maintenant, mon passé fait partie de moi. »

« Seules des images perdurent », insista Serafim. « Le temps est venu pour toi de faire la paix avec le passé, au même titre que tu dois accepter le présent. On ne peut réinventer le passé. Le tien s'intègre parfaitement au déroulement de ta vie. »

« Parfaitement ? » s'écria Sergei, pris d'un accès de colère. « La mort de ma femme et de mon fils ? »

Serafim leva la main. « Calme-toi. Tu interprètes mes paroles sur un plan différent. Pour ma part, je fais référence à une réalité plus profonde : ton passé a le mérite de t'avoir envoyé à moi, comme Dieu te conduira ailleurs, vers les expériences nécessaires à ton cheminement. »

« Comment pouvez-vous le savoir ? »

« Le savoir ? » s'étonna Serafim. « Je ne sais même pas si le soleil se lèvera demain où si je me réveillerai à nouveau le matin. J'ignore même si Dieu m'accordera ma prochaine respiration. Dans ces conditions, je choisis de m'appuyer sur la foi plutôt que la connaissance — et d'accepter toute chose qui se présente à moi, bienvenue ou non, amère ou douce... car elle est un cadeau de Dieu. »

« Encore des mots, Serafim. Comment puis-je m'en servir ? »

« Tu n'as pas à t'y limiter. Va au-delà des mots, vers la partie de ton être qui sait déjà... »

« Qui sait quoi ? »

« Que chaque jour apporte une vie nouvelle ; que tu renais à chaque moment. C'est là l'une des facettes de la grâce, Socrate. Parfois, la meilleure attitude possible consiste à simplement rester attentif, avec la plus grande intensité possible. »

« Avec toi, la vie semble si simple. »

« Elle *est* simple, mais pas nécessairement facile. Et je te fais une promesse : un jour, tu saisiras toute la plénitude de l'existence, et elle t'apparaîtra d'une telle simplicité et d'une telle limpidité que tu éclateras de rire, ravi. Entre-temps, je ne peux que semer les graines. Le reste appartient à Dieu. »

Sergei s'attarda aux paroles de Serafim, tentant de s'imprégner de leur signification. Toutefois, une nouvelle question s'imposait à lui : « Serafim, dès notre première rencontre… comment se fait-il que vous connaissiez tant de choses à mon sujet ? »

Le vieillard sembla réfléchir, puis il finit par répondre : « Il y a plusieurs années, Socrate, avant que je ne devienne moine, j'étais soldat. J'ai pris part à de terribles batailles et assisté à des carnages d'une ampleur dont personne ne devrait jamais être témoin. Puis, j'ai dû vivre une nouvelle… épreuve.

« J'ai pris ensuite la direction de l'est en quête de sens, de paix. Je n'avais guère espoir de trouver ni l'un ni l'autre. J'ai visité plusieurs pays et découvert différents chemins menant à Dieu. J'ai appris que toutes les voies sont bonnes si elles élèvent la conscience. J'ai choisi la foi chrétienne, mais je n'ai pas oublié les cadeaux que j'ai reçus à l'époque où j'ai exploré d'autres sentiers conduisant au même sommet.

« J'ai aussi découvert certains dons que j'avais toujours possédés, mais que certaines pratiques m'ont aidé à cultiver. L'un d'entre eux est celui de la guérison. Enfant, déjà, je sentais une puissante énergie émaner de mes paumes. Maintenant, je crois qu'elle provient d'une source supérieure. Mon autre don est celui de l'intuition… et de la clairvoyance. Il fonctionne comme une fleur qui s'ouvre au contact de la lumière. Et j'ai des visions — la nuit dans mes rêves, et parfois le jour. Voilà pourquoi je connais certaines choses, mais jamais avec certitude. »

« Je me suis souvent interrogé sur cette capacité que vous avez… »

« Pour la comprendre réellement, il faut en faire l'expérience. Quand tu t'ouvres profondément à Dieu, tu peux tout *savoir* parce que tu *deviens* tout. Tu découvres que la distinction entre le passé, le présent et l'avenir n'existe pas. C'est ainsi que me parviennent mes visions. »

« Avez-vous vu ce que me réserve l'avenir ? »

« Je vois un scénario possible. Les gestes que tu poseras façonneront ton avenir, pour le meilleur ou pour le pire. C'est là qu'intervient le pouvoir du choix. »

« Mais ne pouvez-vous rien me dire à propos de ce qui m'attend ? »

Serafim considéra un instant cette question. « Tout don spirituel s'accompagne d'une responsabilité. Le rôle de mes visions est de m'aider à guider les gens, et non à prédire leur avenir. Si je t'exprimais ce que j'ai vu, cela pourrait aussi bien t'aider que te nuire — et je ne suis pas assez sage pour savoir comment tu réagiras.

« Et quoi qu'il en soit, cela pourrait interférer avec ton libre arbitre. Tu n'es pas ici sur terre pour te fier sur moi mais pour apprendre à te faire confiance, à suivre ta propre voie. Que se serait-il passé si je t'avais appris dès ton arrivée ici que tu vaincrais tes ennemis ? Aurais-tu accepté de consacrer autant de temps à ton entraînement ? Ma vision aurait-elle été confirmée par la suite des événements ? Et si je t'avais vu étalé sur le sol, sans vie ? Aurais-tu abandonné ta quête ? »

Serafim fixa à nouveau Sergei. « Je ne comprends pas toujours ce que je vois, Socrate. Je ne peux t'affirmer avec certitude que tu tueras ces hommes ni que tu leur pardonneras. »

« Leur pardonner ? Je les enverrai d'abord en enfer ! »

« Ils sont déjà en enfer. »

« Ce n'est pas une excuse ! »

« Non, évidemment pas », répondit le moine. « Toute excuse est vaine. Et la plupart du temps, j'ai même du mal à trouver des explications. Mais un jour, tu verras peut-être ces hommes comme faisant partie intégrante du grand tout auquel tu appartiens aussi. À ce moment, tous les morceaux de ton casse-tête trouveront leur place. Tu seras peut-être appelé à te battre, mais tu sauras alors que c'est uniquement toi-même que tu affrontes. »

Marchant à pas mesurés, Serafim poursuivit : « Ce que je vais te confier maintenant, je ne l'ai jamais révélé à personne — mais cela t'aidera peut-être à comprendre.

J'ai été marié autrefois. J'étais jeune et amoureux, et nous avions trois enfants. Pendant que j'étais parti à la guerre, ma famille a été assassinée par des brigands. »

Dans le silence qui flotta ensuite, ils entendirent un chant d'oiseau. Serafim reprit la parole : « Comme toi, Socrate, j'ai fait le serment de retrouver les coupables de ce crime. Et comme toi, je m'y suis préparé… »

« Les avez-vous retrouvés ? » demanda Sergei, à l'affût d'un signe.

« Oui. Et je les ai tous tués. »

Sergei prit une profonde inspiration, saisi par le lien tragique qui les unissait. « Serafim… quand vous avez pris conscience de ce qui était arrivé à votre famille, était-ce le pire moment de votre vie ? »

Serafim fit un signe de tête négatif. « Je l'ai cru au début, mais mon heure la plus sombre vint après ma "victoire", après avoir massacré ces hommes. Car en me vengeant, j'était devenu l'un des leurs… »

« C'est faux ! Vous n'êtes pas… »

« Quand tu t'attaques au dragon, tu deviens toi-même dragon », répéta Serafim. « Ce poids pèse encore lourd sur mon âme. Je ne pourrai pas défaire ce que j'ai fait. Jamais. Mais comprends-tu maintenant pourquoi j'ai choisi de t'enseigner ? Parce que j'espère que tu ne commettras pas la même erreur. »

En réalité, Sergei se sentait enfin prêt à appliquer une nouvelle philosophie de vie, mais il lui était extrêmement ardu de renoncer à un serment aussi profond — pour lequel il avait consacré près d'un tiers de sa vie à se préparer. « Même si j'abandonne mes idées de vengeance, dit-il, quelqu'un doit les arrêter, Serafim. Pourquoi pas moi ? »

Serafim plongea une fois de plus son regard dans les yeux de Sergei, comme s'il y cherchait une réponse, puis il déclara : « Peut-être as-tu raison. Peut-être devrais-tu partir à leur recherche. Tue-les tous. Fais-les souffrir comme ils t'ont fait souffrir. Crois-tu que cela se terminera ainsi ? N'épargne pas leurs enfants non plus, car ils chercheront à venger leurs pères. Tue-les donc aussi, et tu connaîtras l'enfer plus intensément que jamais. Ou peut-être ne ressentiras-tu rien du tout. Tu prendras peut-être même plaisir à les voir souffrir. Et le diable se réjouira ce jour-là, car tu incarneras le mal que tu cherchais à éradiquer. »

Après un moment, Serafim présenta son dernier argument : « Ceux que tu aimes trouveront la paix quand tu seras toi-même serein, Socrate. Alors, interroge-toi : quelle est la voie qui te procurera cette paix ? Dois-tu faire la guerre pour la trouver ? Ou peux-tu la faire surgir, ici et maintenant ? Les êtres déchirés par un conflit intérieur s'exposent constamment à la défaite. Tu dois faire la paix avec toi-même… »

Serafim fit une pause, puis ajouta : « Je comprends l'ampleur de tes convictions et de tes sentiments — nourris par tes souvenirs douloureux et tes résolutions. Mais toute émotion n'a pas à se concrétiser par l'action. Que tu choisisses de rester ici ou de partir, je ne te demande que de t'en remettre à une volonté supérieure. Apprends à maîtriser tes émotions comme si tu te protégeais d'une tempête — en te construisant un abri formé de foi et de confiance jusqu'à ce que se dissipe la tourmente. Libère-toi de la tyrannie de l'impulsivité et des désirs compulsifs. Deviens un guerrier divin, un serviteur de Dieu. »

« Mais… comment faire pour connaître la volonté de Dieu ? » redemanda Sergei.

Serafim esquissa un sourire. « De nombreux hommes et femmes bien plus sages que moi se sont déjà posé cette question, Socrate. Tout ce que je sais, c'est que Dieu parle le langage du cœur. Ton cœur te guidera… il t'enseignera à devenir un homme véritable… et un guerrier pacifique. »

Les paroles de Serafim, telles des flèches, frappaient droit au but. Toutefois, Sergei sentait une question persister en lui : « Et les brigands ? »

« Assez parlé d'eux ! » s'écria Serafim. « Ils t'ont possédé, ma parole ! Ne les as-tu pas laissés vivre en toi assez longtemps ? Auras-tu le courage de faire preuve envers eux de la pitié et de la compassion qu'ils n'ont pas eues pour toi et ta famille ? Ces questions se trouvent au cœur de l'enseignement du Christ. Mais peu y portent attention. Et toi, que feras-tu ? »

Serafim continuait d'arpenter les environs, comme si les mots lui venaient plus facilement lorsqu'il était en mouvement. « Nous savons tous deux que tu es devenu un guerrier formidable. Mais es-tu capable de faire la paix ? Tu sais comment mourir, mais as-tu appris à vivre ? Choisiras-tu de détruire ou de construire ? Te laisseras-tu guider par la haine ou par l'amour ? C'est là le choix qui s'offre à toi. »

« Et tout mon entraînement ? »

« Rien n'est jamais perdu », fit Serafim. « Tu as été initié à la voie du guerrier — alors bats-toi ! Lutte contre la haine et l'ignorance et pour la justice ! Mais je te le rappelle : tu ne peux vaincre les ténèbres par les ténèbres. En ce monde, seule la lumière peut dissiper les ombres. »

Sergei pouvait entendre Serafim respirer profondément tandis que celui-ci tournait son regard vers l'intérieur. « De toute façon, ces hommes mourront sans ton aide. »

« Puisez-vous cette conviction… dans une vision ? » demanda Sergei.

« Pas dans une vision, non — seulement dans ma compréhension de tels hommes, qui finissent par se détruire euxmêmes. Ils mourront tous, quoi qu'il en soit, comme tous les hommes… mais la même question resurgit : toi, que choisirastu ? Penses-y bien. Pour quel mode de vie ta bien-aimée Anya voudrait-elle te voir opter ? »

Puis ils se séparèrent. Parcourant les sentiers de Valaam, Sergei laissa les paroles de Serafim se mêler à ses propres pensées. Au cours de ses nombreuses années d'entraînement, assoiffé du sang des brigands, il avait exploré la partie sombre de son être. Il comprenait maintenant comment des hommes et même des nations pouvaient s'élever les uns contre les autres — et comment tout acte de vengeance, de désespoir ou d'ignorance risquait d'engendrer des actes plus tragiques encore.

Tandis qu'il déambulait dans la forêt, sa haine, comme n'importe quel feu, finit par s'éteindre doucement. En renonçant enfin à la mission mortelle qu'il s'était imposée autrefois, Sergei sentit une paix mêlée d'incertitude l'envahir. En se dégageant de l'emprise du passé, il voyait également se dérober une partie de son avenir. Auparavant, il savait où il s'en allait, et pourquoi. Mais maintenant, son désir de tuer ses ennemis s'était dissipé, et sa promesse de vengeance avait perdu son sens. Il ne possédait plus ni but ni aspiration.

Le jeune guerrier flottait entre le ciel et la terre, ancré ni dans l'un ni dans l'autre.

. 37 .

Après s'être entraîné tous les après-midi pendant des années entières, Sergei voyait maintenant un nouvel espace s'ouvrir au cœur de ses journées, de son esprit et de sa vie en général. Une puissante énergie circulait dorénavant en lui. Il sentait ses pensées devenir de plus en plus claires, vives et pénétrantes. Libéré de son ancienne obsession, ayant bouclé un long chapitre de son existence, il s'ouvrait à de nouvelles possibilités.

Sergei avait atteint une croisée des chemins : se pardonnant enfin ses failles humaines, il avait accepté le fait que malgré toute sa bonne volonté, malgré tous ses efforts ce jour-là dans le pré, il n'avait pas réussi à sauver sa famille. Cette réalité l'aida à faire la paix avec les fantômes de son passé. Pour la première fois depuis ce jour sinistre, il se sentait prêt à plonger dans une nouvelle vie.

Le temps était venu d'écrire à Valeria. Spontanément, il s'assit dans la salle commune où il avait passé d'innombrables heures à s'entraîner, jetant sur papier les mots qui jaillissaient de son cœur :

Chère Valeria,

Je sais que j'ai perdu le droit de vous appeler Mère, mais c'est ainsi que je continue à penser à vous, tout comme Anya restera toujours mon épouse bien-aimée. Au fil des années qui se sont écoulées, j'espère que votre cœur s'est suffisamment apaisé pour que cette lettre ne ravive pas d'anciennes blessures, éveillant au contraire de doux souvenirs de l'amour et du bonheur que nous avons partagés en famille. Ce que j'ai trouvé dans votre foyer m'était infiniment précieux. Accablé par la perte d'Anya, j'ai plus tard déploré également que ces événements m'aient éloigné de vous et d'Andreas.

Je ne réclame pas votre pardon. Je désire seulement vous faire part de ma tendresse et de la gratitude que je ressens à l'égard de la bonté que vous m'avez témoignée au cours des moments heureux que nous avons passés ensemble.

Avec tout mon amour et mes vœux de santé,

Sergei

Ce message s'imposait depuis longtemps. Sergei ne s'attendait pas à recevoir une réponse. Faire parvenir cette lettre à Valeria lui suffisait. Il espérait seulement qu'elle accepterait de la lire.

. 38 .

Quand ils se croisèrent à nouveau, le vieux moine prit Sergei complètement par surprise. Non pas grâce à un coup de poing ou de pied, cette fois, mais par de simples paroles qui eurent le même effet. « Tu dois quitter l'île, Sergei — et bientôt », lui annonça-t-il sans détour.

Sergei le regarda, abasourdi, s'efforçant de comprendre. « Partir ? Mais où ? » demanda-t-il.

« Je t'expliquerai en marchant. Quand j'aurai terminé, j'espère que tu auras tôt fait de te préparer et de faire tes adieux. »

Mystifié, Sergei se résigna à se taire pour mieux écouter le père Serafim, qui prit la parole : « Te rappelles-tu, il y a quelques jours, quand tu m'as demandé si je connaissais le chemin qui t'attendait ? Je t'avais répondu que nous en reparlerions. »

Sergei répondit par l'affirmative.

« Eh bien, le moment est venu. Je viens de recevoir la lettre. Ils se rassemblent sur le toit du monde. »

Dès le début de l'après-midi, Sergei avait rassemblé ses affaires. Il fit également ses adieux aux frères de l'ermitage de Saint-Avraam Rostov. Ceux-ci lui répondirent par un simple hochement de tête et un sourire, avant de reprendre leurs tâches habituelles.

S'apprêtant à se diriger vers la ferme de l'île pour y rejoindre Serafim, Sergei prit quelques minutes pour s'asseoir, goûtant le silence que son départ imminent rendait presque sacré. Ses pensées le ramenèrent aux dernières paroles de Serafim.

« Nous avons terminé notre cheminement ensemble », lui avait dit le vieillard. « Mais d'autres personnes pourront t'être utiles... dans ce rassemblement de maîtres, tous des amis de confiance. Chacun est issu d'une tradition religieuse différente... Ils sont attachés à leur voie, comme moi. Mais ils ont transcendé les enseignements conventionnels et se sont tournés vers des révélations cachées, des vérités ésotériques et des pratiques intérieures. Ils explorent les racines de toutes les religions qui s'entremêlent, le fleuve unique qui alimente tant de puits.

Il m'est impossible de te confirmer qui sera présent, mais tu rencontreras peut-être un maître soufi... un roshi, adepte du bouddhisme zen... un sage taoïste... un yogi d'allégeance hindoue... un rabbin juif... une femme kahuna d'Hawaii... une religieuse et mystique chrétienne d'Italie... un maître sikh... » Puis Serafim ajouta en souriant : « Et tu feras sans doute la rencontre d'un homme nommé George, qui ne s'insère dans aucune de ces traditions, et pourtant les épouse toutes. C'est lui qui a rassemblé tous ces maîtres.

« Les membres de cette fraternité ont adopté un dicton : "une même Lumière, plusieurs flambeaux; un même Voyage, plusieurs voies". Chacun de ces maîtres est l'un de ces flambeaux, ayant recours à ses propres principes, perspectives et pratiques pour ouvrir les portes de l'esprit — la voie intérieure de l'éveil... »

« L'éveil à quoi ? »

« L'éveil de la conscience à la transcendance », répondit Serafim. « Unis par ce vaste projet, ils débattent amicalement afin de comparer, d'opposer, d'évaluer et de partager leurs opinions de façon libre et ouverte. Leur but, je crois, consiste à déterminer les pratiques de base essentielles à l'évolution du corps, de l'âme et de l'esprit — et ce, afin de poser les assises d'une nouvelle voie universelle, libérée des dogmes et des pièges culturels.

« Il n'est pas utile que je te communique tous leurs noms, que tu apprendras là-bas. Mais sache qu'ils se rencontrent bientôt — dans trois mois —, et c'est pourquoi tu dois partir sans tarder. Ton périple sera ardu, mais tu as déjà accompli des voyages difficiles », ajouta-t-il.

« Vous ne m'avez pas encore dit où je devrai me rendre », fit remarquer Sergei.

« En effet. Regarde. » Serafim plongea la main dans sa tunique d'où il extirpa une carte. « J'ai indiqué le chemin. Tu chevaucheras jusqu'à un endroit au nord de l'Hindu Kush dans la région des Pamirs, que certains appellent le toit du monde. C'est dans ce lieu élevé, situé entre l'Inde, le Tibet, la Chine et la Perse, que je t'envoie à ma place — au milieu de la vallée de Fergana, dans une ville nommée Margelan. »

Serafim lui remit une lettre. « Voici une brève introduction. Tu offriras tes services… ce qui te permettra d'écouter et d'apprendre. C'est là mon cadeau de départ. »

Puis il poursuivit : « Le synchronisme me semble trop parfait pour que je mette en doute la pertinence de cette occasion. Cette possibilité a surgi au moment précis où tu as décidé, de ton propre gré, d'abandonner ta quête de vengeance.

« Ta décision d'emprunter une voie supérieure fait honneur à tout ce que je t'ai enseigné au cours des années, Socrate. Par ce choix — qui t'empêchera de répéter ma triste histoire —, tu me combles d'un présent d'une valeur indescriptible. »

Serafim offrit également à son élève un autre cadeau — une robuste jument, l'une des seules à occuper l'étable de Valaam. Avec l'approbation des autres pères de l'île, le moine lui fournit aussi des provisions et une centaine de roubles, pour le dépanner en cas de besoin. « Tu peux garder la jument tant qu'elle sera capable de te porter », déclara-t-il.

Sergei la baptisa Paestka, qui signifie « voyage ».

Le père Serafim le regarda sangler la selle qu'un frère avait dénichée. Les yeux brillants, la peau presque translucide, le vieux moine donnait l'impression d'être constitué de pure lumière, et non de chair.

Avant d'enfourcher sa monture, le jeune homme se retourna pour saluer son maître, mais celui-ci leva la main pour l'interrompre. « Entre nous, Socrate, nul besoin d'adieux. »

Après un dernier regard complice, Sergei Ivanov mena son cheval jusqu'au quai, prit place à bord d'un bateau et disparut dans la nature.

SIXIÈME PARTIE

Le calme avant la tempête

Si les talents se cultivent mieux dans la solitude,
le caractère se forme à son meilleur
dans les flots tumultueux du monde.

GOETHE

. 39 .

Deux années s'étaient écoulées. Par une délicieuse journée printanière de 1908, on vit apparaître un cavalier venu de l'est, galopant en direction de Saint-Pétersbourg. Sergei Ivanov portait toujours le même nom, mais il avait subi une métamorphose à la fois subtile et profonde. Véritable guerrier pacifique, il respirait maintenant plus profondément, se tenait plus droit et riait plus spontanément. Dans ses yeux brillait une vive lumière émanant de l'intérieur. Hormis ces quelques changements, on aurait pu conclure d'une observation superficielle que Sergei n'avait pas tiré grand-chose de son séjour dans la ville de Margelan, ce qui aurait été totalement faux.

Il les connaissait maintenant de nom — et de cœur : Kanzaki... Chen... Chia... Yeshovitz... ben Musawir... Pria Singh... Naraj... Maria... et George, qui les avait réunis.

Après une périlleuse traversée vers l'est, Sergei leur avait servi d'assistant et, plus tard, d'apprenti. Il avait été témoin de leurs discussions portant sur différentes formes de méditation axées sur des images et des sons issus de l'intérieur de l'être : la psalmodie... des techniques de respiration et de concentration visant à amplifier l'énergie interne... le travail intérieur destiné à aiguiser la connaissance intuitive... l'hypnose et l'exploration des divers niveaux de conscience... les trois dimensions du soi... le kirtan et la kabbale... et enfin la vérité fondamentale que recèlent tant les pratiques conventionnelles que transcendantales.

Les membres de la fraternité pratiquaient également divers arts martiaux, dont les mouvements très lents du taï chi, mais ces techniques visaient à accroître la santé et la vitalité — à reconstruire, et non à détruire.

Un jour que Yeshovitz et Naraj débattaient une question, Sergei ne put s'empêcher de s'immiscer dans la discussion. « Je crois que le point de vue de Yeshovitz est plus réaliste », affirma-t-il. Immédiatement, ils lui demandèrent de quitter les lieux pour la journée — pour le punir de son audace, crut-il. Quand il revint, cependant, ils avaient décidé de l'employer comme sujet expérimental : il pratiquerait chaque discipline sur laquelle ils s'entendraient et leur ferait part de son expérience. Il acquit ainsi une profonde compréhension des résultats de ces pratiques.

Après quelques mois, Sergei était méconnaissable. Son visage avait changé — les rides creusées par l'inquiétude s'étaient estompées, et son teint rayonnait de santé. La vieille cicatrice qui zébrait son bras avait pratiquement disparu. Il lui semblait avoir retrouvé son corps d'enfant. Seuls ses cheveux blancs n'avaient pas changé d'aspect. Mais le passé — comme d'ailleurs la notion de temps en général — n'était plus guère pour lui qu'une convention utile, une illusion de l'esprit ; il goûtait maintenant pleinement le moment présent, la tête dans les nuages et les pieds solidement ancrés au sol.

Là-bas à Margelan, ville érigée sur le toit du monde, Sergei avait subi une initiation composée de neuf épreuves, grâce à laquelle il avait été accepté comme membre à part entière de la fraternité des maîtres.

Puis était venu le moment de la séparation. Chaque membre de cette petite communauté repartait avec une compréhension nouvelle de la vie, empreinte d'espoir pour l'humanité. Ils avaient acquis la conviction que les états soi-disant mystiques sont accessibles à quiconque a réellement envie de les intégrer à son expérience humaine.

Imprégné de cette prise de conscience qui lui donnait des ailes, Sergei pénétra avec Paestka dans la ville de Saint-Pétersbourg, où il établit ses priorités. Il rendrait visite au père Serafim pour partager avec lui les présents et les bénédictions qu'il avait reçus à Margelan, et lui exprimer toute sa gratitude. Ensuite, il trouverait du travail et ferait des économies afin de traverser l'océan comme il le désirait depuis si longtemps.

Toutefois, il désirait d'abord se recueillir sur la tombe d'Anya.

Debout dans la quiétude du pré qu'il avait quitté tant d'années auparavant, il contempla les fleurs qui poussaient maintenant sur le petit monticule de terre. Une douce brise caressa son visage tandis qu'il entrait silencieusement en communion intime avec l'amour de sa vie.

Puis une impulsion soudaine s'empara de lui : il irait rendre visite à Valeria et Andreas. Seize ans s'étaient écoulés depuis leur dernière rencontre. Si lui-même avait trouvé la paix, peut-être s'étaient-ils eux aussi réconciliés avec le passé ?

En fin d'après-midi, Sergei trouva une étable pour Paestka, où elle aurait droit à un brossage, une bonne ration de céréales et un repos bien mérités. Comme il l'avait fait jadis, il s'offrit les services d'un barbier et se rendit aux bains publics. Puis, ouvert et confiant, il alla frapper à la porte de Valeria.

Toutefois, il n'avait certainement pas imaginé que sa belle-mère en pleurs l'embrasserait chaleureusement, déversant un flot de paroles si rapides qu'elles devenaient pratiquement incompréhensibles.

« Sergei ! Sergei ! Mes prières ont été exaucées. Nous pensions ne plus jamais te revoir. Quand ta lettre est arrivée — il doit y avoir deux ou trois ans —, j'ai demandé à Andreas de partir à ta recherche sur l'île de Valaam, mais tu étais déjà parti. Oh, Sergei, j'ai tant pleuré la disparition d'Anya, mais ensuite j'ai regretté la tienne aussi, et la façon dont nous nous sommes séparés. Tu ne peux imaginer à quel point j'aurais voulu effacer les paroles dont je t'ai accablé. Oh, mais tu es revenu ! Pourras-tu me pardonner, Sergei ? Comme tu dois avoir souffert ! »

Valeria fondit à nouveau en larmes. Sergei la consola, entourant de son bras ses épaules courbées par l'âge, et de vieilles blessures se cicatrisèrent.

Puis, soudain, la vieille femme écarquilla les yeux. « Oh ! Andreas ignore que tu es ici. Il sera si surpris ! Et Katya aussi — je ne te l'ai pas encore dit, Sergei, mais il est maintenant marié et j'ai un petit-fils, Avrom, et un autre petit-enfant qui s'en vient. »

Valeria était hors d'haleine, mais cela ne la ralentissait guère. « Ils seront bientôt de retour à la maison. Je dois préparer un repas spécial pour ce soir ! Oh, Sergei, pardonne-moi, je ne t'ai pas laissé placer un seul mot. Tu dois tout me raconter. Bientôt, nous serons tous réunis. Et j'ai beaucoup de choses à te confier moi aussi ! » lança-t-elle avant de se précipiter à la cuisine.

Quand Andreas arriva en compagnie de sa famille, il poussa un cri de joie en apercevant Sergei, qu'il embrassa fraternellement. Lui aussi avait changé au cours des années. Sergei supposa que Katya, une femme d'allure sereine, à la chevelure noire et au ventre arrondi par sa deuxième grossesse, avait joué un rôle important dans cette transformation. Ils firent les présentations, puis Katya partit changer la couche d'Avrom tandis que grand-maman préparait le repas et que les hommes continuaient à bavarder.

Andreas commença par raconter à Sergei ses propres voyages en Perse et sa création d'une prospère entreprise d'importation de tapis. « Et cela n'aurait pas été possible sans ton… enfin, nous en reparlerons plus tard. »

Pendant le repas, Andreas s'adressa à Sergei : « Comme tu étais parti, peut-être n'es-tu pas au courant ? Les pogroms se sont poursuivis sous le règne du tsar Nicolas, et au cours de mes déplacements j'ai été témoin d'une pauvreté et d'une misère terribles. C'est un âge d'or pour les mieux nantis, Sergei, mais les pauvres sont de plus en plus amers, et la révolution gronde.

Je crains pour le sort de ceux qui vivent confortablement ici à Saint-Pétersbourg. »

« Une raison de plus pour que vous songiez à émigrer avec moi en Amérique. »

Valeria saisit la main de Sergei et lui dit : « À ce sujet, je n'ai pas changé d'avis. Je suis trop conservatrice pour quitter la contrée où je suis née, et où mon mari et ma fille sont enterrés. »

Un profond silence envahit alors la pièce. Profitant de ce moment propice, Sergei lui demanda : « Pourrai-je vous conduire à la tombe de votre fille ? »

« Oui, je veux bien », répondit Valeria en soupirant. « Après toutes ces années. »

Dès que la table fut débarrassée, Valeria s'assit et dit : « Maintenant, Sergei, tu dois nous raconter ta vie — tout ce qui s'est passé depuis notre triste séparation. »

Comment exprimer la richesse et la profondeur de ces années chargées de passion en quelques mots, après un repas ? Sergei faisait de son mieux pour résumer son serment de vengeance et toutes ses années de quête et de préparation, concluant par l'épisode de Valaam, quand Valeria l'interrompit : « Oh, Sergei, avec toutes ces émotions… la joie de te revoir — j'ai une lettre pour toi de Valaam. Nous l'avons reçue il y a six mois, et je l'ai gardée. Attends-moi un instant ! »

Valeria se précipita dans sa chambre et revint en brandissant une enveloppe. Sergei l'ouvrit et lut :

Sergei Sergeievich,

Je prie pour que cette lettre vous parvienne à l'adresse que vous avez laissée au père Serafim. Il aurait voulu que vous appreniez qu'il a quitté ce monde en décembre dernier. Il était en paix avec Dieu. Permettez-moi de vous dire qu'il semblait se rappeler de vous avec grande affection.

Frère Yvgeny,
ermitage de Saint-Avraam Rostov

Sergei n'irait pas à Valaam, tout compte fait.

Inspirant profondément, il fit de silencieux adieux à son père spirituel, ami et mentor. Soyez béni, Serafim, pensa-t-il. Je suis l'une des nombreuses âmes que vous avez sauvées.

Plus tard, Sergei prendrait le temps de se remémorer les moments qu'il avait partagés avec son vieux maître, qui vivait maintenant parmi les anges. Pour l'instant, il leva simplement les yeux et annonça : « Un bon ami a rendu l'âme. »

« Et quels sont tes projets ? » demanda Andreas.

« Reste avec nous », glissa Valeria. « Nous pouvons te faire de la place. »

Sergei sourit. « Peut-être temporairement, Mère — jusqu'à mon départ pour l'Amérique. Je devrai trouver du travail pour payer la traversée… »

« Cela ne sera pas nécessaire », déclara Andreas en arborant un large sourire. « Attends-moi un instant. »

Andreas revint prestement et déposa trois pierres précieuses sur la table en face de Sergei en déclarant : « Voilà qui paiera ton voyage et plus encore — non pas que nous soyons pressés de te voir partir… »

Sergei jeta un regard sur les joyaux étincelants. « Andreas… ces pierres ont certainement une grande valeur — mais je ne peux les accepter. »

Andreas éclata de rire et Katya prit un air ravi, tandis que Valeria frémissait d'excitation. Se penchant vers l'avant, elle lui révéla la vérité : « Sergei, ces joyaux n'appartiennent pas à Andreas ; ils sont à toi. »

« Comment ? Je ne comprends pas. »

« L'horloge », fit-elle, comme si ces mots expliquaient tout. L'air perplexe de Sergei ne fit qu'accentuer son sourire, qui s'estompa alors qu'elle expliquait : « Il y a plusieurs années, en ce jour terrible où je t'ai expulsé d'ici… l'horloge est tombée de la cheminée et s'est rompue. J'étais si désespérée que je n'ai rien vu. »

Andreas poursuivit : « Quand je suis rentré à la maison et que j'ai aperçu l'horloge fracassée, j'ai cru qu'un voleur était passé par ici. Je me suis précipité dans l'appartement, j'ai trouvé Mère dans sa chambre et j'ai appris ce qui s'était passé…

Plus tard, je suis retourné dans la salle de séjour pour nettoyer les dégâts. C'est à ce moment que j'ai fait cette découverte : mêlées aux fragments de l'horloge, un assortiment de pierres précieuses étaient éparpillées sur le sol. Je les ai rassemblées dans une tasse que j'ai déposée dans l'armoire. En arrière-pensée, je me doutais qu'elles possédaient une grande valeur, mais nous étions alors incapables de penser à autre chose qu'à Anya. »

Sergei commençait à comprendre. « Mon grand-père avait donc caché des pierres précieuses… à l'intérieur de l'horloge ? »

Andreas fit un signe de tête affirmatif. « Vingt-quatre pierres. »

Tous gardèrent le silence pendant que Sergei assimilait cette révélation. Il se remémora le jour où il avait déterré l'horloge et pris connaissance de la note de son grand-père. « N'oublie pas que le véritable trésor se trouve à l'intérieur », y lisait-on. Sergei sourit en imaginant le plaisir que devait avoir pris son grand-papa Heschel à écrire ces mots, se délectant de leur double signification.

Il entendit Andreas déclarer : « Ces joyaux constituent ton héritage, Sergei. Et tu ne peux imaginer la joie que nous procure le privilège de te les remettre. »

Andreas regarda sa mère, puis Katya, avant de confier d'un air gêné : « Je dois te l'avouer, Sergei, nous avons gardé ton trésor en lieu sûr pendant cinq ans ; toutefois, ne recevant pas de nouvelles de toi et ignorant même si tu étais toujours en vie, nous avons vendu deux des plus petites pierres… pour me permettre de lancer mon entreprise, et aider aux dépenses de la famille. Mais aujourd'hui, nous avons suffisamment d'argent pour te rembourser — »

Sergei leva la main pour interrompre Andreas. « S'il te plaît, je ne veux plus en entendre parler. »

Andreas secoua la tête, mais Valeria intervint. « Sergei, mon fils est trop fier pour t'en faire la demande, mais serait-il possible d'offrir deux autres pierres à notre famille grandissante ? »

« Évidemment », répondit Sergei.

Valeria apporta la petite bourse de velours qu'elle avait fabriquée et répandit les joyaux sur la table. Le soleil de l'après-midi les fit miroiter; certaines pierres lançaient un éclat d'un vert translucide ou d'un rouge profond, tandis que d'autres, de couleur claire, diffusaient toutes les couleurs du spectre.

Sachant qu'Andreas choisirait les deux plus petites pierres, Sergei en sélectionna deux de taille appréciable qu'il glissa sur la table vers Andreas — puis encore deux autres. « Pour ta famille. »

Et l'affaire fut réglée.

Valeria remit les dix-huit pierres restantes dans la bourse de velours et la déposa devant Sergei, qui demanda : « Avez-vous une idée de leur valeur ? »

« Nous avons vendu les deux premières pierres au bijoutier Yablanovich, qui était un ami de confiance de ton grand-père », répondit Andreas. « Il nous a donné mille six cents roubles pour l'une et deux mille pour l'autre — et elles étaient les plus petites de ta collection. Il a également jeté un coup d'œil aux autres. Je m'en souviens encore clairement.

« Quand je l'ai interrogé à propos de leur valeur, Yablanovich a sorti un oculaire de sa poche et il a examiné les pierres une par une — les retournant de tous côtés, les pesant —, puis il a déclaré : "Il m'est impossible de vous préciser leur prix — car c'est à l'acheteur de le fixer —, mais je peux vous donner une idée de leur valeur sur le marché. Laissez-moi vous l'exprimer ainsi : aujourd'hui, vous pouvez obtenir un excellent repas dans un restaurant chic pour vingt-cinq kopecks." Désignant le plus petit rubis, il a poursuivi : “Cette pierre vous permettrait de vous payer trois repas de cette qualité par jour pendant plusieurs années. Et cette émeraude est plus précieuse encore. Quant aux alexandrites, elles valent plus que des diamants. Si vous vivez modestement, elles combleront vos besoins ici ou en Amérique pour le restant de votre existence.” »

Andreas conclut en regardant Sergei : « Tu es un homme prospère, maintenant. »

Quand Valeria et Katya eurent débarrassé la table, Andreas prit Sergei à part et lui demanda d’un air grave : « Le moment n’est peut-être pas opportun, Sergei, mais… pourrais-tu me raconter exactement ce qui s’est passé… ce jour-là dans le pré ? Je voulais te le demander depuis des années… si ce n’est pas trop douloureux pour toi… »

« Cela restera toujours pénible », répondit Sergei. « Mais tu as le droit de savoir. » Il raconta donc à Andreas comment sa sœur était morte, et ce que Zakolyev avait fait ensuite. Devant le visage livide d’Andreas, Sergei regretta d’en avoir tant dit.

« Merci de m’avoir appris tout cela », déclara Andreas, les yeux rivés sur le plancher. « Je me serais toujours interrogé… » Il leva les yeux et ajouta : « Mère voudra savoir elle aussi, et je pourrai lui dire la vérité… mais en lui épargnant les détails. »

Sergei hocha la tête.

Puis Katya revint les rejoindre et les époux se retirèrent, laissant Sergei seul avec Valeria. Ils avaient plusieurs années à rattraper, et n’interrompirent leur discussion que tard dans la nuit.

. 40 .

Le lendemain après-midi, Sergei conduisit Valeria et Andreas au pré où se trouvait la tombe d'Anya. Ils s'assirent en silence, plongés dans leurs pensées et leurs prières. Le vent printanier chassait les nuages dans le ciel, et cette immensité d'azur en perpétuel mouvement reflétait leur état d'âme.

Sergei, pour sa part, sentait si intensément la présence d'Anya qu'il pouvait la voir derrière ses paupières fermées. Il la percevait comme elle était autrefois et comme elle resterait toujours, jeune pour l'éternité. Il entendit sa voix et le doux son de son rire, et la sentit l'effleurer. Il sut alors qu'elle serait à ses côtés tant qu'il vivrait, jusqu'à ce qu'ils se retrouvent dans l'au-delà.

Ils parlèrent peu pendant le chemin du retour, mais à un moment Valeria prit la main de Sergei et murmura d'une voix à peine audible : « Ces pauvres bébés… »

« *Quoi ?* » fit-il, étonné. « Qu'avez-vous dit, Mère ? »

Elle lui répondit d'une voix mélancolique. « Oh, je pensais seulement aux bébés qui sont morts avec leur mère avant même d'avoir vu le jour… à la façon dont ils reposent maintenant dans le pré… »

« Les bébés ? » l'interrompit Sergei. « Je ne comprends pas. »

« Je… je croyais que tu étais au courant, Sergei. Oh, pardonne-moi, tu ne savais pas… »

« Valeria, expliquez-moi. »

« Anya me l'avait confié, mais… elle ne voulait pas que tu sois déçu si la sage-femme s'était trompée. Celle-ci semblait certaine qu'Anya portait des jumeaux. Je savais qu'elle prévoyait te l'annoncer… et je croyais qu'elle l'avait déjà fait. »

Sergei la regarda d'un air interdit. *Des bébés.* Deux vies lovées dans le ventre d'Anya. Son esprit fit un bond vers le passé, glanant ça et là quelques mots ou images : les remarques de Valeria à propos du ventre rebondi d'Anya... les plaisanteries de celle-ci affirmant qu'avec tous les coups de pied qu'elle ressentait, elle devait porter en elle une troupe de danse entière... puis une image horrible, la blessure béante, le fouillis sanglant d'entrailles et...

Sergei avait assisté à la mort d'un enfant seulement, avant d'être assommé. Il n'avait aperçu qu'un seul bébé; s'il y en avait eu un autre, il l'aurait vu...

Et Zakolyev aussi.

En un instant, Sergei entrevit une possibilité à la fois terrible et merveilleuse : son enfant, l'un des jumeaux, était peut-être encore en vie. Après toutes ces années... grandissant sous le regard de Zakolyev, à sa portée. Impossible d'en être sûr, évidemment, mais il existait une possibilité bien réelle qu'Anya et lui aient un autre enfant, un fils encore vivant.

Ces révélations le submergèrent en l'espace de quelques battements de cœur. Valeria présumait que les deux bébés avaient perdu la vie en même temps que leur mère. Il ne la détromperait pas à moins qu'il ne retrouve et ramène à la maison son enfant.

« Sergei ?... *Sergei ?* » La voix de Valeria le ramena brusquement à la réalité.

« Pardonnez-moi », dit-il. « Je songeais seulement... à Anya. Et je suis surpris d'apprendre qu'il s'agissait de jumeaux. Ces nouvelles restent pénibles aujourd'hui... sachant ce que la vie aurait pu nous apporter. »

« Je sais », soupira-t-elle. « Ce qu'elle aurait *pu* nous apporter... »

❖ ❖ ❖

Parfois nous faisons des choix, et parfois la vie les fait pour nous. Une fois ou deux au cours de notre existence, il arrive que nous prenions soudainement conscience du fait que tout ce qui s'est produit auparavant nous conduisait à ce moment précis. Ainsi, la révélation de Valeria provoqua en Sergei une vive sensation d'urgence par rapport à sa destinée : si son fils vivait encore, il le retrouverait. Mais pour y arriver, il devait d'abord retracer Zakolyev.

Mais que dire à Valeria ?

En vérité, Sergei n'était plus mû par la haine ni même par une volonté justicière d'user de violence pour combattre le mal dans le monde. Comme le lui avait rappelé Serafim, il n'avait ni la responsabilité ni l'autorité de jouer au vengeur divin. Toutefois, il avait besoin d'une raison crédible pour justifier son brusque départ — une raison qui n'éveillerait pas en Valeria un espoir qui risquait d'être ensuite réduit à néant. Il résolut de lui dire la vérité — soit qu'il partait à la recherche de Zakolyev et de ses hommes. Son motif officiel — empêcher des renégats de poursuivre leur œuvre maléfique — ne pourrait que susciter l'approbation de Valeria, malgré ses craintes au sujet de sa sécurité.

Quand Sergei informa Valeria de ses intentions, elle commença par protester, puis hocha tristement la tête en l'implorant simplement : « Sois prudent, Sergei, mon fils. » Elle savait qu'il ne reviendrait peut-être pas avant des mois, voire des années — et bien qu'ils n'en soufflèrent mot, ils étaient tous deux conscients qu'ils ne se reverraient peut-être jamais.

Tandis que Paestka le portait vers le sud, traversant collines onduleuses et larges plaines, Sergei évalua la situation, se basant sur ses recherches passées. Il était peu probable qu'un cavalier solitaire puisse retrouver une bande de brigands qui frappaient sans crier gare, ne laissant derrière eux aucun témoin, puis retournaient se cacher quelque part dans les vastes étendues de l'Ukraine. Il ne pouvait qu'espérer être guidé par son intuition et par ses sens, aiguisés par l'existence qu'il avait menée en pleine nature et par ses nombreuses années de contemplation. Il continuerait à chevaucher vers le sud jusqu'à ce qu'il croise une piste qui risquait d'être constituée de rumeurs, de fumée et de larmes.

Après avoir retracé les assassins, il ferait preuve de discrétion et d'astuce, les observant de loin afin de les dénombrer et d'en arriver à connaître leurs habitudes. Il tenterait de retrouver son fils, si celui-ci se trouvait dans les parages, et attendrait le moment propice pour s'entretenir en privé avec lui. Un tel plan ne serait pas aisé à mettre à exécution, mais il risquait d'être beaucoup plus efficace que de faire irruption dans le camp et de provoquer une bataille sanglante qui pourrait mettre son enfant en péril.

Évidemment, Sergei ne pouvait pas prévoir ce qui se passerait ensuite. Et seul un imbécile commet l'erreur de sous-estimer ses adversaires. Comme l'aurait confirmé Serafim, « tout plan reste provisoire ».

. 41 .

Au cours du printemps 1908, Paulina, alors âgée de quinze ans, désobéit à son père pour la première fois : elle confia à son fidèle ami Konstantin le secret qu'elle taisait depuis si longtemps. Elle espérait qu'en partageant avec lui ce fardeau, elle pourrait dissiper le brouillard qui avait récemment envahi sa vie.

Passant près de Konstantin pour se rendre à sa séance d'entraînement matinale, elle lui glissa un mot qu'elle avait écrit avec les lettres qu'il lui avait enseignées. On y lisait : « Rendez-vous dans notre repaire avant l'entraînement de l'après-midi. »

Après avoir pris connaissance de ce message, Konstantin se réjouit à l'idée de passer quelques minutes en privé avec son amie. Il avait essayé d'imaginer à quoi pourrait ressembler leur avenir commun, mais aucun scénario n'avait vraiment pu prendre forme dans son esprit. Comment pourrait-il en être autrement ? Il n'avait rien à lui offrir — ne possédant rien d'autre que les vêtements qu'il portait, des morceaux rejetés par les autres membres de la bande, pillés à des hommes assassinés.

Dès que Dmitri s'éloigna pour s'entretenir avec quelques-uns de ses hommes, Paulina profita de sa pause pour se ruer vers la forêt, où elle franchit la passerelle qui traversait le ruisseau avant que celui-ci ne se transforme en chute assourdissante. Dans leur petit refuge au creux du fourré, où déjà ils se cachaient enfants, Konstantin l'attendait.

Ne disposant que de quelques minutes avant qu'on ne s'aperçoive de leur absence, Paulina demanda à Konstantin de s'approcher d'elle. Le cœur du jeune garçon s'emballa quand elle lui posa la main sur l'épaule pour lui chuchoter à l'oreille : « Il y a plusieurs années, mon père m'a confié un secret qu'il m'a interdit de dévoiler à quiconque : Elena n'est pas ma mère... »

Elle s'interrompit pour lui laisser le temps d'assimiler cette révélation, ignorant qu'il était déjà au courant. Puis elle ajouta : « Ma véritable mère a été tuée par un monstre à la chevelure blanche, et... et depuis ce jour, je fais des cauchemars où un magicien aux cheveux blancs, qui possède le pouvoir de paralyser ses victimes par sa voix, me poursuit pour me tuer. Je tente de l'abattre avant qu'il ne puisse parler, mais il réussit toujours à prononcer un mot. Je ne me rappelle jamais ce mot, mais dans mon rêve je meurs. »

La voix de Paulina tremblait tandis qu'elle lui murmurait ces mots. Il était peu probable qu'on puisse les entendre, mais elle se penchait vers son ami car elle prenait plaisir à cette proximité; elle en ressentait le besoin.

« Il s'agit sûrement d'une histoire qu'a inventée l'Ataman », répondit Konstantin.

Mais Paulina secoua la tête. « Père Dmitri m'a assuré que le monstre est bien réel. C'est un homme nommé Sergei Ivanov. »

Elle recula légèrement, scrutant en vain le visage de Konstantin pour y déceler une réaction qui la rassurerait sur leur connivence, justifiant le risque qu'elle avait pris — surprise, curiosité, ou même incrédulité.

Il ne fit que froncer les sourcils.

« Que se passe-t-il, Kontin ? »

Distrait par le souvenir qui surgissait dans son esprit, il répondit : « C'est seulement que... je suis troublé d'apprendre la mort de ta mère... et les circonstances qui l'ont entourée... »

Il lui cachait quelque chose. Oui, Paulina en était certaine. Elle voulut parler, le questionner, mais elle bondit soudain sur ses pieds. « Oh ! C'est l'heure — je dois y aller ! » Elle se fraya un chemin hors du fourré. Yergovich l'attendrait, furieux. Il ne dénoncerait pas son retard, mais si son père était de retour...

Prise de panique, Paulina traversa en courant la passerelle et se précipita vers le camp.

Konstantin ne pouvait chasser ce nom de son esprit : Sergei Ivanov. Il l'avait déjà entendu plusieurs années auparavant, dans une conversation. Il ne l'avait pas oublié, pour une raison majeure : cet homme était peut-être son père.

Konstantin avait toujours présumé qu'il était l'un de ces orphelins dont les parents avaient été massacrés — jusqu'au moment où il avait entendu Shura marmonner quelque chose à l'intention d'un homme de la bande, Tomorov, au sujet de Sergei Ivanov. Tendant l'oreille, le jeune garçon avait perçu quelques mots : « un enfant tué… un garçon… l'autre emmené. » Konstantin avait l'impression que Shura et Tomorov parlaient de lui, comme il venait tout juste de les quitter avant de revenir les épier par une fissure dans le mur de bois.

Mais maintenant, après cette nouvelle révélation, il n'avait plus le choix : il devait à tout prix empêcher Paulina de faire du mal à ce Sergei Ivanov. Mais comment l'avertir ? Si elle en parlait à Dmitri, les conséquences, bien qu'imprévisibles, pourraient s'avérer terribles. De plus, il ne possédait aucune certitude qu'Ivanov était bel et bien son père. Il avait fort bien pu mal interpréter les quelques mots qu'il avait saisis alors.

Le fait d'aborder ce sujet, même avec Paulina, pouvait entraîner sa propre mort. Mais dans de telles conditions, comment garder le silence ?

Cette nuit-là, alors que Paulina venait de sombrer dans le sommeil, papa Dmitri fit irruption dans sa chambre. Il s'assit sur son lit et la regarda longuement avant de la réveiller. « Paulina, tu es une fille gentille et obéissante... je suis fier de toi. Si tu ne mènes pas une existence ordinaire, c'est parce que tu n'es pas une fille ordinaire. Tu possèdes des dons hors du commun et une destinée exceptionnelle. Comme ton père. »

Il se tut un instant pour laisser ces paroles, les plus douces qu'il ait jamais prononcées, faire leur impression. Puis il porta les mains à sa nuque et retira de son cou un bijou que Paulina n'avait jamais remarqué. Il lui tendit la chaîne où pendait un médaillon d'argent. Elle le prit, perplexe. « C'est un cadeau, dit-il, qui commémore le jour où tu as fait apparition dans ma vie. »

Paulina ne put retenir une larme. Elle se retourna pour s'essuyer les yeux tandis que Dmitri poursuivait : « Ouvre-le », lui demanda-t-il en désignant le petit fermoir.

À l'intérieur du médaillon, Paulina aperçut une minuscule photographie défraîchie où apparaissaient deux visages — ceux d'un homme à la barbe foncée et d'une femme au teint pâle. Pendant qu'elle contemplait la photographie, son père reprit la parole : « Ce sont là ma mère et mon père — tes grands-parents. » Puis il ajouta : « Te rappelles-tu ce que je t'ai dit à propos du magicien qui a assassiné ta mère ? Cet homme nommé Sergei Ivanov ? »

La jeune fille inclina la tête.

« Il a aussi tué tes grands-parents — ceux que tu vois dans le médaillon. Tout s'est passé le même jour. » L'Ataman prit une profonde respiration, et Paulina put constater qu'il était encore profondément peiné par leur disparition. Elle tendit la main pour toucher celle de Dmitri. « Oh, Père... »

Celui-ci retira sa main, poursuivant d'un ton précipité : « Nous vivions tous heureux dans un petit campement cosaque. J'avais dû m'absenter pour accomplir diverses tâches, et je t'avais donc laissée avec ta mère et tes grands-parents en sécurité dans le camp. Tu n'étais alors qu'un bébé.

Revenu tôt, je t'ai retrouvée en compagnie de Shura, qui m'a expliqué que ta mère et tes grands-parents étaient partis se balader dans un pré près d'un lac. J'ai décidé d'aller les rejoindre. Au moment où je faisais irruption dans le pré à cheval, j'ai été entouré par des hommes armés qui m'ont ligoté… »

Tremblant de rage, il continua : « Tandis que je luttais pour me libérer, Sergei Ivanov a violé et tué ta mère, puis il s'est tourné vers tes grands-parents et les a abattus sauvagement. J'ai attendu jusqu'à aujourd'hui pour te raconter toute cette histoire, mais tu devais l'apprendre, à cause de… d'un devoir que je vais maintenant te transmettre.

Il y a longtemps, j'ai fait le serment de retrouver et d'anéantir ce monstre qui m'a enlevé ta mère, qui les a tués tous… » Paulina n'avait jamais vu pleurer Dmitri, et elle en était bouleversée. « J'ai des hommes à mon service », reprit-il péniblement, « des hommes puissants comme Korolev. Mais ce n'est pas à eux qu'il revient de venger la mort de ma femme et de mes parents. Cette tâche m'incombe ; c'est une question de sang et d'honneur. »

Il plongea son regard dans les yeux de Paulina et ajouta : « Je vieillis… et je ne vivrai pas éternellement… je te transmets donc ce flambeau, cet honneur. » Après avoir observé sa réaction, il expliqua : « Sergei Ivanov connaît mon visage… »

Zakolyev fit une pause pour donner à Paulina le temps de comprendre la situation — en tant que jeune femme inconnue de l'assassin, elle aurait sur lui un avantage stratégique marqué. Mon enfant, garante de mon avenir, songea-t-il, pourchassera le monstre qui m'a hanté pendant toutes ces années…

Puis il ajouta : « Si j'avais un fils, je lui confierais cette mission ; cependant, la vie m'a donné plutôt une fille fort douée. Tu sais maintenant pourquoi tu t'es tant entraînée, pourquoi je te porte une si grande confiance et pourquoi je t'ai offert ce médaillon : pour que tu n'oublies jamais l'homme qui a tué ta mère et tes grands-parents. »

« Je n'oublierai pas », répondit Paulina avec un regard dur et glacial — comme celui de son père, Dmitri Zakolyev.

❖ ❖ ❖

Le lendemain matin, Paulina se leva tôt en prévision de son entraînement. Sur le chemin de la grange où elle devait rejoindre le vieux Yergovich, elle aperçut Shura qui quittait sa cabane pour aller puiser de l'eau. Prenant conscience que Shura devait connaître la vérité au sujet de la mort de sa mère et de ses grands-parents, elle appela la vieille femme.

Shura déposa ses seaux et s'approcha, toujours contente de voir Paulina. Mais son sourire s'évanouit brusquement, ce qui incita Paulina à jeter un coup d'œil derrière son épaule. Elle aperçut Dmitri qui les regardait, debout près de la cabane. Il fit signe à Paulina de se rendre sans tarder à sa séance d'entraînement. Quand Paulina se retourna vers Shura, celle-ci avait déjà repris ses contenants et s'empressait de repartir sans lancer un seul autre regard derrière elle.

Ce jour-là, Paulina donna le meilleur d'elle-même, venant à bout de multiples adversaires. Les années précédentes, les hommes s'étaient retenus, déroutés par ce petit bout de femme ; maintenant, cependant, ils luttaient avec elle aussi rudement qu'entre eux. Elle en tirait parfois quelques contusions ou foulures, qui ne tardaient pas à guérir.

Les hommes la surpassaient en taille et en force, mais même le grand Yergovich — capable de s'accroupir sous un petit cheval et de soulever l'animal en furie — ne réussissait pas à attraper la jeune fille. Celle-ci, en effet, était plus souple et beaucoup plus vive que tous les hommes de la bande. On aurait dit qu'elle voyait à travers eux et décelait leurs points faibles afin de leur faire perdre l'équilibre, encore et encore. Ce qui les surprenait le plus, toutefois, c'était la puissance de Paulina, qui pouvait ruer comme un cheval. Sa force semblait disproportionnée pour une femme de sa taille. Elle semblait puiser son pouvoir de la terre elle-même.

De la main, du pied ou du coude, elle savait trouver les points de pression capables de paralyser les hommes les plus robustes. Quand un adversaire tentait de l'agripper ou de lui assener un coup de poing, elle visait un nerf sur son bras. Si un autre lui décochait un coup de pied de la jambe droite, elle lui fauchait prestement la gauche.

Paulina n'avait aucune envie réelle de tuer quiconque — pas même le monstre aux cheveux blancs qui hantait ses rêves. Elle n'était guère convaincue de pouvoir lui rompre le cou, lui écrabouiller la trachée ou lui plonger un couteau dans le cœur. Cependant, la mission dont son père l'avait investie revêtait pour lui une importance suprême; elle faisait donc de son mieux pour s'y préparer.

Quand elle avait demandé à Dmitri pourquoi il n'avait pas simplement recours à une carabine ou un pistolet, il lui avait répondu : « Une carabine peut rater son coup; un pistolet aussi. Les mains ou le couteau sont les armes les plus sûres à une courte distance… et les plus satisfaisantes. »

Satisfaisantes. Dans ce contexte, ce mot lui avait semblé étrange. Papa Dmitri était parfois étrange aussi, constatait-elle. Mais après tout, il était le chef d'une bande de Cosaques, et un spécialiste en ce domaine. Malgré cela, des doutes commençaient à s'immiscer dans l'esprit de Paulina. Sa vie était devenue un casse-tête complexe… et elle commençait tout juste à se rendre compte qu'il lui manquait certains morceaux.

Enfin, Zakolyev reçut la confirmation qu'aucun homme de la bande ne pouvait venir à bout de sa fille — sauf peut-être Korolev, qui refusait encore de se battre avec une « enfant ». Cela valait mieux : si on le provoquait, le géant aux yeux bleus était capable de tuer. Zakolyev avait déjà assez de mal à le tenir à bonne distance de Paulina pour l'empêcher d'assouvir d'autres appétits. Malgré cet affront à son autorité, l'Ataman ignorait donc le refus de Korolev de se soumettre aux combats de routine avec Paulina. Il agissait ainsi pour le bien de sa fille. Il faisait tout pour elle.

Cette nuit-là, Zakolyev se réveilla en sursaut une fois de plus, terrifié et baigné de sueur. Les cris qui résonnaient dans sa tête s'apaisèrent uniquement quand il ouvrit les yeux. Un fragment de souvenir surgit en lui, puis s'évanouit. Il se frotta le front, tentant en vain de dissiper les images macabres et fantomatiques qui l'assaillaient… la voix d'un ancien compagnon de classe… le visage d'une fille qu'il avait déflorée… les gens de son entourage chuchotant et se défilant devant lui… un enfant disparaissant au loin… un pré baigné de soleil… des éclairs confus… tout cela à cause du monstre Sergei Ivanov, l'assassin de sa femme.

Il gémit, puis jeta un coup d'œil autour de lui pour s'assurer que personne ne l'avait entendu. « Ce ne sont que des rêves, de simples rêves », marmonna-t-il en se levant pour arpenter la pièce.

Bientôt, Sergei Ivanov périrait sous la main de Paulina. Il fallait en finir bientôt.

Debout, seule dans l'obscurité, Paulina se remémorait les paroles de son père. Elle porta la main à son médaillon et soupira en levant les yeux vers le ciel constellé d'étoiles. Elle aurait souhaité que son père ne lui parle jamais de la mort de sa mère ni de sa mission. Son innocence s'était évanouie depuis, en même temps que sa foi en un monde empreint d'amour et de bonté. Maintenant, Konstantin était de plus en plus distant, et comment oublier cette mission qui assombrissait son avenir ?

À partir de ce moment, ses rares sourires ne firent que masquer chez elle une mélancolie grandissante, ainsi qu'une résolution terrible : elle avait accepté le flambeau que lui avait transmis son père, la tâche funeste qu'il lui avait léguée. Consciente des souffrances de son père, qu'elle entendait grommeler et gémir dans son sommeil, Paulina se mit elle aussi à faire des rêves où tout s'embrouillait — un paysage changeant de forêts entrecoupées de prairies… le triste visage d'une femme qui lui ressemblait, en plus âgée — dont les lèvres murmuraient des paroles incompréhensibles. Parfois, elle voyait en rêve l'homme aux cheveux blancs, sans jamais apercevoir son visage car il lui tournait invariablement le dos.

Le monde dans lequel elle s'éveillait n'était guère moins déroutant. Maintenant que son corps avait commencé à s'arrondir, les hommes la regardaient différemment — particulièrement Korolev, qui lui donnait la chair de poule. Elle réussissait à tolérer sa présence, faisant semblant qu'il s'agissait d'un simple fantôme. Mais tant que son père réussirait à maintenir son autorité, elle n'aurait rien à craindre — et son habileté au combat la rendait plus confiante quant à sa capacité de se défendre.

Quelques jours plus tard, alors qu'elle s'apprêtait à rentrer chez elle, Paulina entendit Oxana parler à mi-voix à Elena. Elle s'immobilisa et l'entendit chuchoter : « Oui, l'Ataman est de plus en plus préoccupé et impatient… et un autre de nos hommes, Leontev, a été tué lors du dernier raid… Ces purges n'en finiront donc jamais ? » Oxana ajouta avec empressement : « Je ne dis cela que par amour pour l'Ataman Zakolyev, et parce que je me fais du souci pour lui. »

« Évidemment », répondit Elena.

Quand Paulina entra, les deux femmes détournèrent brusquement la conversation, et Oxana prit rapidement congé. L'ambiance avait changé dans le camp, remarqua Paulina — les gens chuchotaient ou se défilaient, souvent hypocrites. Elena semblait faire preuve d'une prudence particulière. « Ont-ils changé, ou est-ce moi qui commence à me réveiller ? » s'interrogeait la jeune fille.

Une fois, enfant, Paulina avait cherché à savoir ce que faisaient les hommes partis en patrouille. « Des patrouilles pour le Tsar », lui avait-on simplement répondu.

Elle aurait voulu demander plus de détails à Shura, mais le moment ne semblait jamais propice. Shura inclinait respectueusement la tête quand elles se croisaient, mais elles échangeaient rarement plus de quelques mots. Paulina fut donc fort étonnée le jour où la vieille femme s'arrêta près d'elle, la dévisageant comme si elle voulait lui confier quelque chose. La veille, les hommes de la bande étaient revenus de patrouille.

« Qu'y a-t-il ? » demanda Paulina.

Shura restait immobile, continuant à la dévisager.

« Shura ? »

La vieille femme regarda lentement à sa gauche, puis à sa droite, avant de prendre la parole : « J'étais là... peu après ta naissance. Je t'ai allaitée. »

Légèrement embarrassée par ce genre de choses, Paulina répliqua : « Oui, tu me l'as déjà dit... »

Après avoir jeté un autre coup d'œil aux environs, Shura demanda : « Paulina, tu m'aimes bien, n'est-ce pas ? »

« Oui, bien sûr, mais je ne comprends pas... »

Shura l'interrompit à nouveau. « Tu ne voudrais pas m'attirer des ennuis, dis ? Si je te confiais quelque chose, pourrais-tu garder le secret ? »

« Même auprès de papa Dmitri ? »

« Surtout... avec lui », répondit Shura en faisant mine de repartir. Puis elle sembla prendre une décision. « Les choses ne sont pas telles que tu les imagines. La marque sur ton cou... »

Paulina porta la main à son cou pour effleurer sa tache de naissance, légèrement bombée. « Ma tache de naissance ? La même que celle de mon père ? »

« Oui — non ! » lança Shura. « Pas comme la sienne. La tienne vient d'un bâton rougi par le feu — j'entends encore les cris... »

« Qu'est-ce que tu racontes ? » s'écria Paulina, plus fort qu'elle n'en avait eu l'intention. Cependant, quand elle vit l'air effrayé de Shura, blanche comme un drap, sa voix s'adoucit. « Shura, je ne comprends pas... »

Shura ne put que marmonner quelques mots : « Si menue… quand ils t'ont apportée… Une enfant si précieuse… tu n'es pas comme lui. Il en a tant tué… »

Puis, apercevant un homme qui s'approchait, Shura fila, laissant une Paulina, fort ébranlée, tenter de voir clair dans ces nouvelles révélations.

. 42 .

Quand arriva l'été 1909, Sergei n'avait pas encore déniché d'indice digne de ce nom à propos des déplacements de Zakolyev, après plus d'un an de recherches. Il avait cependant aperçu les décombres carbonisés de cabanes isolées et de nombreuses fermes, qui étaient peut-être l'œuvre de Zakolyev. Il avait marqué leur emplacement sur sa carte sans toutefois déceler de constante susceptible de l'aider.

Une nuit, Sergei rêva que Paestka et lui n'étaient qu'un minuscule point noir, pas plus gros qu'un moucheron errant sur une immense carte de l'Ukraine, à la recherche d'un autre petit point qui se dérobait sans cesse. Quand il se réveilla, une grande frustration lui serrait la gorge. Il commençait à penser que Zakolyev avait peut-être migré vers la Sibérie ou le nord du pays.

Mais non, se raisonna-t-il, il devait être encore en Ukraine, où les atrocités infligées aux Juifs se poursuivaient. Toutefois, l'Ukraine s'étendait sur plus d'un millier de kilomètres du nord au sud et d'ouest en est, ce qui mettait son courage et sa volonté à rude épreuve. Ses recherches lui semblaient aussi ardues que s'il avait voulu retrouver une pièce de monnaie enfouie dans une forêt.

Sergei zigzagua d'ouest en est sans cesser de descendre vers le sud en direction de Kiev, au centre de l'Ukraine. Des rumeurs le guidaient, telle l'odeur d'un animal, mais il ne rencontrait que des pistes de fumée dissipées par le vent.

Évitant les grands centres urbains, Sergei tentait de repérer les maisonnettes isolées, les fermes et les petites agglomérations, qui risquaient davantage d'attirer les foudres de Zakolyev. Près d'un hameau, il s'entretint avec un vieux Juif qui tirait lui-même son chariot, à défaut de posséder un cheval ou une mule. Le vieillard lui offrit de partager avec lui un peu de pain tiré de ses maigres réserves.

« Merci l'ami, mais j'ai davantage besoin d'information que de nourriture. Avez-vous entendu parler de récents pogroms ? »

« Qui n'en a pas entendu parler ? » répondit le vieillard. « Dans les villages des environs de Kiev, Minsk, Poltava et ailleurs, des cavaliers surgissent de nulle part. De véritables loups déguisés en hommes. Non, pires que des loups, car ils massacrent des individus de leur propre espèce — hommes, femmes ou enfants, ils ne font guère la différence. Mais pourquoi ? Pourquoi ? »

Quand Sergei lui demanda où ces brigands avaient été aperçus pour la dernière fois, le vieil homme baissa les yeux, et il ne put ou ne voulut rien répondre. Il ne fit que secouer la tête tristement.

Avec l'arrivée de l'hiver, Sergei sentit sa patience s'effriter. Il poursuivait néanmoins sa route sur le sol gelé, enveloppé dans sa longue burka, courbé par le vent. Las et abattu, il talonnait Paestka pour qu'elle continue à avancer. Mais le doute commençait à miner sa volonté.

Malgré son habileté indéniable et son esprit pénétrant, en effet, il lui était impossible de retracer des hommes simplement en humant l'air, pas plus qu'il ne pouvait reconnaître des visages dans un banal fagot. Il avait besoin de signes tangibles, de présages, de véritables indices susceptibles de le guider. Jusqu'à ce qu'il trouve une piste concrète, il ne pouvait qu'errer au gré des rumeurs et des racontars, qui le dirigeaient sans cesse vers de nouveaux villages où il espérait rencontrer des témoins. Entre-temps, ses questions continuaient d'être accueillies par des regards perplexes et des doigts pointés dans différentes directions.

Il jeûna et demanda en prière d'être guidé dans une direction claire qui le mènerait à son fils, mais il ne reçut aucun signe à cet égard. Peut-être ma question est-elle mal formulée, songea-t-il. Sa respiration s'approfondit et il plongea dans une transe profonde, s'élevant au-dessus de son corps. Dans cet état, il demanda : « *Où est Dmitri Zakolyev ?* »

La réponse lui parvint sous une forme fort différente de ce à quoi il s'attendait. Issu du néant, le visage de Dmitri vacilla devant lui — avec le même teint cireux qu'autrefois, les mêmes cheveux blondasses et le même regard vitreux. Cette apparition n'était pas un simple fruit de son imagination : il *voyait* réellement Zakolyev, percevant toute la puissance de son tourment et de sa folie et les ressentant comme s'ils étaient siens.

. 43 .

À ce moment exact, pendant son sommeil, Dmitri Zakolyev vit surgir devant lui le visage de Sergei Ivanov. Il se réveilla, pris de panique, effrayé par cette nouvelle apparition du monstre se penchant au-dessus de lui. Il chercha à reprendre son souffle, ses yeux écarquillés fouillant l'obscurité. Sur le visage de son ennemi, il ne lisait aucune colère, mais plutôt quelque chose qui ressemblait à… de la pitié. Puis cette vision se dissipa.

Zakolyev se leva d'un bond et se mit à faire les cent pas, se frappant le front du poing. Il eut l'envie soudaine de dévoiler la vérité à sa fille. Mais quelle était-elle, cette vérité ? Si seulement il pouvait s'en souvenir…

Enfants, Konstantin et Paulina étaient pratiquement inséparables. Maintenant, Konstantin prenait un vif plaisir aux brefs moments où ils réussissaient à se croiser — comme la fois où, entre deux séances d'entraînement, il avait trouvée son amie près du ruisseau où elle se trempait les pieds, non loin de leur repaire en amont des chutes. Il s'était assis à ses côtés, retirant ses chaussures et laissant ses pieds rejoindre les siens dans l'eau fraîche. À ce moment, il avait failli lui proposer de s'enfuir avec lui. Mais les mots lui avaient manqué — et par où commencer ? Il s'était donc tu, par lâcheté, par amour.

Pour sa part, Paulina ne regardait plus son Konstantin de la même façon, ce qui la faisait parfois rougir. Elle avait vu l'un des hommes en compagnie d'Oxana, dehors derrière la grange. La scène lui était apparue rude et crue, ponctuée de bruits étranges. Mais maintenant, elle se sentait confuse. Il lui semblait qu'un abîme s'était creusé entre son esprit et son corps, marquant la fin de son innocence d'enfant. La jeune fille ne pouvait confier le trouble qui l'envahissait à personne, pas même à Konstantin. Surtout pas à lui.

Un matin, après qu'Elena eut quitté leur demeure, Paulina ouvrit son médaillon. Elle était en train de contempler le visage de ses grands-parents quand Dmitri passa près de sa chambre et dit : « File à ton entraînement ! Yergovich va t'attendre. »

Paulina soupira. Yergovich était toujours là à l'attendre. Un jour, elle se lèverait très tôt et arriverait à la grange avant lui. Mais pas aujourd'hui. Elle était trop fatiguée — elle se sentait déséquilibrée, maussade et… autre chose qu'elle ne parvenait pas à définir.

Comme Dmitri s'apprêtait à repartir, Paulina désigna la photographie et demanda : « Père, je suis curieuse… tu ne ressembles pas du tout à ton père — tes cheveux sont pâles et les siens foncés, et… »

« Ne m'embête pas avec tes absurdités ! » lança Zakolyev. « Concentre-toi sur leur assassin, et entraîne-toi plus fort encore ! » Puis il sortit en faisant claquer la porte.

Blessée et indignée par cette rebuffade injuste, Paulina s'entraîna avec une telle furie qu'elle s'étira un muscle du bras en projetant le grand Yergovich sur le sol. La douleur la fit tressaillir.

« Qu'est-ce qui ne va pas, petite ? » demanda Yergovich.

« Ce n'est rien, grand Ours — une petite foulure. Cela va passer ; ne dis rien à mon père. » Elle tenta de soulever son bras, puis se mordit la lèvre.

« Non, cela ne passera pas », la raisonna son maître. « Va plonger ton bras dans le ruisseau jusqu'à ce que tu ne sentes plus rien. Puis repose-toi. »

« Je ne veux pas me reposer ! » cria la jeune fille. « Je dois m'entraîner encore ! »

« Va d'abord faire tremper ton bras, ensuite nous verrons. »

« Et toi, va d'abord faire tremper ta tête ! » rugit-elle en se sauvant trop prestement pour que l'Ours ne puisse la rattraper.

Puis Paulina partit s'asseoir seule dans sa chambre, plus déprimée que jamais. Se frottant le bras, elle se dit qu'elle devrait peut-être aller le plonger dans le ruisseau après tout. Cela détournerait ses pensées de l'accès de colère de son père. Elle ignorait totalement pourquoi une simple question de sa part l'avait irrité autant. C'est lui qui lui avait donné ce médaillon — et il s'agissait d'une question tout à fait naturelle. Mais qu'il ne désirait apparemment pas entendre…

En se retournant, elle aperçut Dmitri debout dans l'entrée de leur demeure, l'air égaré. Paulina se reprocha en silence d'avoir perdu le contrôle. Elle voulut s'excuser, mais quelque chose la retint. Pourquoi devrait-elle le faire ?

Elle resta immobile, fixant le plancher jusqu'à ce que Zakolyev prenne la parole. « Paulina, je suis désolé de t'avoir rabrouée si durement. Je ne voulais pas aborder le sujet de tes grands-parents, car cela me rappelle trop de terribles souvenirs. »

Il s'approcha et s'assit sur son lit, avant de poursuivre d'une voix chargée d'émotion : « Je sais que je ressemble peu à mon père, mais c'est le cas de nombreux enfants. Toi, par exemple, tu as la chance de ne pas me ressembler. Heureusement, tu as hérité des traits de ta mère. Mais nous avons la même tache de naissance… »

Il releva ses cheveux couleur de paille, révélant une marque rouge sur sa nuque, semblable à celle que portait Paulina.

« Nous sommes du même sang, toi et moi », dit-il en effleurant ses cheveux. « C'est pourquoi j'ai assez confiance en toi pour… c'est pourquoi tu dois t'exercer plus fort encore. Rappelle-toi, Sergei Ivanov n'est pas seulement un combattant entraîné ; il possède le pouvoir de duper et d'ensorceler par sa voix… de te faire croire que la terre est ciel et que le noir est blanc. Quand tu le rencontreras, tu ne dois donc lui laisser aucune chance de déverser ses mensonges, ou il te plongera dans la confusion et te tuera. » Dmitri avait tenu un tel discours si souvent que ses paroles s'étaient gravées en Paulina.

Quand il quitta la pièce, Paulina toucha du doigt la marque gonflée sur son cou. Elle ressentit une bouffée de haine l'envahir envers le monstre Ivanov, qui avait tant fait souffrir son père. Un jour, elle le retrouverait. Un jour, il paierait.

Quelques jours plus tard, pendant sa séance d'entraînement de l'après-midi, Paulina aperçut avec effroi du sang sur ses pantalons et sur sa jambe. Yergovich lui donna congé sans commentaire ; il devait penser qu'il s'agissait de quelque chose de grave lui aussi. Elle courut à sa chambre et tenta de repérer sa blessure. Elle ne ressentait pourtant aucune douleur, hormis une légère crampe au creux du ventre. Elle se demanda si elle était atteinte d'une maladie.

Quelques minutes plus tard, Shura faisait irruption dans sa cabane. « Yergovich m'a raconté », dit-elle. Elle souriait, ce qui ne fit qu'accroître la confusion de Paulina. « C'est normal ; cela signifie que tu n'es plus une petite fille mais une femme. Il était temps ; généralement, cela arrive plus tôt. Un tel saignement se produira tous les mois. Maintenant, va changer de pantalon. Aujourd'hui, tu devras probablement t'entraîner moins fort. » Shura lui donna quelques morceaux de linge, lui expliquant : « Quand tu saignes, glisse ceci entre tes jambes. » Puis elle se retourna et quitta la pièce avant que Paulina n'ait pu ouvrir la bouche.

Quels autres mystères aurai-je encore à découvrir ? se demanda la jeune fille. Que leur reste-t-il à me dévoiler ? Elle porta la main à son cou, se rappelant les confidences de Shura à propos d'un bâton brûlant.

Le lendemain, Paulina fut prise de frissons et de fièvre. Son estomac rejetait toute nourriture. La tête lui tournait, et elle avait du mal à se lever. Elle ne s'était jamais sentie si indisposée. Elena évitait sa compagnie, mais la vieille Shura vint lui appliquer des compresses froides sur le front ; elle lui caressa la joue et lui fit boire des tisanes au goût infect.

Des images floues défilaient dans son esprit, plongé dans un état de semi-conscience entre l'éveil et le sommeil. Elle voulait poser une question à Shura, mais elle l'avait déjà oubliée… Puis d'autres questions surgirent, qui ne l'avaient jamais effleurée auparavant… au sujet d'elle-même et du monde qui l'entourait. Que me réserve l'avenir ? Combien d'années passerai-je à pourchasser un homme qui est peut-être déjà mort ?

Elle ressentait le besoin de voir Kontin — de lui parler, de lui prendre la main, de plonger son regard dans ses yeux sombres… Il était le prolongement de ses yeux et de ses oreilles à elle, son lien avec le monde — un monde qui s'étendait bien au-delà de la grange, de sa mission, de sa prison…

Sa rêverie fut interrompue par une voix rêche. « Sors du lit ! » ordonna Dmitri, qui la dévisageait froidement, debout dans l'entrée. « Tu dois t'entraîner, ne serait-ce qu'un peu ! »

Paulina tenta de se relever, mais elle retomba lourdement sur son lit et se rendormit.

Quand elle ouvrit les yeux à nouveau, quelqu'un avait déposé un linge humide sur son front fiévreux. Elle leva la tête et aperçut Konstantin qui, assis sur son lit, lui caressait les cheveux. « Kontin ! » chuchota-t-elle, surprise. « Que se passera-t-il si mon père te trouve ici ? »

« Chhhut, dit-il. Il est parti… en patrouille. » Le jeune homme restait assis près d'elle et son sourire réchauffa Paulina, bien qu'il fût empreint de tristesse. Elle ferma les yeux pour préserver cette image tandis qu'il lui parlait d'une voix douce, avec une tendresse qu'elle n'avait jamais connue auparavant.

« Paulina », murmura-t-il en se penchant vers son amie, son souffle tout près de son oreille, sa main dans ses cheveux. « Tu m'as un jour transmis un secret. Aujourd'hui, je t'en confie un à mon tour pour que tu saches que je te fais confiance… et que tu m'es très précieuse. » Il prit une profonde inspiration et laissa son regard se perdre au loin. « Si tu partages ce secret avec quiconque, cela risque d'entraîner ma mort… »

Paulina, délirant à demi, souffla : « Tu ne mourras jamais… tu seras toujours ici avec moi… »

« Non, Paulina, écoute — s'il te plaît ! Je dois tout t'expliquer maintenant, et tu dois me croire ! Ils t'ont caché tant de choses — et je ne les connais pas toutes. Mais tu ne peux pas tuer Sergei Ivanov… »

Konstantin regarda le visage de Paulina. Elle s'était rendormie.

Tandis que Konstantin laissait Paulina plonger dans des rêves confus, Zakolyev et ses hommes dévastaient une petite ferme isolée. Le paysan Yitschok n'avait pas voulu écouter ses amis qui lui avaient conseillé de déménager plus près de la petite ville voisine, où il serait moins dépourvu en cas de besoin. « Que peut-on y faire ? » avait-il déclaré en haussant les épaules. « Le territoire est grand. Et ils n'ont pas encore frappé dans notre coin. Serais-je vraiment plus en sécurité près de la ville ? » Ses amis n'avaient pu que secouer la tête. Yitschok avait raison — si ces assassins surgissaient, tous auraient à craindre pour leur sécurité.

Les brigands massacrèrent Yitschok, son épouse et ses enfants. Et plus que les autres, Korolev abusa de la femme avant qu'ils ne l'abattent. Puis ils mirent le feu à la maison. Maussades, les hommes de Zakolyev s'exécutaient de façon machinale, dorénavant conscients qu'ils ne servaient ni l'Église ni le Tsar mais exclusivement la volonté de l'Ataman.

Une dispute éclata quand certains hommes voulurent emmener les enfants, tandis que d'autres s'y opposaient. Zakolyev trancha : « Tuez-les. Immédiatement ! » Ses hommes obéirent, abrégeant ainsi les souffrances des enfants selon l'étrange volonté de leur chef.

Avant d'incendier l'habitation, ils y raflèrent tout ce qui possédait une certaine valeur. Plus tard, l'Ataman fouillerait toute malle épargnée par le feu, scrutant photographies et objets personnels. Mais aujourd'hui, il avait eu droit à une récompense de choix : un coursier alezan d'une rare beauté, aux grands yeux sombres — un véritable cheval de bataille.

Tandis que les flammes embrasaient la maison derrière eux, illuminant le ciel assombri par le crépuscule, l'Ataman eut un rire mauvais. Surexcité, glissant un licou autour du cou de l'animal effrayé, il claironna : « Il s'appellera Vozhd — le Chef ! »

Tout se passa bien jusqu'à ce que Gumlinov lâche étourdiment : « C'est en effet un cheval magnifique, Ataman Zakolyev — mais comme vous le savez, mon cheval s'appelle aussi Vozhd depuis trois ans. Il est impossible que nous ayons tous deux un cheval du même… »

Les paroles de Gumlinov s'étranglèrent dans sa gorge quand il aperçut l'expression de Zakolyev — celui-ci semblait dangereusement calme, presque serein, en s'approchant du cheval de Gumlinov. S'adressant à son homme de confiance, il plaisanta : « Eh bien, heureusement que tu t'appelles Gumlinov et non Zakolyev, car les gens pourraient nous confondre. » Cette boutade dissipa la tension ambiante : tous les hommes, y compris Gumlinov, éclatèrent d'un rire nerveux.

Leur rire s'arrêta net quand Zakolyev tira son sabre de son fourreau et l'abattit sur le genou du cheval de Gumlinov, sectionnant la jambe de l'animal. Avec un gémissement, le cheval tenta de se cabrer, mais il s'effondra aussitôt. Du sang giclait de sa jambe blessée. Tandis que l'animal agonisait, Gumlinov, horrifié, recula d'un pas chancelant, regardant tour à tour Zakolyev et son cheval frémissant de douleur.

Les autres hommes restaient silencieux, bouche bée. Ils avaient vu l'Ataman poser des gestes bien étranges, mais cette cruauté infligée à un animal tenait du sacrilège : leur sang de Cosaques bouillait dans leurs veines.

C'est à ce moment que les derniers fragments du mortier qui préservait encore la santé mentale de Zakolyev commencèrent à s'effriter. Il ramassa la jambe amputée comme s'il s'agissait d'une simple branche et déclara calmement, d'un ton badin : « Maintenant, nous pourrons au moins distinguer nos chevaux. » Balançant la jambe par-dessus son épaule, l'Ataman se dirigea vers son ancienne monture et l'enfourcha, traînant son nouveau coursier par son licou. Il lança à Gumlinov : « Tu ferais mieux de trouver un nouveau nom pour ton cheval ou, mieux encore, un nouveau cheval à nommer. »

Puis Zakolyev fit tourner sa monture et les autres lui emboîtèrent le pas, laissant Gumlinov mettre fin aux souffrances de son cheval. Peu après, l'animal mort reposait aux pieds de son maître. À une vingtaine de mètres d'eux s'élevait le bûcher funéraire d'une autre famille de Juifs. Gumlinov hissa sa selle sur son épaule et s'approcha d'une vieille jument qu'ils avaient laissée sortir du corral.

Membre loyal de sa bande depuis quinze ans, Gumlinov n'oserait pas tuer Dmitri Zakolyev, mais il embrasserait volontiers celui qui le ferait.

Il renonça à suivre les autres lors de leur prochain raid vers le nord — sur un vieux cheval décrépit et ensellé. Il les laisserait détruire le prochain village sans lui. « J'en ai marre de ce massacre de chevaux, dit-il, marre de ce massacre de Juifs. »

❖ ❖ ❖

Pendant l'absence de son père, l'état de Paulina s'améliora assez pour qu'elle puisse se lever et accomplir quelques exercices d'assouplissement. Elle avait toujours aimé les étirements, qui lui donnaient l'impression de se glisser dans la peau d'un chat.

Konstantin lui manquait. Elle aurait aimé sentir sa main caresser ses cheveux à nouveau — ou l'avait-elle seulement imaginé ? Peut-être avait-elle simplement rêvé ? Mais il lui avait chuchoté quelque chose ; elle pouvait encore sentir son souffle près de son oreille. Était-il question de son père ? Sans s'expliquer pourquoi, elle sentit alors une bouffée de colère l'envahir.

Le lendemain, elle demanda à Elena : « As-tu déjà vu Konstantin en compagnie d'une autre fille ? »

« Je n'en ai aucune idée », répondit Elena sèchement. « Mais je ne crois pas. »

Paulina se sentit soulagée, mais elle restait méfiante. Elle ne faisait guère confiance à Elena, qui n'était à ses yeux que la simple servante de son père — et qui se montrait toujours froide, distante et sur ses gardes envers la fille de l'Ataman, comme si celle-ci n'avait été qu'une simple obligation alourdissant ses tâches domestiques. Il était évident qu'Elena n'éprouvait aucune tendresse à son égard. Pourquoi donc cette hypocrisie de sa part, et de celle de tant d'autres membres de la bande ?

Paulina avait l'impression d'habiter une demeure hantée de secrets, au cœur d'un camp où régnait le mensonge.

. 44 .

En avril 1910, poursuivant sa quête de village en village, Sergei aperçut au loin les décombres fumants d'une petite ferme, après avoir contourné une colline. L'odeur âcre qui parvint à ses narines fit resurgir en lui le souvenir déjà ancien de la maison de la famille Abramovich. Pendant un moment, il se sentit défaillir et pleura la mort de ces gens ensevelis sous les ruines devant lui.

En s'approchant, il découvrit un homme accablé de chagrin qui se tenait debout près des décombres, la tête penchée vers l'avant, perdu dans ses prières. Se laissant glisser en bas de son cheval, Sergei parcourut à pied les trente derniers mètres afin d'éviter de surprendre le vieillard, qui ne serait sans doute pas ravi d'apercevoir un cavalier dans de telles circonstances — surtout si celui-ci ressemblait à un Cosaque. Tandis que Sergei se rapprochait de lui, il continuait de scruter le sol pour y trouver des traces.

Quand Sergei fut tout près, il s'arrêta et attendit respectueusement que l'autre relève la tête et prenne conscience de sa présence.

« Je suis désolé », fit Sergei. « Aviez-vous des liens avec eux ? »

« Ne sommes-nous pas tous reliés ? »

« Oui, vous avez sans doute raison. » Ce vieil homme rappelait à Sergei son grand-père Heschel.

« Ils étaient mes amis. Maintenant, ils ne sont plus que cendres. »

« Avez-vous vu ce qui s'est passé… les hommes qui ont frappé ? »

« Je venais à cheval rendre visite à Yitschok et à sa chère épouse... et à leurs trois enfants... » Il soupira, puis fit une longue pause avant d'ajouter : « Et tandis que mon chariot s'approchait de la ferme, j'ai vu de la fumée au loin. J'ai accéléré pour venir en aide à Yitschok, car je croyais que son étable avait pris feu. Mais alors — avant même d'apercevoir la ferme —, j'ai entendu des cris d'hommes, puis... celui d'une femme... et des enfants... oh, les enfants ! » Il plongea sa tête entre ses mains.

« Vous avez entendu des hommes ? Combien ? » demanda Sergei, le ramenant à l'instant présent.

« Combien ? Je l'ignore... dix peut-être ? Je les ai aperçus de loin seulement. Je suis resté caché... comme un lâche — »

« Comme un sage », le reprit Sergei. « Vous dites que vous les avez vus repartir ? »

« Oui. » Le vieil homme frissonna, puis secoua la tête tristement.

« Quelle direction ont-ils pris ? S'il vous plaît, c'est important. »

L'homme hésita, puis désigna le sud-ouest.

Sergei mena Paestka une vingtaine de mètres plus loin dans cette direction. Son pouls s'accéléra quand il aperçut les traces de sabot d'au moins une dizaine de chevaux — la piste la plus fraîche qu'il croisait depuis le début de ses recherches. Si les coupables étaient Zakolyev et ses hommes, ils devaient avoir seulement une heure d'avance sur lui — deux tout au plus.

Avant de lancer Paestka au galop, il se retourna vers le vieil homme. « Pouvez-vous me décrire certains de ces hommes ? »

« Non, j'étais caché. Mais l'un d'entre eux semblait plus grand que les autres — un véritable géant. C'est tout ce que je sais. »

« Merci. Je suis profondément désolé pour vos amis. Avez-vous besoin de quelque chose avant que je ne reparte ? »

« Rien que vous puissiez m'offrir, je le crains. J'irai avertir les autres. Ils viendront. Nous vivons dans un village à une vingtaine de kilomètres plus au sud. Si jamais vous y mettez les pieds, demandez Heitzik. »

Le vieux Heitzik inclina la tête en guise d'adieu. Il s'apprêtait à repartir, mais il vacilla, porta la main à sa poitrine et s'effondra.

Sergei se précipita vers lui.

« Ça... ça ira », souffla-t-il en tentant de se relever. « Ce n'est pas la première fois que cela m'arrive. C'est à cause du choc causé par cette vision. »

« Que puis-je faire ? » demanda Sergei.

« Si vous pouviez m'aider à rejoindre mon chariot. » Il se leva lentement, grimaçant de douleur, puis essaya de marcher. Sergei dut le porter. « Merci. Ça ira maintenant. Ma jument est aussi vieille que moi — elle connaît le chemin. »

Les nuages s'amoncelaient dans le ciel; il pleuvrait sans doute bientôt. Maintenant, Sergei n'avait plus qu'à suivre la piste qui s'offrait à lui. Il pourrait peut-être même les rattraper avant qu'ils n'atteignent la forêt. Il ne s'était jamais senti aussi près de son fils.

Heitzik grimaça, terrassé par une nouvelle vague de douleur. « Ça ira, insista-t-il. Vous pouvez partir... » Mais il réussissait à peine à tenir les rênes.

Sergei soupira. Sa décision était prise. « Attendez-moi un instant, je vais vous raccompagner à votre village. » Heitzik inclina la tête, et Sergei vit qu'il semblait profondément soulagé.

Il enfourcha Paestka et fit une dernière fois le tour des décombres. Il découvrit le cadavre d'un cheval à la gorge tranchée et à la jambe amputée au genou. Un nuage de mouches tourbillonnaient autour de la carcasse. Sergei tenta en vain d'imaginer ce qui s'était passé.

Les traces s'éloignaient vers le sud. Sergei brûlait d'envie de se lancer à la poursuite de ces hommes pendant que leur piste était fraîche. Il lança un regard vers le vieux Heitzik, affaissé contre son siège. Il attacha Paestka à l'arrière du chariot, y grimpa d'un bond et saisit les rênes. « Allez, cheval, fit-il. Conduis-nous à la maison ! »

« Elle s'appelle Tsaddik », murmura le vieillard. « Je ne révèle son nom qu'aux amis », ajouta-t-il avant de se replonger dans le silence.

Quand ils atteignirent le village de Heitzik, le jour commençait déjà à tomber. De lourds nuages assombrissaient le ciel encore davantage, et il tomba même quelques gouttes de pluie. Une femme courut à leur rencontre et désigna à Sergei la maison de Heitzik. Le temps que Sergei parvienne à conduire celui-ci à la porte de sa demeure, il faisait sombre et la pluie tombait en trombes.

Il ne resterait guère de traces des brigands.

Tout en aidant son époux à se mettre au lit, Deborah, la femme de Heitzik, s'adressa à Sergei comme s'il faisait partie de la famille : « Il fait noir et il pleut. Par pitié, conduisez votre cheval à l'écurie de l'autre côté de la rue et passez la nuit ici. Demain matin, vous prendrez un bon déjeuner avec nous. L'estomac plein, vous pourrez reprendre votre route ou rester ici aussi longtemps que vous le voudrez. » Puis elle s'empressa d'aller s'occuper de son mari.

Sergei perçut aussi les belles pensées qui accompagnaient ses paroles : *Merci. Que Dieu vous bénisse. Vous n'êtes pas un étranger dans cette maison.*

Un jour, Serafim avait déclaré : « Le tempérament d'un homme se révèle surtout quand il doit faire un choix sous pression. » Sergei venait de faire un tel choix; il espérait qu'il ne s'était pas trompé, même s'il avait peut-être perdu la piste menant à son enfant. Dans l'obscurité et sous la pluie, il lui serait impossible de la retrouver; il accepta donc l'hospitalité de ces gens, qui faisaient partie du même peuple juif que son grand-père Heschel, que sa mère, que lui-même.

. 45 .

Par une calme journée printanière, les chiens se mirent à aboyer férocement dans le camp de Zakolyev. Un étranger y avait fait irruption. À moitié nu, les vêtements en lambeaux, il proférait des jurons d'une voix tonitruante, brandissant un sabre dans les airs. Ses cheveux et sa barbe étaient longs et emmêlés, comme s'il avait vécu longtemps dans les bois — au point de ressembler davantage à un animal sauvage qu'à un homme. L'un des chiens grogna hargneusement, gardant ses distances. Un autre qui l'attaqua fut tué sur-le-champ.

Zakolyev et ses hommes étaient partis en expédition de pillage, et presque tous les jeunes hommes restés au camp, y compris Konstantin, étaient en train de ramasser du bois dans la forêt. Il ne restait donc que le grand Yergovich de garde au camp. Apercevant le fou, un enfant cria l'alarme puis s'enfuit en hurlant. Paulina émergea de sa cabane tandis que Yergovich se précipitait pour évaluer la situation.

Yergovich et Paulina aperçurent l'étranger au même moment, mais aucun des deux ne put réagir à temps pour sauver Shura qui venait de surgir à une extrémité du campement, rapportant de l'eau du ruisseau. Surpris, l'homme fit volte-face ; d'un geste, il trancha pratiquement la tête de la vieille femme avec son sabre. Yergovich, pris de fureur, bondit pour venger son amie, mais il commit l'erreur fatale de sous-estimer son adversaire, le percevant comme un *bezoomnii* — un simple d'esprit, un fou. Il s'approcha donc hardiment dans le but d'effrayer l'idiot.

Quand Yergovich fut plus près, l'homme projeta son sabre, qui atteignit en tourbillonnant le cœur du vieil Ours de Paulina. Celui-ci recula en vacillant puis s'effondra avec une expression de surprise, tandis que ses yeux s'éteignaient.

Paulina, frappée de stupeur, crut un instant que cet étranger aux yeux déments était peut-être le monstre Sergei Ivanov. Toutefois, elle s'aperçut rapidement que ce fou barbu qui marmonnait des insanités n'était pas un monstre, mais un homme possédé par des démons assoiffés de destruction. Il s'en prendrait sûrement aux autres femmes et aux enfants…

Paulina ne se souviendrait pas de la suite précise des événements, mais Oxana, par l'embrasure de la porte de sa cabane, assista à l'ensemble de la scène.

Quelques minutes plus tard, les jeunes hommes du clan revinrent, les bras chargés de bois de chauffage. Quand ils aperçurent les corps de Shura, du vieux Yergovich et d'un étranger étalé face contre terre, ils laissèrent tomber leur bois et se précipitèrent dans le campement pour en savoir plus. Konstantin fut le premier à rejoindre Paulina qui pleurait, affaissée contre un mur. Il s'assit à ses côtés, la prit par les épaules et la serra contre lui.

Peu avant le crépuscule, Zakolyev, Korolev et la plupart des autres hommes de la bande revinrent au camp. Dès que l'Ataman découvrit les cadavres de Yergovich, de Shura et de l'étranger un peu plus loin, il s'écria : « Que s'est-il passé ? Où est Paulina ? »

« J'ai tout vu, Ataman, fit Oxana. Un fou est entré dans le camp ! »

Zakolyev sauta en bas de son cheval et la secoua par les épaules : « Où est Paulina ? » répéta-t-il. Mais déjà Oxana poursuivait son récit, balbutiant sans reprendre son souffle comme si sa vie en dépendait.

« Après avoir abattu Shura, il a lancé son sabre et tué le vieux Yergovich — mais Paulina nous a sauvés ! Elle s'est dirigée vers le fou et a levé la main comme pour dire "Assez !" mais il a extirpé son sabre de la poitrine de Yergovich et a attaqué

Paulina avec un cri horrible. Elle s'est alors déplacée si vite ! Elle était devant lui, puis elle s'est retrouvée à ses côtés en une fraction de seconde, esquivant le coup de sabre. Elle l'a frappé à plusieurs reprises ; il s'est écroulé et il est mort. »

Zakolyev respirait bruyamment, luttant pour se maîtriser. Il souffla doucement : « Oxana, je te le demande encore une fois. *Où est Paulina ?* »

Elle désigna la demeure de l'Ataman. « Je... je crois que Konstantin... l'a raccompagnée chez vous... »

Zakolyev relâcha Oxana et se rua vers sa cabane.

Paulina avait pressé Konstantin de partir dès qu'elle avait entendu revenir les hommes. Quand Dmitri la trouva, elle était assise seule, abasourdie par les événements, le regard perdu au loin. Elle avait vengé la mort de Shura, qui avait été pour elle une véritable mère, et celle de l'homme qui lui avait transmis le meilleur de lui-même. Elle était stupéfiée de se rendre compte qu'il avait été si facile d'enlever la vie à un homme — et dégoûtée parce qu'elle avait *voulu* le tuer. Il y avait autre chose aussi qui la hantait, quelques paroles marmonnées par le fou...

Au début, elle n'avait rien saisi à son délire, car il s'exprimait dans une langue qu'elle ne connaissait pas, puis il avait grommelé quelques mots en russe. C'est alors qu'elle avait pris conscience qu'il n'avait pas fait irruption par hasard dans leur camp, qu'il avait cherché avidement à y parvenir. Il avait crié : « Meurtriers !... tué ma femme... mes enfants... et pourquoi ? Simplement parce que nous sommes juifs ! » Ses yeux s'étaient remplis de larmes. Elle n'avait rien compris aux marmonnements qui avaient suivi, mais elle avait perçu dans sa voix la couleur de la sincérité.

Les paroles du fou révélaient à Paulina une réalité qu'elle avait longtemps ignorée. Elle savait maintenant d'où venaient les chevaux, les moutons, les malles, les outils, les livres et tous les autres objets que ramenaient les hommes du clan. Et elle comprenait mieux la nature de leurs activités.

Et c'est à ce moment que son père surgit dans la pièce, pris de panique. « Ça va ? » demanda-t-il.

Elle répondit lentement, d'un ton monocorde. « Je ne suis pas blessée, si c'est ce que tu veux savoir. » Levant les yeux, elle porta sur son père un regard nouveau, qui n'était plus celui de l'enfance. Elle constata que Dmitri avait vieilli, qu'il avait les traits tirés et l'air hagard. Ses yeux ressemblaient à ceux du fou. Non, ils étaient beaucoup plus froids.

Zakolyev poussa un soupir de soulagement. « Parfait alors. Tu t'es bien débrouillée — Oxana m'a tout raconté. Bientôt, tu seras prête. » Il tendit la main pour caresser les cheveux de Paulina, mais celle-ci eut un mouvement de recul.

Il fit mine de ne pas l'avoir remarqué. « Repose-toi, fit-il. Demain, je te trouverai un nouvel entraîneur. »

Les yeux rivés sur le plancher, Paulina rétorqua : « Je ne crois pas en avoir besoin. Qu'en dis-tu ? » Quand elle leva les yeux, l'embrasure de la porte était vide.

Zakolyev était parti s'immerger dans la rivière, pour y laver son corps et y apaiser son esprit. Ensuite, il tenterait de trouver le sommeil. Il déplorait la perte du grand Yergovich et de Shura, tous deux fort utiles — et il était furieux de constater cette brèche dans son système de sécurité. Mais en même temps, cet étrange coup du destin avait permis d'évaluer l'habileté de sa fille lors d'un combat mortel. En bout de ligne, tout s'était bien terminé.

Paulina était prête.

Bientôt, pensa-t-elle. Il l'avait affirmé, ce serait pour bientôt. Elle l'espérait ; elle voulait se débarrasser de ce fardeau, découvrir enfin ce que la vie lui réservait après cette sinistre mission. Un sentiment d'inévitabilité s'empara d'elle, la faisant tressaillir. Elle savait déjà qu'elle était capable de se battre, et elle venait d'apprendre qu'elle pouvait tuer. Mais était-elle réellement prête à éliminer Sergei Ivanov? Elle porta la main à son médaillon, le serrant doucement dans son poing fermé comme s'il contenait l'âme de ses grands-parents. Elle tenta d'imaginer les pensées qui avaient traversé l'esprit de sa mère avant que le démon à la blanche chevelure ne l'assassine.

Oui, elle le tuerait. Tout en dépendait. Non seulement sa propre survie — si elle échouait, elle risquait fort d'y laisser sa peau — mais également la suite des événements. Si elle ratait son coup, en effet, elle ne pourrait supporter la honte de cet échec même si elle s'en tirait indemne. Elle aurait aimé que son père lui épargne cette épreuve, mais il était trop tard. Elle devait donc se montrer à la hauteur de sa confiance. Maintenant âgée de dix-sept ans, Paulina se demanda combien de temps, combien d'expériences de vie l'attendaient au-delà de ce combat.

Que m'est-il arrivé? songea-t-elle. Autrefois, j'avais des rêves. Aujourd'hui, il ne me reste plus que cette sombre mission. Elle soupira. Non, ce n'est pas vrai. Il me reste aussi Kontin...

Le lendemain, l'Ataman se mit à marmonner des paroles confuses à propos de la nécessité de déménager le camp à nouveau. Marchant de long en large comme un tigre en cage, il parlait sans s'adresser à personne en particulier : « Nous sommes devenus mous et gavés de confort, comme dans un vulgaire village juif, tempêta-t-il. Rappelez-vous ce que je vous ai dit jadis : pour éviter de devenir une cible facile, nous devons nous déplacer ! »

Il semblait glisser sans cesse de la réalité à un monde intérieur des plus obscurs, auquel personne n'avait accès. Puis, sans raison apparente, il s'extirpait de sa transe et lançait des ordres de façon extrêmement lucide. Parmi les membres de la bande, certains espéraient qu'il renonce à son projet de déplacer le camp, tandis que d'autres se chuchotaient leur intention d'abandonner eux-mêmes Zakolyev.

L'Ataman ne faisait plus guère la différence entre la réalité et les cauchemars qui hantaient ses nuits, insaisissables et changeants comme des volutes de fumée se dispersant dans un ciel nocturne.

Une pensée lui procurait cependant un certain réconfort : dans un avenir rapproché, Paulina serait la dernière vision à laquelle aurait droit Sergei Ivanov de son vivant. Peut-être même frapperait-elle avant qu'il ne l'aperçoive. Et justice serait enfin rendue.

Entre-temps, Korolev assistait à la dégénérescence de Zakolyev avec un mépris croissant. Et chaque fois qu'il croisait la jolie, il la suivait longtemps de ses yeux d'un bleu glacial.

. 46 .

Sergei avait quitté le village de Heitzik sans guère d'espoir, mais armé de la bénédiction d'une famille et muni de nouvelles provisions. Les froides averses s'étaient dispersées, et l'air était vif et limpide — un temps idéal pour suivre une piste, si toute trace n'avait pas été effacée.

Après avoir rejoint les décombres refroidis, il retrouva l'endroit où il avait aperçu les traces de sabots la veille. Le sol boueux ne portait plus aucune empreinte. Toutefois, il se souvenait de la direction qu'avaient prise les brigands. Mais était-ce réellement la bonne ? Réfléchis ! se dit-il. Ces hommes, dirigés par Zakolyev dont la survie était liée au secret entourant ses déplacements, auraient-ils quitté la scène d'un massacre en direction précise de leur camp ? Cela n'était guère probable. Leurs premières traces se dirigeaient vers le sud-ouest et les régions de Podolia et de Bessarabia, qui étaient loin de receler les meilleures cachettes.

Mais s'ils avaient changé de cap et tracé des cercles pour brouiller leur piste ? L'instinct de Sergei lui dictait d'aller vers le nord, vers la région boisée près de Kiev où il avait un jour suivi une piste qui s'était terminée abruptement dans le lit d'un ruisseau. Depuis, il avait appris à connaître les environs et s'il avait été Zakolyev, c'est dans cette région qu'il aurait établi son camp.

D'une pression des genoux, il indiqua à Paestka de continuer au pas en direction de la première piste. Un peu plus loin là-haut, il trouverait peut-être d'autres traces. Il parcourut en vain cinquante mètres… cent… puis deux cents. À quelque trois cents mètres des décombres, il aperçut enfin les empreintes à peine visibles de nombreux cavaliers. Il les suivit jusqu'à ce qu'elles s'estompent.

Il rebroussa chemin pour retrouver cette piste, puis accomplit une rotation de quatre-vingt-dix degrés vers la droite en formant un arc jusqu'à ce qu'il se retrouve face au nord-ouest. Ne remarquant rien à cet endroit, il revint à nouveau sur ses pas en effectuant des cercles de plus en plus larges. Il y consacra tout l'après-midi. Tandis que le soleil plongeait vers l'horizon, en cette courte journée à l'orée du printemps, et qu'il était sur le point d'interrompre ses recherches jusqu'au lendemain, un détail retint son attention. Une trace de sabot, une seule. Faisant quelques pas le long d'un arc imaginaire, il en dénicha d'autres en direction du nord-est. Il avait retrouvé la piste des coupables.

Parfois, les traces de sabots disparaissaient, mais il décelait d'autres indices du passage des cavaliers dans les hautes herbes ou les broussailles. Il restait à l'affût des branches rompues à la hauteur de la tête ou des épaules d'un cavalier ou par une carabine en bandoulière, ainsi que des endroits où les chevaux avaient arraché des végétaux pour se nourrir au passage ou écrasé des arbustes avec leurs sabots. Il rendit un hommage silencieux à Alexei qui lui avait enseigné ces rudiments du dépistage.

Il avait espéré que le trajet des hommes de Zakolyev le mènerait directement à leur camp, mais il le conduisit plutôt aux faubourgs de la ville de Nizhyn, où leurs traces se perdaient dans un fouillis d'empreintes de sabots et d'ornières laissées par les nombreux voyageurs et voitures de passage. La piste s'arrêtait là.

Il n'était guère probable que les brigands soient restés longtemps en ville. Toutefois, se raccrochant au mince espoir d'obtenir un quelconque indice, il décida de prendre une chambre pour la nuit et de s'offrir un repas dans un établissement.

Il trouva une écurie pour Paestka et une petite pension pour lui-même, gérée par une dame rondelette dans la cinquantaine coiffée d'un chignon gris épinglé sur la tête. Après lui avoir montré sa chambre, elle lui annonça que le repas serait servi dans une vingtaine de minutes.

Sergei décida d'en profiter pour aller faire un tour à la taverne de l'autre côté de la rue afin d'interroger les habitués à propos de cavaliers qui y seraient passés récemment. Après avoir commandé un verre de vodka pour se réchauffer et se mêler aux autres clients, il resta assis en silence quelques instants, prêtant attention aux conversations qui l'entouraient. Portant son verre à ses lèvres, il entendit un homme qui, assis à la table derrière lui, grommelait dans sa barbe : « … j'en ai marre… ce massacre pour Zakolyev… aucun honneur… dernière fois, fini… »

Tiré de sa torpeur, Sergei déposa doucement son verre sur la table. Il continua à tendre l'oreille, mais n'entendit plus que la respiration de l'homme, accompagnée d'un bruit de bouteille et de déglutition. Il saisit sa propre bouteille et alla s'installer nonchalamment à une autre table d'où il pouvait observer cet homme assis en solitaire, vêtu comme un Cosaque. Plusieurs années s'étaient écoulées, mais l'individu lui semblait familier. Certains êtres sont difficiles à oublier.

Peu après, l'homme se leva en chancelant et, sans cesser de maugréer, remonta la rue en titubant. Sergei le suivit de loin, jusqu'à ce que l'ivrogne entre dans une autre pension. Puis il fit le guet toute la nuit, oubliant son lit et son repas.

Au matin, pensait-il, cet homme retournera peut-être à son camp.

. 47 .

Même avant l'incident du cheval de Gumlinov, les hommes de Zakolyev commençaient à nourrir des doutes qu'ils n'osaient pas exprimer. Mais maintenant, tout s'écroulait — l'Ataman se conduisait comme un chacal devenu fou.

Lors d'un raid, deux autres hommes avaient perdu la vie. L'un d'eux avait été tué par un Juif qui l'avait chargé avec une fourche pendant que sa femme serrait ses enfants contre elle dans l'entrée de la maison. Le paysan avait réussi à enfourcher Chertosky avant qu'un autre homme de la bande ne l'abatte. Un second brigand avait été poignardé dans le dos par un courageux garçon qui avait bondi hors de sa cachette. Ce dernier fut tué sur-le-champ.

Sur le chemin du retour, les hommes de Zakolyev hors de portée de voix de celui-ci grommelèrent leur intention de quitter le clan, dégoûtés par la tournure de leur existence. L'un d'entre eux murmura à celui qui chevauchait à ses côtés : « Je me ferai peut-être moine. »

« Trop tard — nos âmes sont déjà perdues… », répliqua l'autre.

Peu avant sa séance d'entraînement de l'après-midi — qu'elle accomplirait en solitaire et avant tout par habitude — et profitant également de l'absence de son père parti en patrouille, Paulina parcourut le camp à la recherche de Konstantin. Elle le trouva assis sur un rocher en saillie surplombant les chutes, plongé dans la contemplation des trombes d'eau qui éclaboussaient les rochers tout en bas. Prenant place à ses côtés, elle lui expliqua qu'elle partirait bientôt exécuter la tâche que lui avait confiée son père. « Peu de jeunes femmes ont accompli une telle mission », déclara-t-elle comme si elle tentait de se convaincre elle-même. « C'est dans ce but qu'il m'a affranchie des devoirs incombant aux autres femmes... qu'il m'a accordé une protection et des privilèges spéciaux... »

Paulina fixa intensément Konstantin, cherchant désespérément chez lui un signe d'approbation, mais elle ne lisait rien sur son visage. « Il m'a dit que j'étais née pour mener à bien cette mission », poursuivit-elle d'un ton suppliant, prenant le bras de son ami. « Oh, Kontin, j'espère être prête ! Cette victoire est indispensable à mon père pour... qu'il trouve la paix. »

Puis elle plongea la main dans l'échancrure de sa chemise — Konstantin en eut le souffle coupé — et en tira son médaillon. Elle montra au jeune homme la photographie défraîchie de ses grands-parents, symbole de son lien avec un passé duquel elle n'avait aucun souvenir. « Je le ferai pour eux aussi, déclara-t-elle. Père insiste pour que Tomorov m'accompagne. J'aimerais tant que tu puisses venir à sa place... »

À ce moment, il faillit lui révéler tout ce qu'il savait. Mais de quoi était-il certain ? Et s'il osait passer aux aveux, le croirait-elle ? Cela aurait-il des conséquences catastrophiques pour eux deux ?

Paulina avait espéré que Konstantin partage sa propre conscience de l'implacabilité de son destin, qu'il se réjouisse de son accomplissement imminent ; toutefois, l'air consterné de son ami, que celui-ci ne réussissait pas à dissimuler, jeta une ombre sur ce moment.

Cet après-midi-là, quand Paulina fut repartie s'entraîner, Konstantin prit enfin sa décision : il s'enfuirait du camp — il dévoilerait tout à Paulina et la persuaderait de l'accompagner. Après avoir tourné et retourné la question dans son esprit, il arrivait toujours à la même conclusion : ils devaient partir ensemble, car en cela résidait leur seul espoir de bonheur. Ils s'échapperaient pour sauver leur vie et leur avenir. Et il leur fallait s'enfuir ce soir même.

Konstantin n'était pas idiot : il savait qu'il serait difficile pour Paulina de choisir entre les mensonges qui lui étaient familiers et l'amère vérité — et il ne pouvait qu'espérer qu'elle éprouve suffisamment d'amour envers lui pour renoncer à l'univers de son enfance.

Si elle décidait de rester, il partirait en solitaire, et sa fuite éperdue ne serait mue que par l'espoir d'aller faire fortune ailleurs pour revenir un jour la chercher. Et il aurait eu au moins l'occasion de dire au revoir à son amie, la seule personne ici-bas à lui rappeler que l'amour était encore possible dans ce sombre monde.

Konstantin se précipita vers la grange où s'entraînait Paulina. Après avoir balayé la pièce du regard pour s'assurer qu'ils étaient seuls, il lui souffla vivement : « Paulina, cet après-midi, viens me rejoindre aux chutes. Et n'en glisse mot à personne ! » Il s'éclipsa avant qu'elle n'ait eu le temps de répondre, songeant que s'ils s'enfuyaient pendant la nuit, personne ne s'apercevrait de leur disparition avant le lendemain matin.

Tout se serait peut-être bien déroulé si Elena, qui revenait des latrines, n'avait entendu Konstantin transmettre ce rendez-vous à Paulina. Elle s'arrêta un instant, restant à l'écart pendant que le jeune homme s'éloignait au pas de course. Puis elle poursuivit son chemin vers sa cabane.

En cette fin d'après-midi, tout en guettant l'arrivée de son amie, tapi derrière le buisson de ronces près du sommet des chutes, Konstantin eut le temps de réfléchir à loisir. Il s'étonna entre autres du fait que Dmitri n'ait jamais découvert leur cachette, puis songea avec inquiétude que l'Ataman la connaissait peut-être déjà à leur insu.

Les pensées de Konstantin se tournèrent également vers la prière. Il avait entendu quelques hommes parler de Dieu, du ciel et de l'enfer, mais son éducation religieuse se résumait à cela. Il n'avait jamais prié lui-même, bien qu'il ait vu d'autres personnes le faire. Ce jour-là, pourtant, il pria sans trop savoir à qui s'adresser — mais s'il existait un être tout-puissant à son écoute, il lui demanda de protéger Paulina. Il ne pouvait pas implorer Dieu de lui accorder l'amour de la jeune fille, qui était la seule à pouvoir le lui offrir.

De sombres nuages s'étaient amoncelés dans le ciel, qui se teintait des couleurs du crépuscule. Paulina arriverait d'ici une heure — du moins si elle décidait de venir. Konstantin murmura avec ferveur une autre prière : « S'il vous plaît, faites qu'elle m'accompagne ! »

Une pluie régulière s'était mise à tomber; elle brouillerait sans doute leurs traces. Le jeune homme se transformerait bientôt en lièvre cherchant à échapper aux griffes du renard Zakolyev.

Nous serons deux lièvres, se rappela-t-il. Deux.

. 48 .

Le même jour, au début de l'après-midi, Sergei s'était laissé distancer par le cavalier qu'il suivait afin d'éviter que celui-ci ne l'aperçoive. L'homme avait disparu de son champ de vision, mais sa piste était fraîche et facile à suivre, malgré les averses. Éventuellement, elle le mena à l'orée d'une forêt. Sergei accéléra; il pouvait maintenant se rapprocher du brigand, les arbres le dissimulant à sa vue.

Une heure s'écoula. Parfois, les empreintes de sabots se mêlaient à d'autres, jusqu'à ce que Sergei parvienne à un ruisseau, où toute trace disparaissait. Une piste ne s'évanouit pas ainsi, et les chevaux ne volent pas, pensa Sergei : le cavalier avait donc remonté le ruisseau. Sergei fit de même, scrutant les berges tandis que Paestka progressait dans l'eau qui atteignit ses genoux, puis ses cuisses robustes. Le ruisseau était de plus en plus profond et tumultueux. Bientôt, Sergei entendit un bruit de cascades se fracassant sur des rochers. Ce cours d'eau n'était pas navigable : il offrait donc un site de choix pour un camp isolé.

Sergei tendit l'oreille pour tenter de discerner des sons révélateurs, mais il n'entendait que le grondement d'une chute en amont, tout près de lui.

SEPTIÈME PARTIE

En quête de paix

Tout ce qui a un début comporte aussi une fin.
Faites la paix avec cela
et tout ira bien.

BOUDDHA

. 49 .

Quand les hommes revinrent au camp, vers la fin de l'après-midi, les quelques femmes et enfants qui accoururent pour les accueillir furent surpris par leur regard dur et leurs visages sales, harassés et renfrognés. Couverts de sang et de suie, ils ramenaient avec eux deux nouveaux chevaux sans cavaliers. Les corps de ceux-ci n'avaient pas été attachés en travers de la selle de leur cheval, mais plutôt offerts aux flammes.

« Les Juifs ont tué Chertosky et Larentev », marmonna l'un des hommes à Oxana avant de se diriger vers sa cabane. Oxana, qui partageait sa demeure avec Oleg Chertosky, pleura sa perte — mais elle ne ressentait aucune haine envers ces gens qui opposaient une légitime défense à des assaillants armés.

L'Ataman semblait d'humeur massacrante. Il avait abattu une femme avant que Korolev en ait fini avec elle, et ils s'étaient disputés. Dès leur arrivée au camp, Zakolyev tourna le dos à Korolev comme si celui-ci n'existait pas. Puis il conduisit son nouveau cheval au corral et en ôta la selle. Il porta ensuite celle-ci à la grange où il prévoyait jeter un coup d'œil à l'entraînement de Paulina.

Celle-ci achevait ses exercices de base quand elle aperçut son père dans l'entrée ; il la fixait, l'air absent. Il hocha machinalement la tête, puis repartit.

Quand il arriva à sa cabane, las et distrait, il remarqua à peine la présence d'Elena, assise près du feu, jusqu'à ce qu'elle lève les yeux et lui offre son habituel sourire forcé.

❖ ❖ ❖

L'Ataman avait perdu la raison, ainsi que la confiance de ses hommes. Korolev en avait acquis la conviction au moment où ils en étaient presque venus aux coups lors du raid. Le géant prit la décision de ne plus jamais accepter d'ordres de quiconque. Il était temps pour lui de quitter le camp.

Mais avant de disparaître, il goûterait au fruit défendu, Paulina — c'est ainsi qu'il ferait ses adieux à son chef qui avait sombré dans la folie. Il avait déjà beaucoup trop attendu avant de cueillir la jeune fille, enfin mûre. Tapi près de la grange, il devrait cependant s'armer de patience quelques instants encore, le temps que Zakolyev quitte la grange en direction de sa cabane.

Paulina terminait ses derniers étirements, le corps trempé de sueur. Elle s'apprêtait à quitter précipitamment les lieux en remettant un peu d'ordre dans ses vêtements avant d'aller rejoindre Kontin, tentant d'imaginer ce qu'il ferait ou dirait, quand Korolev fit irruption dans la grange, son couteau à la main.

« À genoux ! » lui intima-t-il, claquant la porte derrière lui.

Paulina comprit que Korolev avait finalement décidé de la prendre de force… et que cette fois, son père ne serait pas là pour la protéger.

Se rapprochant, Korolev surprit la jeune fille par une feinte, un coup de pied au ventre. Ayant manqué sa cible, il poursuivit avec un coup en revers, visant l'endroit où il avait prévu qu'elle se déplacerait. Le coup étourdit Paulina, mais elle roula sur elle-même et retomba sur ses pieds.

Ils savaient tous deux que cet affrontement ne durerait que quelques secondes, quelle qu'en soit l'issue. Korolev était fort comme un bœuf et sans pitié. Paulina, rapide et déterminée, possédait cependant plus d'un tour dans son sac.

Quand le manchot s'approcha à nouveau, elle bondit à ses côtés en lui décochant un coup de talon à l'aine. Elle entendit l'air s'échapper de ses poumons, et il s'effondra. Tandis qu'elle revenait à la charge pour l'achever, Korolev lui faucha la jambe d'un coup de pied, atteignant son genou de côté.

Paulina réussit à amortir partiellement le choc, mais elle sentit sa jambe se dérober sous elle, la faisant s'écrouler. Déjà, le géant — en sueur, excité, victorieux — était à cheval sur ses hanches, immobilisant un de ses bras avec son genou.

Du coin de l'œil, elle entrevit l'éclat d'une lame. En une fraction de seconde, elle comprit qu'il allait la tuer d'abord et la violer ensuite — cela ne semblait guère faire de différence pour lui. Un soubresaut de rage la parcourut. Tenant le couteau de sa seule main, Korolev s'exposait momentanément à une contre-attaque. Tandis qu'il abattait la lame pour lui transpercer la poitrine, Paulina leva le bras d'un geste vif comme l'éclair. Mue par une haine viscérale, elle fit dévier le couteau tout en enfonçant son poing dans la trachée de son assaillant. Elle entendit un craquement sinistre.

Korolev relâcha son arme et porta instinctivement la main à son cou, tentant de reprendre son souffle. Paulina lui décocha un nouveau coup de pied à l'aine, le projetant sur le sol avec un bruit terrible. Il y resta étalé, grognant, haletant, suffoquant. Puis, après un dernier spasme, Korolev mourut aussi violemment qu'il avait vécu.

Il commençait à pleuvoir quand Paulina regagna en clopinant sa demeure, grimaçant de douleur. Il n'y avait personne chez elle; elle s'effondra sur l'âtre froid et fondit en sanglots. Elle appréhenda un instant la réaction de son père quand il apprendrait qu'elle avait tué son second. Puis elle s'aperçut que cela lui était complètement égal. Si un homme sur terre méritait la mort, c'était bien celui-là…

Malgré cela, Paulina restait fortement ébranlée; elle devait parler à Konstantin…

Brusquement, elle se souvint de leur rendez-vous : il l'attendait ! Oh, qu'elle espérait qu'il soit encore là ! Bondissant sur ses pieds pour s'élancer au pas de course, elle poussa aussitôt un cri de douleur et s'écroula. Elle frappa du poing l'âtre de pierre. Furieuse contre son père, contre sa jambe, contre le monde entier, elle se releva et se précipita en boitant en direction des chutes, vers son Kontin.

. 50 .

Le martèlement de la pluie, allié aux multiples sons d'insectes qui peuplaient la forêt, donnait envie à Konstantin de hurler son besoin de silence. Une autre heure s'était écoulée et il était toujours assis à espérer et à prier, constamment à l'affût de l'arrivée de son amie. Si elle venait le rejoindre, tout irait bien ; ils seraient réunis. Si au contraire elle lui faisait faux bond... il s'efforça d'imaginer un autre scénario.

Je sais lire, écrire et dessiner, songea-t-il, et compter aussi. Je trouverai du travail dans une ville loin d'ici, peut-être même en Amérique. J'apprendrai une nouvelle langue et je ferai fortune. Un jour, je reviendrai au camp sur le dos d'un valeureux coursier, armé d'un sabre et d'une carabine et accompagné d'une bande de guerriers que j'aurai engagés. Et je dirai à Dmitri Zakolyev : « Je suis revenu d'Amérique pour chercher Paulina. » Je m'adresserai à lui en anglais ; s'il ne comprend pas, tant pis pour lui !

À ce moment, Konstantin crut percevoir un bruit de pas malgré la pluie, les grillons et le vacarme de l'eau contre les rochers. Ravi que Paulina soit finalement venue, le jeune homme émergea des buissons, un large sourire éclairant son visage...

Or, ce n'était pas Paulina, mais l'Ataman Dmitri Zakolyev qui se dressait à quelques mètres à peine devant lui.

Une froide panique s'empara de Konstantin, suivie par une puissante envie de prendre ses jambes à son cou. Toutefois, une telle réaction serait inutile. Il figea donc sur place et attendit, tandis que la pluie ruisselait sur son visage.

Zakolyev ne tenta pas de s'approcher davantage. Il restait debout, l'air détendu. Konstantin jeta un coup d'œil dans les environs pendant que Zakolyev prenait la parole, prononçant de douces paroles que le jeune homme n'aurait jamais imaginé entendre. « Je sais depuis un certain temps que tu es très attaché à Paulina. Et j'ai également remarqué qu'elle t'aime bien. Et pourquoi pas ? Tu as l'esprit vif et un bon tempérament.

« Cela te semble peut-être étrange que je vienne te trouver ici aujourd'hui, mais les pressions s'intensifient de tous côtés, et j'ai mûrement réfléchi à tout cela. Tu sais que tu m'as toujours été cher, Konstantin… » Papa Dmitri s'assit sur un rocher et fit signe à Konstantin de venir l'y rejoindre. « Je m'attends à ce que Paulina veuille se marier d'ici peu. Et je m'oppose à ce qu'elle épouse un autre homme de la bande, ou à ce qu'elle multiplie les aventures. Par conséquent, je crois que tu serais le meilleur parti pour elle. Mais auparavant, toi et moi devons conclure une entente… »

Konstantin n'en croyait pas ses oreilles. Il restait méfiant, évidemment; pourtant, les paroles de l'Ataman étaient logiques et semblaient sincères. Il existait deux possibilités : si Zakolyev disait vrai, le jeune homme était en sécurité pour le moment, et tout s'arrangerait peut-être pour le mieux; si l'Ataman cherchait à le duper, au contraire, il courait un grave danger. Mais si Konstantin rejetait son offre — sincère ou non — et cherchait à s'enfuir, il serait mort d'ici une heure.

Il s'approcha prudemment de Zakolyev, qui tapotait la pierre mouillée près de lui. C'était le moment de vérité. Tandis qu'il s'assoyait, Dmitri lui sourit, le prenant doucement par l'épaule. D'un ton affectueux qui ne semblait pas feint, il fit remarquer : « Tu as grandi, Konstantin. Et pourtant, tu parais toujours du même âge que Paulina. »

La pluie avait cessé et un soleil d'après-midi dardait ses rayons à travers les nuages. Y voyant un heureux présage, Konstantin rendit à Zakolyev un sourire hésitant. Il souhaitait tant porter foi aux paroles de celui-ci que son esprit, pourtant habituellement méfiant, refusait de considérer trois questions fondamentales : D'abord, si l'Ataman voulait réellement le bien de Paulina, pourquoi l'avait-il entraînée à devenir un assassin, au péril de sa vie ? Ensuite, de façon plus pressante encore, comment Zakolyev avait-il su qu'il le trouverait ici, dans son repaire ? Et enfin, où était Paulina ?

Sergei avait perdu la piste du cavalier, mais il continua à remonter les flots impétueux de la rivière, confiant, jusqu'à ce qu'il atteigne un petit bassin entouré de rochers éclaboussés par une chute majestueuse. Il aperçut près de la berge un sentier sinueux — manifestement emprunté par des humains — qui menait en haut de la chute. Il attacha Paestka pour qu'elle puisse brouter à son aise l'herbe mouillée. Repoussant les cheveux trempés qui lui tombaient sur les yeux, il entreprit de gravir le sentier abrupt et glissant.

La pluie s'interrompit tandis qu'il parvenait au sommet de la chute, et il entendit un bruit de voix malgré le grondement de l'eau qui résonnait beaucoup plus bas.

Boitant toujours, Paulina progressait le plus vite possible, mais sa jambe blessée la fit tomber à nouveau. Konstantin, avec ses yeux sombres et son sourire triste, devait l'attendre. Dès qu'elle l'aurait rejoint, tout irait bien. Alors elle continuait d'avancer tant bien que mal dans la boue glissante, clignant des yeux dans la pluie, regardant droit devant elle sous un ciel obscurci par les nuages. Elle n'était plus qu'à une vingtaine de mètres du ruisseau quand la pluie cessa. Elle aperçut deux personnes assises de l'autre côté du ruisseau, près du faîte des chutes.

Elle s'immobilisa et écarquilla les yeux. C'était Konstantin… en compagnie de son père. Puis elle les vit se lever et se retourner à l'arrivée d'un troisième homme qui venait de faire irruption entre les arbres.

Quand Sergei émergea de la forêt, il crut un instant qu'il rêvait. Zakolyev semblait tout aussi incrédule ; il le dévisageait comme s'il avait fait face à un fantôme. Toutefois, il se ressaisit rapidement et passa la main dans ses cheveux mouillés, dissimulant ses émotions sous son masque impassible habituel.

C'était la première fois que Sergei apercevait Zakolyev depuis la mort d'Anya, et il sentit ses muscles se crisper. Il inspira profondément et se détendit, tout en restant alerte et en balayant les environs du regard.

Ils étaient seuls, tous les trois : Sergei, Zakolyev, et un jeune homme de l'âge que devait avoir son fils…

Portant à nouveau son attention sur Zakolyev, Sergei alla droit au but : « Je suis venu pour mon fils. »

Zakolyev soupira, comme s'il se résignait à affronter un moment désagréable. Il savait que le moment de rendre des comptes était arrivé. « Sergei Ivanov », fit-il avec un sourire glacial. « Voilà que nos chemins se croisent à nouveau. Et maintenant, tu affirmes simplement être venu chercher ton fils, sans un seul mot de salutation ? Eh bien, je suis disposé à ignorer ce manque de courtoisie. Et c'est ton jour de chance. Comme tu peux le constater, ton fils est là, devant toi. Il s'appelle Konstantin, et je te le rends. »

Ébahi par ce revirement, Konstantin ouvrait la bouche pour parler quand Dmitri l'enserra par l'épaule.

Sergei aperçut l'éclat du couteau au moment même où Zakolyev empoignait la tête de Konstantin. L'Ataman lui mit la lame sur la gorge et…

En une fraction de seconde, comme par magie, Sergei avait bondi trois mètres en avant et fait dévié la lame vers la poitrine de Konstantin; il immobilisa la main qui tenait le couteau, fractura le bras de Zakolyev et le désarma. De l'autre main, Sergei le saisit par les cheveux et tira sa tête vers l'arrière si brusquement qu'il faillit lui rompre le cou; puis, poussant Konstantin hors de la portée de Zakolyev, il étourdit celui-ci d'un coup de coude qui le projeta au sol, où il resta figé.

Paulina, pour sa part, était plongée dans un état de confusion totale. Elle venait de voir — s'était-elle trompée? — son père Dmitri tenter de trancher la gorge de son Kontin. Et l'homme aux cheveux blancs l'avait sauvé.

Zakolyev, qui avait repris ses esprits, aperçut Paulina. « Tue-le! Tue le monstre! » hurla-t-il à Paulina d'un ton sans appel.

« Non! » s'écria Konstantin. « Paulina, non! Tu ne peux pas faire cela! Cet homme est mon père! »

La jeune fille ne comprenait rien à ces paroles, rien à toute cette situation. Toutefois, son corps réagit à ses années d'entraînement, et elle obéit à l'homme qui l'avait élevée. Oubliant sa jambe endolorie, Paulina s'élança vers le monstre à la chevelure blanche qui avait tué sa mère et hanté ses rêves, et lui décocha un coup de pied dévastateur.

Elle atterrit avec un bruit d'éclaboussures dans le ruisseau au-dessus des chutes, puis retourna vivement la tête — l'homme aux cheveux blancs n'était plus là. Elle roula sur elle-même et pivota juste à temps pour l'apercevoir derrière elle. Après avoir tenté en vain de lui faucher la jambe, elle bondit sans hésiter et lui assena une pluie de coups de poing rapides comme l'éclair, que Sergei esquiva l'un après l'autre.

Paulina était prise au dépourvu : au cours de son long entraînement, rien ne l'avait préparée à un tel combat. C'était insensé : le monstre ne l'avait pas attaquée une seule fois. Était-ce réellement un magicien qui prenait plaisir à ce petit jeu?

À nouveau, elle lui décocha une série de violents coups de poing — mais cette fois encore, l'homme les évita tous sans tenter un seul coup en retour. Ils étaient toujours debout dans le bassin au-dessus des chutes; Paulina, haletante, s'arrêta quelques secondes pour se ressaisir.

❖ ❖ ❖

À cet instant, les derniers rayons du soleil couchant filtrèrent à travers les nuages. Pour la première fois, Sergei aperçut clairement le visage illuminé de son étonnant assaillant : c'était celui d'une fille — et plus précisément, celui d'Anya. Au même moment, le soleil fit miroiter le médaillon qui pendait à son cou. Il n'y avait plus d'erreur possible.

Sa quête était terminée.

Zakolyev glapit à nouveau : « Tue-le, Paulina ! C'est le moment ! » Cependant, sa voix avait déjà perdu de son autorité.

Konstantin cria à son tour : « Arrête, Paulina, par pitié ! C'est mon père ! »

« Non », déclara Sergei au jeune homme sans quitter Paulina des yeux. « J'aimerais bien être ton père, mais je n'ai pas de fils. J'ai une fille, et elle est là devant moi. »

Paulina restait figée, ne sachant que faire.

Le bras fracturé, Zakolyev était toujours allongé, les yeux rivés sur la scène qui se déployait devant lui. « Tue-le, Paulina », ordonna-t-il une dernière fois d'un ton perçant et désespéré. « Accomplis ta mission ! Il a tué ta mère ! »

Paulina se tapit pour mieux revenir à la charge, se déplaçant autour de l'homme aux cheveux blancs. Il se tenait simplement debout, l'air détendu; son visage était serein. Et il pleurait.

Profondément confuse, elle désigna Zakolyev en s'adressant à Sergei : « Mais… c'est lui mon père… »

« Non ! »

Paulina se retourna et vit Konstantin qui s'avançait vers elle; sa chemise était mouillée et ensanglantée par son entaille à la poitrine. « Non, Paulina. Je suis profondément désolé de ne jamais te l'avoir révélé... Je n'étais qu'un petit garçon, mais je me souviens du jour où ils t'ont ramenée au camp... »

Soudain, Zakolyev se remit sur pied, brandissant un nouveau couteau de la main gauche. Porté par une folie meurtrière, il s'élança dans la rivière, bondissant avec fureur.

Par-dessus l'épaule de Paulina, Sergei l'aperçut qui volait vers eux — lequel d'entre eux avait-il l'intention d'abattre ? D'un geste trop rapide pour être perceptible, Sergei poussa Paulina pour l'écarter.

Elle tomba et roula sur elle-même, croyant qu'il l'attaquait. Mais dès qu'elle se releva, elle vit son papa Dmitri, couteau à la main, se précipiter vers Sergei Ivanov.

Sergei observait Zakolyev s'approcher comme si la scène se produisait au ralenti, dans un profond silence. Relâchant ses muscles, respirant profondément, il attendait simplement, les bras ballants. Le moment d'appliquer ses longues années d'entraînement était arrivé.

Zakolyev bondit et abattit son couteau. Au dernier instant, quand la pointe de la lame fut sur le point de transpercer son manteau et sa chair, Sergei sembla se volatiliser, tel un fantôme. Il s'était écarté de la ligne d'attaque et avait fait pivoter légèrement son corps. Par un subtil mouvement des bras, il propulsa Zakolyev la tête la première dans la rivière en direction de la chute.

Projeté par-dessus son ennemi, l'assaillant dérouté tendit instinctivement le bras, agrippant au passage le manteau de Sergei.

Celui-ci, entraîné par l'élan de Zakolyev et déséquilibré par le courant et par sa position instable, perdit pied.

Horrifiés, Paulina et Konstantin virent donc Dmitri Zakolyev et Sergei Ivanov glisser vers le précipice, emportés par la chute.

. 51 .

Dans la semi-pénombre du crépuscule, sous un ciel où les nuages se dissipaient enfin, Paulina, la gorge serrée par l'angoisse, s'avança en boitant le long de la rive jusqu'au sommet des chutes, soutenue par Konstantin. Tout en bas, où l'eau rebondissait avec vacarme sur les rochers, ils aperçurent le corps tordu, disloqué et inerte de Dmitri Zakolyev.

Sergei Ivanov avait disparu.

Dans l'esprit de Paulina, la vérité était encore embrouillée ; la jeune fille ne parvenait pas à assimiler tout ce qui s'était passé. Toutefois, malgré sa confusion et son désarroi face aux événements catastrophiques qui venaient de se produire, elle se sentait libérée. L'existence qu'elle avait menée jusqu'alors et les mensonges auxquels elle avait cru avaient été engloutis par la chute. Elle ignorait ce qui l'attendait, mais elle entrevoyait pour la première fois de sa vie la possibilité d'un avenir différent, avec Konstantin à ses côtés.

Elle s'agrippa à son ami et ils descendirent laborieusement le sentier tortueux qui menait en aval des chutes. L'Ataman Dmitri Zakolyev, l'homme qu'elle appelait « Père », avait rendu l'âme. Et le corps de Sergei Ivanov, qui avait sauvé la vie de Konstantin, avait été entraîné par la rivière. S'il avait survécu, il pourrait peut-être aider Paulina à donner un sens nouveau au monde qui l'entourait.

Surpris d'avoir été épargné, en état de grâce, Sergei se hissait sur la rive une vingtaine de mètres plus bas. Il aperçut

Paestka qui broutait paisiblement un peu plus loin, à l'abri des drames humains.

Sergei souffrait de contusions et du froid, mais d'aucune blessure grave. Il se fraya un chemin vers les chutes où il trouva le corps de Zakolyev. Il le tira hors du torrent jusqu'aux broussailles. Des images de leur enfance commune à l'école de cadets l'assaillirent — y compris leur expérience de survie en forêt, leurs querelles. Puis elles s'estompèrent tandis que Sergei extirpait sa petite pelle de sa sacoche et creusait une tombe pour Zakolyev, le recouvrant de terre mouillée.

« Je ne voulais pas te tuer », murmura Sergei, « mais ton départ me soulage… »

Il n'avait pas de pierre à sa disposition pour marquer l'emplacement de la tombe, ni rien à ajouter. Cependant, quand son regard se posa à nouveau sur le monticule de terre, il songea que son pire ennemi avait mis sa fille au monde ; il l'avait protégée et entraînée, lui servant de père à sa façon. Inclinant la tête, il remercia le ciel que sa fille soit encore en vie. Puis il pensa à Anya, et à la joie qu'elle aurait éprouvée en ce moment…

Paulina et Konstantin le rejoignirent devant la tombe de Zakolyev, à qui ils firent leurs propres adieux en silence.

Pendant que les autres membres du clan continuaient de vaquer à leurs occupations, inconscients de tous ces bouleversements, les trois survivants gravirent à nouveau le sentier — Sergei menant Paestka par la bride et les deux jeunes gens se tenant fermement par la main.

Tout en marchant, Sergei raconta à Paulina l'histoire de son médaillon — son origine et la façon dont il était parvenu à la jeune fille. Lui épargnant les détails, il lui en dit néanmoins assez long pour qu'elle puisse entrevoir la vérité.

Quand ils atteignirent le faîte des chutes, Sergei avait terminé son histoire. Le ciel était encore teinté de mauve quand ils entendirent, en provenance du camp, des cris d'alarme rompant le silence du soir.

« Korolev est mort ! » cria quelqu'un.

« L'Ataman a disparu ! » hurla une autre voix. « Nous sommes attaqués ! »

Quelques instants plus tard, apercevant les trois nouveaux arrivants, Tomorov et cinq autres hommes armés de sabres, de couteaux et de pistolets se précipitèrent vers eux pour abattre l'intrus aux cheveux blancs.

Sergei restait calme, dénué d'attentes, prêt à accepter le déroulement des événements…

Mais quand les hommes furent tout près, Paulina s'interposa. « Arrêtez tous ! » s'écria-t-elle, sa douce voix chargée d'autorité. Elle leva le bras ; les hommes s'arrêtèrent et attendirent. « Tout est fini ! déclara-t-elle. L'Ataman Dmitri Zakolyev est mort, emporté par la chute. Et croyez-moi : ce n'est pas une bonne idée de vous attaquer à cet homme. Si vous le faites, vous aurez aussi affaire à moi ! »

Privés de chef, les hommes maugréaient, les dévisageant et traînant les pieds. Ils n'acceptaient pas d'ordres venant d'une femme — pas même de Paulina. Toutefois, le nouveau venu leur semblait vaguement familier.

Tomorov l'éclaireur avait bonne mémoire. Il reconnut l'homme aux cheveux blancs — celui qui les avait suivis après qu'ils aient tué sa femme et son enfant et l'aient roué de coups. Cela suffisait. « Venez ! » dit-il aux autres hommes. « Nous n'avons plus rien à faire ici. »

Ils firent marche arrière et se dispersèrent. Trébuchant comme des aveugles, ils se mirent à rassembler leurs affaires et à seller leurs chevaux. Il flottait dans l'air une odeur de mort qu'ils voulaient fuir sans tarder.

Sergei examina la blessure au torse de Konstantin. « L'entaille n'est pas profonde ; elle guérira assez vite », affirma-t-il.

« Mieux vaut la poitrine que… merci de m'avoir sauvé la vie », fit Konstantin. « Je… je regrette que tu ne sois pas mon père à moi aussi. J'en serais heureux… »

Sergei posa les yeux sur sa fille. La voyant étreindre Konstantin, il sourit et lança : « Nous trouverons peut-être un moyen d'exaucer ce vœu. »

Les événements de la journée — la mort de Korolev, l'agression presque fatale subie par Kontin et le décès de l'homme qu'elle croyait son père — submergèrent soudain Paulina. Elle se mit à hoqueter, et Konstantin la soutint pendant qu'elle laissait libre cours à ses larmes.

Un peu plus tard, quand elle retrouva l'usage de la parole, Paulina leva les yeux vers Sergei Ivanov. « J'ai appris à te détester… toute ma vie… Est-il réellement possible que tu sois mon père ? Comme puis-je en avoir la certitude ? »

Sergei n'avait aucune preuve à lui offrir. Il répondit donc simplement : « Tu as eu une journée difficile, Paulina. Et nous aussi. Éloignons-nous d'ici et allons camper dans la forêt. Demain matin, nous y verrons peut-être tous plus clair. »

Cette proposition semblait sensée. Cela ferait un bon début.

Sergei, Paulina et Konstantin quittèrent ensemble le camp à cheval. Leur départ ne souleva aucun émoi, et personne n'essaya de les intercepter. Quelqu'un avait mis le feu à la grange. Jetant un coup d'œil par-dessus son épaule, Paulina se tourna vers Konstantin et lui dit d'une voix lasse : « Aujourd'hui, avant que j'aille vous rejoindre aux chutes, Korolev a tenté de… m'attaquer. Nous nous sommes battus… et je l'ai tué. »

Sergei la dévisagea. « Tu dis que tu as tué le géant manchot, Korolev ? »

Elle hocha la tête, se mordant la lèvre. « Le connaissais-tu ? »

Il hésita, puis résolut de lui révéler toute la vérité : « Korolev est l'homme qui a tué ta mère. »

Paulina se retourna pour lui dissimuler ses larmes. Elle avait donc accompli sa mission, après tout : elle avait tué le monstre qui avait assassiné sa mère. Toutes ses années d'entraînement n'avaient pas été inutiles.

Cette nuit-là, Sergei resta longtemps éveillé, se demandant comment il pourrait gagner la confiance de sa fille.

Le lendemain matin, il était déjà debout à alimenter le feu quand Konstantin se leva, suivi par Paulina. Ils restèrent assis en silence un moment, mais Sergei savait ce qui tracassait Paulina — la preuve qu'elle recherchait. Et à son réveil, une idée lui avait traversé l'esprit. Il lui fallait prendre un risque…

En offrant aux jeunes gens des baies qu'il avait cueillies dans les environs, il s'adressa à Paulina : « As-tu remarqué ma ressemblance avec ton grand-père, que tu vois sur la photo du médaillon ? »

Paulina n'avait nul besoin de le vérifier; le visage de ses grands-parents était gravé dans sa mémoire. « Oui, répondit-elle. Mais de nombreuses personnes se ressemblent. »

« Il y a peut-être encore autre chose, dit-il. Vois-tu, quand j'ai épousé ta mère, j'ai coupé cinq mèches de ses cheveux, de la même couleur que les tiens, et les ai enroulées en une boucle glissée derrière la photo de mes parents — tes grands-parents. »

Paulina écarquilla les yeux. Elle n'avait jamais eu l'idée de regarder derrière la photographie. Elle ouvrit prestement le médaillon et souleva délicatement le petit morceau de papier, tandis que Sergei retenait son souffle.

Il n'y avait pas de mèches de cheveux. Rien. Quand Paulina releva les yeux, Sergei vit une lueur de méfiance dans son regard.

« Attends ! » s'écria Konstantin. « Il y a quelque chose derrière la photo. » Quand Paulina retourna celle-ci, elle aperçut une petite boucle pressée contre le papier jauni — formée de cinq mèches des cheveux de sa mère.

Sergei sourit. « Elle s'appelait Anya, et elle était aussi belle que toi. »

Peu après, enfourchant à nouveau leur cheval, ils levèrent le camp.

Paulina n'avait emporté avec elle que le médaillon et quelques effets personnels. Konstantin, lui, avait tout laissé derrière sauf quelques-uns de ses dessins, pliés et glissés dans un livre.

« De quoi parle ton livre ? » demanda Sergei, tandis qu'ils se dirigeaient vers le nord.

« D'un voyage en Amérique, raconté par un écrivain nommé Abram Chudominski », répondit le jeune homme.

Sergei hocha la tête, mémorisant le nom du livre et de l'auteur. « En Amérique ? C'est là que je prévois partir », dit-il. « Et j'espère que vous m'accompagnerez... »

Mais Paulina se contenta de demander : « Et maintenant, où allons-nous ? »

« Nous allons rencontrer ta grand-mère et ton oncle, qui seront ravis de faire votre connaissance. »

Ils cheminèrent ensuite en silence pendant un certain temps — non pas parce qu'ils n'avaient rien à se dire, au contraire, mais il leur était difficile de savoir par où commencer. Sergei, pour sa part, préférait attendre que Paulina se sente prête.

Vers le milieu de la journée, elle se mit à le bombarder de questions. Sergei y répondit, racontant à la jeune fille son propre cheminement et l'histoire de sa famille, jusqu'à ce qu'elle semble satisfaite.

Ce n'est qu'au cours du deuxième jour de leur chevauchée vers le nord que Paulina prit la parole à son tour — d'abord d'un ton hésitant, puis plus vivement — comme pour s'assurer de la clarté de ses souvenirs et les exprimer à haute voix, encouragée par la présence rassurante de Konstantin. Elle confia à Sergei tout ce dont elle se rappelait. Konstantin y ajoutait parfois des détails, exposant également sa propre vision des choses.

Sergei buvait les paroles de sa fille, déplorant son étrange enfance et toutes les années qui leur avaient été dérobées.

Au fil des jours et des récits, leur conversation se ponctua de moments de silence, de plus en plus longs. Toutefois, un fragile bien-être avait envahi ce silence, et si Paulina continuait de jeter à Sergei des coups d'œil perplexes, on y lisait maintenant un certain respect, ou du moins une gratitude confuse pour le long périple qu'il avait accompli avant de parvenir jusqu'à elle.

. 52 .

Ils furent joyeusement accueillis à Saint-Pétersbourg. Après toutes les présentations et les effusions suscitées par cette première rencontre, Paulina et Konstantin partagèrent leur premier repas du shabbat avec Sergei, Valeria, Andreas, Katya et les enfants de ces derniers, Avrom et Leya. Grand-mère Valeria Panova exprima sa profonde reconnaissance pour ces retrouvailles, et pleura de joie en cette soirée mémorable.

Sergei avait à nouveau l'impression de flotter dans un rêve tandis qu'il contemplait la table entourée de tous ces êtres chers, captant des images qui resteraient gravées dans sa mémoire pour le restant de ses jours. Conscient du caractère éphémère de ce moment, il le savourait encore davantage.

Jetant un autre regard à sa fille, il s'émerveilla à nouveau de sa ressemblance avec Anya — ses yeux, ses cheveux, ses pommettes, la forme de ses lèvres — à la fois si semblables et si différents.

Paulina découvrait abruptement le grand monde. Valeria et Andreas lui firent visiter la ville, en compagnie de Konstantin qui démontrait une vive curiosité et posait des dizaines de questions à propos des us et coutumes, des banques, du commerce et des voyages. Paulina parlait moins, mais elle regardait et écoutait attentivement.

Puis, tandis qu'ils célébraient tous ensemble leur deuxième shabbat, Sergei profita d'un moment de silence pour annoncer tranquillement qu'il avait un présent pour Paulina. Il plaça trois pierres précieuses sur la table devant elle. « Ces joyaux, expliqua-t-il, m'ont été légués par ton arrière grand-père Heschel Rabinowitz, qui les tenait de son père. Aujourd'hui, je te les transmets. Ils possèdent une grande valeur et vous serviront d'assise pour bâtir votre nouvelle existence commune. »

Paulina admira les pierres qui étincelaient, comme ses propres yeux à la lumière de la chandelle. Elle se tourna vers Konstantin, puis regarda Sergei à nouveau. « Je… je te remercie… Sergei. » Elle avait encore du mal à l'appeler « Père » — cela lui semblait trop étrange.

La jeune fille resta discrète tout au long de la soirée — elle paraissait préoccupée. Elle concevait maintenant que toutes ces personnes rassemblées autour de la table formaient sa famille : son père, sa grand-mère, son oncle, sa tante et ses jeunes cousins. Et pourtant, ils restaient à ses yeux des étrangers — même le brave et généreux Sergei Ivanov, qu'elle ne connaissait que depuis quelques brèves semaines.

Après le repas, Sergei parla avec enthousiasme de l'Amérique, sur laquelle il mettrait le cap bientôt avec Paulina et Konstantin. Il tenta à nouveau de convaincre Valeria, Andreas et Katya de les accompagner, mais en vain.

Tandis que Sergei évoquait leur avenir, Paulina mûrissait une décision à propos de son passé : elle y tournerait le dos et n'en parlerait plus jamais. Même cette soirée ferait partie de son passé. Son avenir, lui, n'avait pas encore commencé.

Et la veille, Paulina et Konstantin avaient également pris une autre décision difficile…

La semaine suivante, Sergei revint avec tous les certificats et documents nécessaires à Paulina et Konstantin. « Entre bonnes mains, un peu d'argent peut accomplir des miracles », expliqua-t-il en souriant. Il avait aussi réservé trois billets de deuxième classe sur le grand paquebot *König Friedrich*, qui partirait d'Allemagne.

Cinq jours plus tard, après des adieux à la fois doux et déchirants et maintes promesses de correspondance, Sergei, Paulina et Konstantin partirent pour la Finlande, d'où ils pourraient traverser la mer Baltique jusqu'à la ville portuaire de Hambourg.

Au cours des premières journées de leur voyage, leurs conversations eurent un ton forcé et embarrassé ; parfois, elles avortaient à peine amorcées. Sergei prit conscience que bien que Paulina l'ait rationnellement accepté comme père, reconnaissant également être la fille d'une femme nommée Anya, seul Konstantin avait trouvé une place en son cœur.

Durant la majeure partie de la traversée, Paulina et Konstantin ne recherchèrent guère la compagnie d'autrui. Puis, près de deux semaines après le départ, tandis que le paquebot s'approchait de la côte américaine, la jeune fille fit un effort particulier pour inclure Sergei dans leur conversation lors du repas du soir. À un moment, elle sembla vouloir lui confier quelque chose mais se retint, comme si elle ne trouvait pas les mots justes. Elle jeta un coup d'œil à Konstantin, qui hocha la tête. « Il n'y aura jamais de meilleur moment », affirma-t-il.

Paulina se tourna vers Sergei. « Sergei… Père, pourrions-nous aller faire un tour sur le pont ? »

Sur le pont arrière, à l'abri du vent, Paulina emmena Sergei à l'écart. Elle inspira profondément et déclara : « Je… je veux d'abord te remercier pour tout… pour avoir sauvé la vie de Konstantin… et pour ce que tu as traversé pour me retrouver… pour ta bonté et ta générosité… »

Sergei ouvrit la bouche pour lui dire qu'il comprenait, mais sur les lèvres de sa fille les mots se bousculaient : « Je suis heureuse que tu sois mon père, car tu es un homme bon… il y a peut-être un peu de cette bonté en moi… »

Elle hésita, puis plongea son regard dans celui de Sergei avant de poursuivre : « Mais maintenant, tu as atteint les objectifs de ta quête et... et Konstantin et moi devons trouver notre propre voie seuls... »

Sa voix se raffermit : « Nous devons inventer notre vie, comme tu dois le faire aussi. Je te souhaite une existence heureuse, Sergei Ivanov, où que tu ailles... Je garderai de toi un tendre souvenir, mais... j'ai aussi beaucoup de choses à oublier. »

À ce moment, Konstantin réapparut et glissa son bras autour des épaules de Paulina. Tendant l'autre main pour serrer celle de Sergei, il dit : « Quand nous nous installerons et aurons des nouvelles à communiquer, nous écrirons à l'adresse que nous a laissée la grand-mère de Paulina. » Sur ces paroles, le jeune homme se retira. Paulina esquissa un geste comme pour le suivre, mais elle se retourna vers Sergei et ajouta : « Je crois que ma mère... serait fière de tout ce que tu as accompli. »

Puis, pour la première et dernière fois, elle se rapprocha de son père, se hissa sur la pointe des pieds et l'embrassa sur la joue — un baiser filial si tendre et délicat que Sergei sentit son cœur fondre comme neige au soleil. Il fut incapable de protester quand elle retira le médaillon de son cou, le déposa dans sa paume à lui et referma ses doigts autour du bijou.

Sergei resta immobile, seul devant la mer, songeant à ce que lui avait enseigné Serafim plusieurs années auparavant : ne pas nourrir d'attentes, mais être prêt à tout. Il avait anticipé cette séparation, sachant qu'elle était inévitable. Mais il ne croyait pas qu'elle se produirait si tôt...

Un mélange indéfinissable d'émotions l'étreignait. Il confia son état d'âme et son avenir à Dieu. Quand le navire atteindrait la côte américaine, Paulina et Konstantin disparaîtraient de sa vie aussi abruptement qu'ils y avaient surgi.

Pourtant, dans l'ensemble, tout se terminait bien. Sergei avait retrouvé sa fille saine et sauve et l'avait aidée à amorcer une nouvelle vie. Et elle venait de faire de même pour lui. Elle lui avait exprimé sa propre vérité, et il en sortait libéré.

❖ ❖ ❖

Tandis que la côte se profilait à l'horizon et que la proue du paquebot fendait l'écume, Sergei laissa son regard errer le long de cette contrée nouvelle. Son esprit en enregistrait les moindres détails — l'éclat du soleil, les nuances du ciel et de la mer, l'abondance de vie. Même si un jour l'homme explore les étoiles en vaisseau spatial, songea-t-il, cette aventure ne sera jamais plus grandiose que celle que nous offre la Terre.

Pendant un instant, la brise chargée d'embruns se dissipa et le monde cessa de tourner : plongé dans un profond silence, Sergei vit apparaître trois visages, l'un après l'autre, si nettement qu'ils semblaient flotter dans les airs. D'abord, celui de son père — qui, loin de sembler aussi sévère que sur la photo du médaillon, avait des yeux empreints de douceur et un sourire qui réchauffa le cœur de Sergei. Puis celui de Serafim, qui fit jaillir à ses yeux des larmes de gratitude. Enfin, le visage fruste au regard profond du philosophe grec Socrate, tel qu'il lui était apparu dans sa lointaine enfance. Ces trois images se superposèrent dans l'esprit de Sergei, où quelques mots jaillirent avec force, comme une chanson très ancienne : *Comme nous passons d'une vie à l'autre en mourant... nous pouvons aussi mourir et renaître en l'espace d'une seule vie... et notre histoire, notre voyage, se poursuit sans cesse...*

Sergei demeura immobile quelques minutes, jusqu'à ce qu'il sente à nouveau la brise ébouriffer ses cheveux blancs. S'abritant du vent, il plongea sa main dans la poche de sa chemise et en ressortit le médaillon que lui avait remis Paulina. Après en avoir fait glisser délicatement le fermoir, il contempla un moment la photo de ses parents puis jeta un coup d'œil derrière, espérant y retrouver les cheveux d'Anya.

Le temps d'un fragment d'éternité, Sergei oublia totalement le monde qui l'entourait, et le goût de ses larmes se mêla aux effluves de la mer. Il venait d'apercevoir sous la photo deux boucles de cheveux différentes, qu'il chérirait pour le restant de ses jours.

Sergei formula en silence une prière pour sa fille, tandis qu'une rafale venue du nord balayait le pont. Il lui sembla entendre la voix d'Anya, la même qui s'était adressée à lui dans ses moments les plus sombres. Elle lui soufflait : « Sois confiant, mon amour. Notre enfant est en sécurité entre les bras de Dieu. »

C'est vrai, pensa-t-il. Dieu veille sur nous tous.

Au cours de ma jeunesse,
je croyais que mon existence
se déroulerait de façon ordonnée,
conformément à mes espoirs et mes attentes.
Mais j'ai compris depuis que la Voie est pleine de méandres,
telle une rivière qui ne cesse jamais de couler et de se renouveler,
entraînée par la loi de la gravité divine
vers la grande mer de l'Être.
Mes aventures révèlent que c'est la Voie elle-même
qui crée le guerrier ;
que tous les chemins mènent à la paix,
tous les choix à la sagesse.
Et que la vie a toujours été
et ne cessera jamais,
se déployant à l'infini au cœur du grand Mystère.

Extrait du journal de Socrate

ÉPILOGUE

Révélations ultérieures

Mes quatre grands-parents étaient d'origine ukrainienne, mais j'entretenais un rapport privilégié avec les parents de ma mère. Quand j'étais enfant, grand-papa Abe me racontait des histoires pendant que nous cassions des noix tombées d'un arbre qui poussait dans leur cour. Comme plusieurs émigrants de ces vieux pays, il n'évoquait guère l'Ukraine ou la Russie, préférant narrer de petites anecdotes personnelles qui auraient pu se produire n'importe où — à propos du cheval qu'il mourait d'envie de monter, par exemple, ou de sa rivière favorite où il avait appris à nager en sautant d'un canot dans l'onde claire et fraîche. Il exaltait mon imagination à l'aide de légendes, comme celle de l'oiseau arc-en-ciel que nul n'était capable d'attraper sauf un petit garçon patient et intelligent comme moi...

Grand-papa Abe a quitté ce monde quand j'avais quatre ans.

Ma grand-mère, que nous appelions Babu, ne racontait pas d'histoires. Cependant, elle préparait les meilleurs sandwichs au beurre d'arachide et à la confiture du monde entier, et elle réussissait mieux que quiconque à me débarbouiller en arrière des oreilles. Je conserve un tendre souvenir de Babu, une vieille dame aux cheveux blancs vêtue de robes fleuries.

Quand j'ai quitté la maison pour fréquenter l'université, j'ai pratiquement cessé de voir Babu jusqu'au début des années 1970, où je suis revenu m'installer dans le sud de la Californie pendant un certain temps. À ce moment, Babu avait près de quatre-vingts ans, et elle était pratiquement clouée au lit. Comme sa vision avait faibli, j'allais parfois lui lire des extraits de divers écrits dont j'avais entrepris la rédaction.

Un dimanche, j'ai décidé de partager avec elle l'ébauche de ce livre, qui puisait en partie son inspiration dans un journal que m'avait transmis Socrate, dans lequel il fournissait certains détails sur sa vie. Comme l'histoire se déroulait en Russie, en plein cœur du vieux continent, j'ai pensé qu'elle intéresserait Babu. Quand j'ai commencé ma lecture, cependant, j'ignorais si ma grand-mère m'écoutait avec attention — jusqu'au moment, en fait, où j'ai mentionné pour la première fois le nom de Sergei Ivanov. En entendant ce nom, Babu s'est penchée vers l'avant, écarquillant ses yeux voilés.

« Tout va bien, Babu ? » lui ai-je demandé.

« Oui, oui — continue », m'a-t-elle répondu, laissant son regard se perdre au loin.

Comme le nom de Sergei Ivanov est relativement commun en Russie, j'ai cru qu'elle avait connu quelqu'un du même nom.

Mais quand le garçon, Konstantin, a fait irruption dans l'histoire, elle a saisi ma main et m'a demandé d'interrompre ma lecture.

Je ne l'avais jamais vu s'exprimer avec une telle énergie. Toutefois, ce n'est pas uniquement sa voix qui m'a ému, mais également les larmes qui emplissaient ses yeux fatigués. Les essuyant doucement à l'aide d'un mouchoir, Babu a entrepris de me raconter son enfance, et l'histoire de sa vie…

Ce qu'elle m'a révélé surpassait de loin tout ce que j'aurais pu imaginer à propos de nos secrets de famille, et de mon héritage.

Lors de sa traversée en paquebot vers l'Amérique, Konstantin avait fait la rencontre d'un immigrant vêtu avec soin, un Canadien français du nom de monsieur Goguet, directeur d'une entreprise de création de mode. Après avoir examiné plusieurs des croquis de Konstantin, cet homme lui avait offert un emploi sans plus de formalités, comme dessinateur pour le catalogue de l'entreprise.

C'est ainsi qu'après leur arrivée à New York, Konstantin et Paulina émigrèrent sans tarder à Toronto, où ils louèrent un petit appartement.

Paulina allait donner naissance à deux filles. En 1916, la petite famille traversa le Canada jusqu'à Vancouver, en Colombie-Britannique, d'où ils partirent s'installer sur la côte ouest américaine.

Quant à Sergei, il continua à voyager à pied, à cheval et en train pendant plusieurs années, et les lettres qu'il adressait parfois à Valeria et Andreas furent expédiées de divers endroits du continent américain. Plus tard, il reprit contact avec l'un des maîtres qu'il avait rencontrés dans les Pamirs, et il dut partir outremer pour accomplir une mission urgente. Pendant une longue période, toute correspondance avec sa belle-famille s'interrompit.

En 1918, après la mort de Valeria, Andreas réussit à quitter la Russie communiste avec sa famille avant l'imposition du rideau de fer. Puis, comme dans le cas de tant de familles d'émigrants, tout le monde perdit contact.

Éventuellement, Sergei revint en Amérique et s'installa à Oakland, en Californie, à quelques centaines de kilomètres de sa fille, bien qu'aucun des deux ne fût conscient de leur proximité.

Parfois, croyant apercevoir Paulina dans un marché bondé, il résistait à l'envie de crier son nom. Souvent, il s'interrogeait sur les déplacements de sa fille et son évolution avec Konstantin. Il aurait été heureux d'apprendre que Paulina et son mari se portaient fort bien, se consacrant à élever leurs enfants et à bâtir leur avenir. Leurs filles, cependant, n'apprirent que de vagues détails de leur passé. Paulina refusait d'en parler, et Konstantin respectait la volonté de son épouse.

Cependant, l'histoire ne s'arrête pas là.

❖ ❖ ❖

Plusieurs années auparavant, au moment où Paulina et Konstantin avaient immigré en Amérique, on avait demandé à Konstantin son nom. Comme celui-ci ne possédait pas de nom de famille, il décida d'adopter un nouveau nom en même temps qu'un nouveau pays. Le seul qui lui vint alors à l'esprit fut Abram Chudominsky, l'auteur de son livre favori — et le premier qu'il ait lu. À leur arrivée, l'employé du bureau d'immigration traduisit ce nom en Abraham Chudom. Cela resta ainsi, et Paulina prit également le nom de Chudom, modifiant son prénom qui devint Pauline.

Pauline et Abraham nommèrent leurs filles Vivian et Edith. Celles-ci atteignirent l'âge de la majorité dans le sud de la Californie. L'une de ces filles, Vivian, épousa un homme bon, nommé Herman Millman, avec qui elle eut deux enfants — une fille, Diane, et un garçon, Daniel…

Ce n'est que lorsque ma grand-mère Babu, dont le nom officiel était Pauline Chudom, m'a raconté son histoire — de son enfance dans le camp de Dmitri Zakolyev à son expérience de la maternité en cette contrée nouvelle — que j'ai pris conscience des épreuves, des déchirures et des victoires qui avaient façonné sa vie.

C'est ainsi que mon arrière-grand-père Sergei Ivanov, que ma mère Vivian n'avait jamais connu, est devenu mon mentor après notre rencontre en 1967 à Berkeley, en Californie.

Maintenant, je comprends pourquoi il a souri quand j'ai choisi d'instinct de l'appeler Socrate, évoquant le grand sage grec qu'admiraient tant mon arrière-arrière-grand-père Heschel Rabinowitz et sa charmante fille Natalia.

Mon arrière-grand-père Sergei Ivanov, connu sous le nom de Socrate, était un homme plein de ressources — dont une grande partie me sont restées insoupçonnées. Ceux qui ont lu *Le Guerrier pacifique* se rappellent peut-être que Socrate m'avait dit en 1968 : « Je t'observe depuis des années. » Quelques années plus tard, quand j'ai ouvert son journal, la date associée à la toute première inscription a retenu mon attention : c'était le 22 février 1946, soit la journée exacte de ma naissance, vingt-deux ans avant notre première rencontre.

Au cours des moments que nous avons partagés, Socrate ne m'a jamais révélé notre lien familial, peut-être pour la même raison qu'il a choisi de ne jamais s'ingérer dans la vie de Paulina (ma grand-mère) ou de sa famille. Il n'y faisait même pas allusion dans son journal. J'ai appris la vérité de ma grand-mère Babu elle-même, qui m'a raconté qu'elle avait écrit à Valeria plusieurs années auparavant pour l'informer de leurs nouveaux noms, de leurs déplacements et de la naissance de leurs enfants.

Babu avait rencontré Sergei et échangé quelques mots avec lui à une seule autre occasion, lors des funérailles de mon grand-père Abraham (Konstantin). Plus tard, quand j'ai cherché à renouer avec mes plus lointains souvenirs, une image m'est venue à l'esprit : âgé d'à peine quatre ans, je me tenais debout près de ma mère, m'agitant dans mon costume sombre. Quand les porteurs ont abaissé le cercueil où reposait le corps de grand-papa Abe, ma mère s'est mise à pleurer.

Levant les yeux et observant les visages des gens rassemblés autour de nous, j'ai remarqué qu'un homme aux cheveux blancs m'observait avec intensité. Il semblait différent des autres personnes présentes. Il m'a regardé droit dans les yeux et a hoché la tête, puis son visage s'est confondu à nouveau avec les autres et a disparu.

Je sais maintenant que Socrate était au courant de ma naissance et qu'il a choisi de commencer à rédiger son journal ce jour-là, sachant qu'il pourrait me le transmettre plus tard. C'est ce journal, ainsi que les récits de Babu, qui m'ont permis de partager avec vous cette histoire, leur histoire.

Je crois que mon arrière-grand-père Sergei Ivanov a veillé toutes ces années sur moi, tel un ange gardien, attendant le moment propice pour se manifester. Socrate savait se montrer patient. Il avait appris cet art de nombreuses années auparavant, lors de ses multiples périples sur le chemin de la lumière.

Tard dans la nuit, avant l'aube,
un homme sans âge aux cheveux blancs
est assis tranquillement
à l'extérieur d'une vieille station-service Texaco,
sa chaise basculée vers le mur derrière lui.
Propriétaire du commerce, il assure le service de nuit.
Il s'appelle Sergei Ivanov.
Dan Millman, un jeune athlète inscrit à l'université,
s'apprête à rentrer chez lui quand,
saisi d'une impulsion soudaine,
il s'arrête et s'approche de la station-service,
sans savoir ce qui l'y attire.
A-t-il envie d'une boisson gazeuse ou d'une collation nocturne?
Socrate sourit en lui-même, les paupières à demi closes.
Il est là. Le dernier chapitre peut commencer.

Le flambeau de Socrate est transmis dans *Le Guerrier pacifique.*

Table des matières